EL EXPOSI

LA BIBLIA, LIBRO POR LIBRO

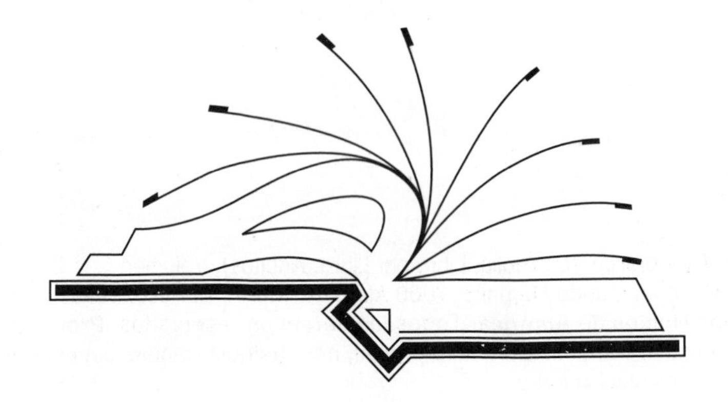

5

1, 2 CORINTIOS AMÓS, OSEAS, JONÁS, FILEMÓN, 2 REYES (2 CRÓNICAS 21—36), MIQUEAS

52 estudios intensivos de la Biblia para alumnos adultos

EDITORIAL MUNDO HISPANO

EDITORIAL MUNDO HISPANO
7000 Alabama Street, El Paso, TX 79904, EE. UU. de A.
www.editorialmundohispano.org

Nuestra pasión: Comunicar el mensaje de Jesucristo y facilitar la formación de discípulos por medios impresos y electrónicos.

Primera edición: 1995
Séptima edición: 2018

Clasificación Decimal Dewey: 220.6 B471a

Temas: 1. Biblia—Estudio
2. Escuelas Dominicales—Currículos

ISBN: 978-0-311-11265-4
EMH Núm. 11265

750 9 18

Impreso en Colombia
Printed in Colombia

EL EXPOSITOR BÍBLICO

PROGRAMA:
"LA BIBLIA, LIBRO POR LIBRO"
PARA ADULTOS

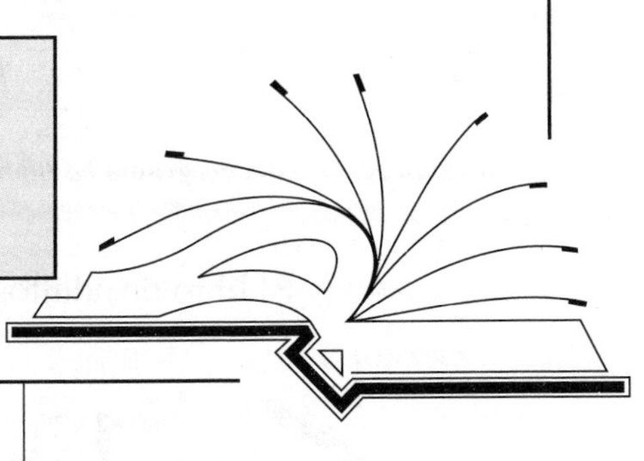

DIRECTORA GENERAL
Raquel Contreras

DIRECTORA DE LA DIVISIÓN EDITORIAL
Raquel Contreras

DISEÑO GRÁFICO
Carlos Santiesteban Jr.

ESCRITORES
1 Corintios:
Josie de Smith
Amós, Oseas, Jonás:
Joyce de Wyatt
2 Corintios:
James Giles
2 Reyes (2 Crónicas 21—36), Miqueas:
Gary Light

EDITORES
Nelly de González
Mario Martínez

EDITORIA SUPERVISORA
Maria Carmona Alonso

DIRECTORA DEL DEPARTAMENTO DE PRODUCCIÓN
Nora Avalos

CONTENIDO

Descripción General de

Objetivo general del programa *La Biblia, Libro por Libro:*
Facilitar el estudio de todos los libros de la Biblia, durante nueve años, en 52 estudios por año.

El libro de adultos está estructurado en seis secciones bien definidas:

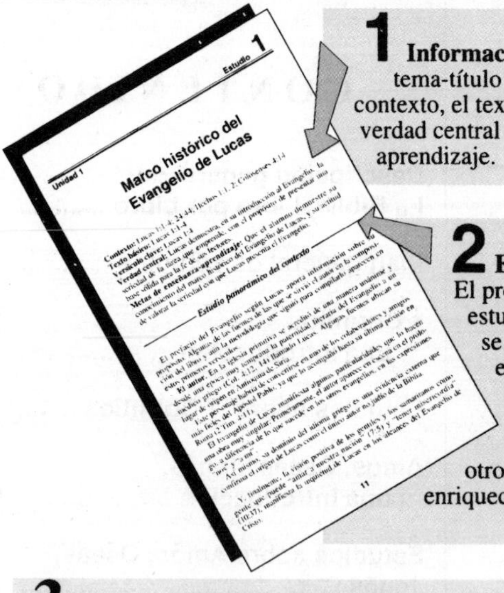

1 Información general. Aquí encuentra el tema-título del estudio, el pasaje que sirve de contexto, el texto básico, el versículo clave, la verdad central y las metas de enseñanza-aprendizaje.

2 Estudio panorámico del contexto. El propósito de esta sección es ubicar el estudio en el marco histórico en el cual se llevó a cabo el evento o las enseñanzas del texto básico. Aquí encuentra datos históricos, fechas de eventos, costumbres de la época, información geográfica y otros elementos de interés que enriquecen el estudio de la Biblia.

3 Estudio del texto básico. Está dividido en dos partes. La primera le instruye: *Lea su Biblia y responda.* Se espera que, con la Biblia abierta, complete una serie de ejercicios que le guían a familiarizarse y comprender el pasaje. La segunda parte le instruye: *Lea su Biblia y piense.* Aquí se provee la interpretación del mensaje básico del pasaje en relación con todo el libro bajo estudio. Aunque la base de la exégesis son las versiones Reina-Valera Actualizada y Reina-Valera Revisada 1960, también se usan otras versiones de la Biblia. Sinceramente creemos que el estilo narrativo, didáctico y lógico de esta sección le hará disfrutar del estudio de la Palabra de Dios.

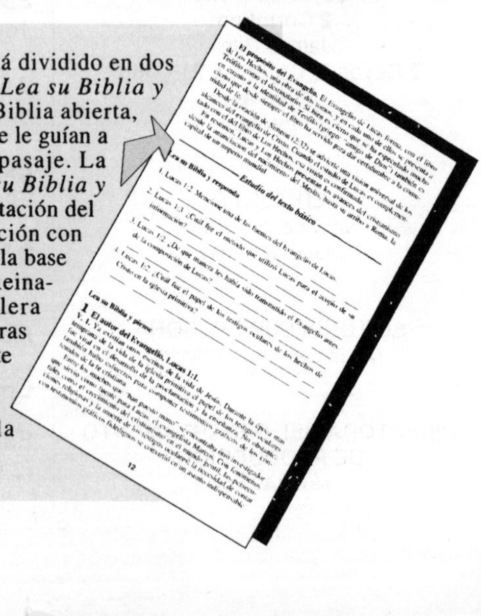

La Biblia, Libro por Libro para Adultos

Objetivo educacional: que el adulto (1) Conozca los hechos básicos, la historia, la geografía, las costumbres, el mensaje central y las enseñanzas que presentan cada uno de los libros de la Biblia. (2) Desarrolle actitudes que demuestren la valorización del mensaje de la Biblia en su vida diaria de tal manera que pueda ser mejor discípulo de Cristo.

4 Aplicaciones del estudio. El propósito de esta sección es guiarle como estudiante a aplicar el estudio de la Biblia a su vida diaria, con la intención de que se decida a actuar de acuerdo con las enseñanzas bíblicas. Aseguramos que no son pequeños "sermoncitos" o "moralejas", sino verdaderos desafíos para actuar en obediencia al Señor Jesucristo.

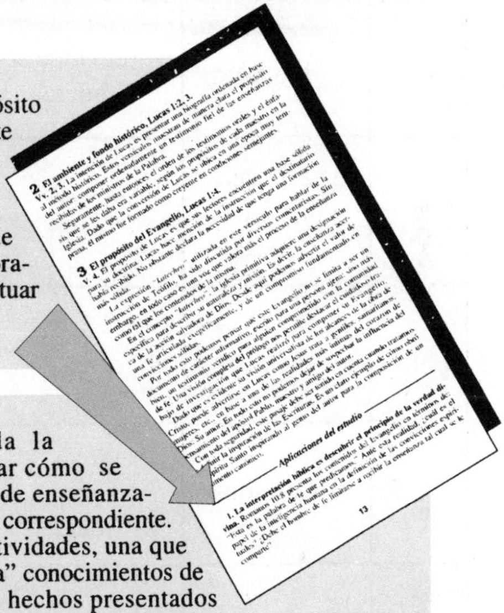

5 Prueba. Aquí se da la oportunidad de demostrar cómo se han alcanzado las metas de enseñanza-aprendizaje para el estudio correspondiente. Hay dos actividades, una que "prueba" conocimientos de los hechos presentados y la otra, que "prueba" sentimientos o afectos hacia las verdades encontradas en la Palabra de Dios durante el estudio. La actividad que prueba sus conocimientos puede hacerla en el aula, durante la hora de clase; la actividad que "prueba" sus sentimientos, generalmente tiene que hacerla en el laboratorio de la vida cotidiana. Al fin y al cabo, es allí donde uno demuestra la calidad de discípulo de Cristo que verdaderamente es.

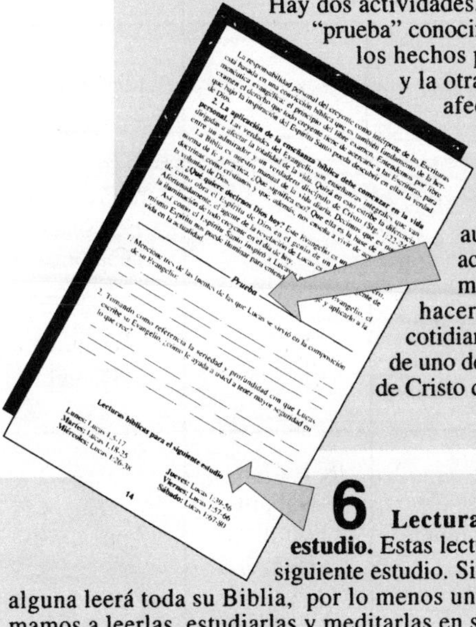

6 Lecturas bíblicas para el siguiente estudio. Estas lecturas forman el contexto para el siguiente estudio. Si las lee con disciplina, sin duda alguna leerá toda su Biblia, por lo menos una vez, en nueve años. Le animamos a leerlas, estudiarlas y meditarlas en su cita diaria con la Palabra de Dios y con el Dios de la Palabra.

PLAN GENERAL DE ESTUDIOS

Libro	Libros con 52 estudios para cada año			
1	Génesis		Mateo	
2	Exodo	Levítico Números	Los Hechos	
3	1, 2 Tesalo- nicenses Gálatas	Josué Jueces	Hebreos Santiago	Rut 1 Samuel
4	Lucas		2 Samuel (1 Crónicas)	1 Reyes (2 Crón. 1-20)
5	1 Corintios	Amós Oseas Jonás	2 Corintios Filemón	2 Reyes (2 Crón. 21-36) Miqueas
6	Romanos	Salmos	Isaías	1, 2 Pedro 1, 2, 3 Juan Judas
7	Deuteronomio	Juan		Job, Proverbios, Eclesiastés Cantares
8	Efesios Filipenses	Habacuc Jeremías Lamentaciones	Marcos	Ezequiel Daniel
9	Esdras Nehemías Ester	Colosenses 1, 2 Timoteo Tito	Joel, Abdías, Nahúm Sofonías, Hageo, Zacarías, Malaquías	Apocalipsis

PLAN DE ESTUDIOS
1 CORINTIOS

Escriba antes del número de cada estudio, la fecha en que lo usará.

Fecha	
	Unidad 1: Llamamiento a la unidad de la iglesia
_______	1. Llamamiento a la unidad
_______	2. Llamamiento a ser colaboradores
	Unidad 2: Llamamiento a la consagración
_______	3. Santidad en la iglesia
_______	4. Santidad en el matrimonio
	Unidad 3: Llamamiento al buen uso de la libertad
_______	5. Libertad responsable
_______	6. Libertad en el ministerio
_______	7. Los límites de la libertad cristiana
	Unidad 4: Llamamiento a la adoración
_______	8. Adoración por medio de la cena del Señor
_______	9. Los dones espirituales
_______	10. Lo más importante
_______	11. El don de lenguas y la profecía
	Unidad 5: Llamamiento al servicio
_______	12. La resurrección de Cristo
_______	13. Servicio amoroso a los necesitados

1 CORINTIOS
Una introducción

La primera carta de Pablo a los corintios

Escritor. Por las características de los escritos que estamos tratando, podemos asumir que el escritor de 1 Corintios fue Pablo el apóstol. Una característica esencial de la literatura epistolar es que al iniciar su escrito, el remitente se identifica. En la primera epístola Pablo añade el nombre de Sóstenes al identificarse.

La ciudad de Corinto. Era una gran ciudad reconocida por su comercio, sus riquezas, su cultura científica, sus artes y también por la vida licenciosa de sus habitantes. Su nombre se deriva del griego *Korinthos* que significa ornamento. Estaba situada sobre el istmo que une a la península del Peloponeso con el continente griego. Tenía dos puertos, uno sobre el mar Egeo, que la ponía en comunicación con Asia, el otro al oeste, por el que recibía los productos de Italia. Corinto era el centro de las comunicaciones entre estas diversas partes del mundo conocido.

La iglesia en Corinto. En el capítulo 18 de Los Hechos se menciona la introducción del cristianismo en esta importante ciudad. Pablo llegó allí en su primer viaje misionero y vivió en la casa de Aquilas y Priscila, compañeros cristianos que, como él, eran tejedores de tiendas. Comenzó su trabajo evangelizador en la sinagoga y luego tuvo que usar una casa particular para sus reuniones debido a la oposición de los judíos. Después de un año y medio de arduo trabajo dejó allí a Apolos en su lugar (Hech. 18:27, 28). Se formó allí una iglesia fuerte.

En ausencia de Pablo surgieron problemas de diversa índole que exigieron la intervención del Apóstol por medio de epístolas.

Fecha y propósito de las epístolas. La primera epístola fue escrita entre los años 53 a 54 d. de J.C. desde Efeso, más o menos dos años después de la salida de Pablo de Corinto. Aunque se designa como la primera epístola, había sido evidentemente precedida por otra que no se ha conservado, pero a la cual se hace referencia en 5:9. Esta carta anterior se cruzó con otra de los corintios a Pablo, o fue seguida de ésta, en la cual le pedían consejos sobre ciertos asuntos. Contestando a esa misiva, el Apóstol les escribe la que es conocida como primera epístola a los corintios, en la que aprovecha para corregir algunos desórdenes que había en el seno de la iglesia (1:11; 5:1). Pablo fue informado de esos conflictos de primera mano. Eso fue lo que le impulsó a enviar a Timoteo a Corinto (4:17).

Posteriormente Pablo partió de Efeso y se dirigió a Troas donde esperaba encontrar a Tito a quien había enviado a Corinto para averiguar la condición en la iglesia y la reacción a la primera epístola.

Unidad 1

Llamamiento a la unidad

Contexto: 1 Corintios 1:1 a 2:16
Texto básico: 1 Corintios 1:4-17
Versículo clave: 1 Corintios 1:10
Verdad central: El llamamiento de Pablo a los corintios para que estén unidos nos muestra que la iglesia de Cristo puede superar sus desavenencias cuando se presentan.
Metas de enseñanza-aprendizaje: Que el alumno demuestre su: (1) conocimiento del llamamiento de Pablo a la iglesia de Corinto para que procuraran la unidad, (2) actitud de promover la unidad fraternal en su propia iglesia.

Estudio panorámico del contexto

Corinto era una de las más ricas y populosas ciudades del Imperio Romano. Situada en el istmo de Grecia era el paso obligado de los que viajaban de norte a sur y de sur a norte. Era el paso elegido, no obligado, de los que viajaban de este a oeste y viceversa en la zona mediterránea. De allí que se convirtiera en un importante centro comercial con grandes riquezas y diversas influencias culturales.

En Hechos 18 encontramos un breve resumen de la obra de Pablo en esta ciudad de más de 600.000 habitantes. Durante su estadía allí fue él una de las principales herramientas que Dios usó para establecer una iglesia. Después de 18 meses en Corinto, Pablo continuó su viaje misionero estableciéndose finalmente por un tiempo en Efeso. Allí le llegaron, alrededor del año 55 d. de J.C., mensajeros de Corinto con noticias alarmantes: La iglesia se estaba dividiendo por diversos factores que iremos viendo en nuestros estudios. Estaba tomando una dirección equivocada. Para corregir su curso, Pablo y Sóstenes escribieron esta primera carta a la iglesia en Corinto. Sabemos quién era Pablo pero, ¿quién era Sóstenes? La única referencia de él, además de ésta, la encontramos en Hechos 18:17: (1) Había sido el principal de la sinagoga en Corinto. (2) Los judíos lo golpearon "ante el tribunal" romano, lo que indica que había aceptado a Cristo.

Después de los saludos de Pablo y Sóstenes la carta comienza su mensaje con una nota positiva de un recuerdo de las bendiciones que los corintios tenían por medio de Cristo (vv. 4-9). Luego hacen un ruego: que cesen las divisiones y vivan en armonía. Se les insta a ser fieles a Cristo y seguidores de él, no de los hombres.

Lea su Biblia y responda

1. El corazón del pasaje es el v. 10. Escríbalo aquí en sus palabras:

____

____

____

2. Complete en cada caso la información solicitada.
   a. El motivo de gratitud de Pablo, según el v. 4. ________________

   ____

   b. ¿Quién llamó a los corintios a la comunión con Cristo, según el v. 9?
   ________________.

   c. ¿Qué informe había recibido Pablo sobre la iglesia, según el v. 11?

   ____

   d. ¿A qué ministerio llamó Cristo a Pablo, según el v. 17?

   ____

Lea su Biblia y piense

1 Unidad por lo que Dios nos ha dado, 1 Corintios 1:4-9.

V. 4. Como introducción a sus exhortaciones, Pablo establece la base de la unidad entre los miembros de la iglesia. El Apóstol comienza expresando su gratitud a Dios: *la gracia... en Cristo Jesús,* que les concedió a los corintios. Es la *gracia* salvadora que da a todos los que aceptan a Cristo Jesús como Salvador. ¿Qué mayor razón y motivo para sentirse unidos?

Vv. 5-7a. El versículo 5 ofrece un panorama ilimitado para el seguidor de Cristo. No hay ningún aspecto en que la vida no se enriquezca por la gracia de Dios. A disposición de los corintios estaba la vida abundante que Cristo prometió. La vida de plenitud en él es la gran promesa que, según los vv. 6 y 7a, se había cumplido en los cristianos de Corinto. Cada uno con su don podía hacer su parte para que el todo, o sea la iglesia, marchara hacia adelante dentro de la voluntad del Señor.

Vv. 7b, 8. *...mientras esperáis,* presenta el momento de salvación en el pasado, la vida salvada del presente se vive esperando la promesa de la segunda venida de Cristo en el futuro. Es él quien en aquel día de juicio presentará ante Dios al cristiano libre de culpa.

V. 9. Todo esto es posible porque el Señor es fiel en cumplir sus promesas. El Apóstol vuelve a recalcar que es Dios quien originó, dio, otorgó la salvación en Cristo, base de la comunión con él.

2 Unidad por el nombre de nuestro Señor Jesucristo, 1 Corintios 1:10-13.

Vv. 10, 11. Los vv. 4 al 9 dieron la situación ideal. Pero ahora se encara de frente la realidad que vivía la iglesia de Corinto. Encontramos en el v. 10 dos SI y un NO en los consejos de Pablo. Sí debían *ponerse de acuerdo,* sí debían vivir en armonía, unidos, pensando lo mismo. Debían concordar en aquello básico que ya Pablo les recalcó en los vv. 4-9. Desde ese punto de unión podían marchar adelante. Para lograrlo no debía haber entre ellos más discusiones. Si concordaban en lo principal, lo que era distintivo en cada uno no tenía por qué resultar en desacuerdos, disensiones y pleitos.

Pablo es directo en decirles por qué les da este consejo (v. 11). Parece ser que unos sirvientes o familiares cristianos de una mujer llamada Cloé habían visitado Corinto. Al regresar a Efeso compartieron con Pablo la triste noticia de la falta de unión entre los miembros de aquella iglesia. Pablo comienza su consejo diciendo: *hermanos míos.* Se identifica con ellos como un hermano amoroso que quiere verlos enderezar sus vidas que están tomando una dirección equivocada. Se dirige a todos por igual, todos son sus hermanos en Cristo, los quiere ver a todos unidos como resultado de su unión con Cristo.

V. 12. En este versículo, Pablo pasa de lo general a lo específico. ¿En qué consistían las discordias reportadas? En que se estaban dividiendo siguiendo distintos líderes en lugar de permanecer unidos bajo el auténtico líder: Cristo. Habían formado bandos agrupándose con los que consideraban sus maestros. El escritor presenta, quizá como ejemplo, los bandos de *Pablo,* de *Apolos,* de *Pedro* y de *Cristo.* En el caso de *los de Cristo,* la crítica sería que eran un grupo intransigente y cerrado muy distinto del espíritu de Cristo.

V. 13. Las preguntas retóricas de este versículo puntualizan la situación ridícula en que se estaban colocando al dividirse en bandos. La respuesta lógica a la primera pregunta: *¿Está dividido Cristo?,* sería: No, Cristo no está dividido. Es uno y como uno deben ser los que le siguen.

A la segunda pregunta: *¿O habéis sido bautizados en el nombre de Pablo?,* responderíamos: "No, ni Pablo, ni Apolos, ni Pedro, ni nadie más que Cristo fue crucificado por nuestros pecados. No tenemos por qué enaltecer a los líderes poniéndolos en el lugar de Cristo. Tampoco debemos formar grupos dentro o fuera de la iglesia. Ya Pablo lo ha expresado de diferentes maneras, los dirigentes y los dirigidos somos siervos del Señor. El es quien nos salvó y sólo a él debemos nuestra lealtad."

3 Unidad por causa del evangelio, 1 Corintios 1:14-17.

Vv. 14-16. Por segunda vez encontramos en este capítulo que Pablo da *gracias.* Antes dio gracias por los hermanos de Corinto y las riquezas que tenían en Cristo. Ahora, su *doy gracias a Dios* es muy distinto. Da gracias que ha bautizado a muy pocos. De esta manera, no se ha convertido en motivo para que dijeran: "Yo fui bautizado por Pablo así que soy seguidor de él." Es evidente que muchos comprometían su fidelidad con los que los bautizaban. Es como si los oyéramos decir: "A mí me bautizó Apolos así que yo me quedo con él. Además, Apolos es mucho más culto que Pedro." ¡Qué humanas eran las separaciones dentro de la congregación de Corinto! Pablo no quiere ser motivo para que alguien le dé a él mayor lealtad que a Cristo.

V. 17. Pablo explica su llamado: *predicar el evangelio.* Anunciar las buenas nuevas de la salvación en Cristo es su primera prioridad. El evangelio no terminará siendo un montón de palabras vacías si quienes lo anuncian se mantienen unidos por el lazo que es la experiencia de salvación de cada uno. La predicación de Pablo estaba centrada en el propósito de Cristo al morir en la cruz.

Aplicaciones del estudio

1. Todos los que somos salvos por fe en Cristo podemos vivir una vida de victoria, 1 Corintios 1:6. Cada día de triunfo en el Señor nos acerca más al día de victoria final en que compareceremos ante el trono de gracia para ser juzgados.

2. La falta de comunión con Cristo se refleja en la desunión entre los hermanos en la fe, 1 Corintios 1:10, 12. Cuando dejamos que nuestros intereses y opiniones nos separen de nuestros hermanos, atrasamos la extensión del evangelio. Cuando vivimos en comunión con el Señor y con nuestros hermanos, la adelantamos.

Prueba

1. Describa el llamamiento que Pablo hizo a los hermanos de la iglesia en Corinto. ____
____
____

2. ¿Hay alguien en la iglesia a quien usted no le cae simpático? Si realmente cree que los creyentes deben estar "completamente unidos en la misma mente y el mismo parecer" decida hacer algo por esa persona que genere buena voluntad entre ustedes. Ore pidiendo dirección al Señor sobre lo que él quiere que usted haga. Cuando haya cumplido esta tarea firme aquí sus iniciales: ____________________ Fecha: ________________.

Lecturas bíblicas para el siguiente estudio

Lunes: 1 Corintios 3:1-4	**Jueves:** 1 Corintios 4:1-5
Martes: 1 Corintios 3:5-9	**Viernes:** 1 Corintios 4:6- 9
Miércoles: 1 Corintios 3:10-23	**Sábado:** 1 Corintios 4:10-21

Estudio 2

Unidad 1

Llamamiento a ser colaboradores

Contexto: 1 Corintios 3:1 a 4:21
Texto básico: 1 Corintios 3:1-17
Versículo clave: 1 Corintios 3:9
Verdad central: La aclaración de Pablo a los hermanos de Corinto respecto a su posición de servidores de la iglesia nos enseña que somos colaboradores de Cristo en el evangelio.
Metas de enseñanza-aprendizaje: Que el alumno demuestre su: (1) conocimiento de la aclaración de Pablo acerca de la posición de colaboradores que guardaban los apóstoles, (2) actitud de colaborar en el avance del reino de Dios.

Estudio panorámico del contexto

En el capítulo tres de la primera carta a los Corintios encontramos cuatro ilustraciones tomadas de la vida real.

(1) La primera es del alimento de un bebé comparado con el alimento de un adulto. Pablo muestra así que los cristianos en Corinto eran muy inmaduros y necesitaban desarrollarse para superar sus diferencias. Sólo así podrían ser buenos colaboradores de Dios.

(2) La segunda ilustración es de la vida en el campo. Con ella, Pablo muestra que lo que todos los creyentes hacen en el reino de Dios es de igual importancia. Recalca que Dios es el que da el crecimiento, el único que puede hacerlo. De él debe depender cada uno si ha de ser un colaborador eficaz en el adelanto del reino.

(3) La tercera ilustración es muy apropiada para Corinto, uno de los grandes centros urbanos de la antigüedad. Pablo habla de los obreros que construyen un edificio. Lo primero y más importante que deben hacer es poner un buen cimiento. Sin él, el edificio será defectuoso y se desmoronará. El cimiento es Cristo. El día de la prueba llegará para la obra de cada uno.

(4) La cuarta ilustración es la de un templo. Dice Pablo que cada iglesia es un templo en que mora Dios. Asimismo, los creyentes son comparados en lo individual con un templo (6:19).

En el capítulo 4 Pablo procede a rectificar opiniones equivocadas que algunos se habían formado sobre él. También condena el orgullo de ellos: cuando el "yo" es rey, es imposible ser el colaborador que Dios necesita. En los últimos versículos, Pablo exhorta a los corintios con un tono que demuestra su cariño por ellos y les anuncia que pronto los visitará.

Lea su Biblia y responda

1. Conteste las siguientes preguntas.
   a. ¿Por qué Pablo había dado a los corintios leche en lugar de alimento sólido? (vv. 2, 3). ____________________

   b. ¿Cuál es la prueba de que, efectivamente, son carnales? (v. 4). ____________________

   c. ¿Quién da el crecimiento? (v. 7).____________________

   d. ¿Quién es el fundamento sobre el cual se edifica la iglesia? (v. 11). ____________________

   e. ¿Quién es el templo de Dios? (v. 16). ____________________

2. El versículo clave es 1 Corintios 3:9. Aquí va con frases de más. Tache las que no están en el versículo. "Porque nosotros somos los más importantes colaboradores de Dios, quizá otros cooperan pero no como nosotros, y vosotros sois huerto/labranza de Dios, edificio de Dios así que hagáis lo que hagáis, para él está bien."

3. Complete la siguiente oración: Yo (su nombre) ____________________ soy de ____________________.

4. Elija las respuestas que mejor se aplican a usted. Subráyelas. "Soy un niño o un adulto espiritual, un colaborador deficiente o eficaz, un constructor o destructor en mi iglesia."

Lea su Biblia y piense

1 Colaboradores de Dios unidos, 1 Corintios 3:1-9.

Vv. 1-4. En los últimos versículos del capítulo 2, Pablo explica el contraste entre el hombre natural y el hombre espiritual. En los primeros versículos del capítulo 3 dice a los corintios que ellos son *carnales.* Todos los seres humanos somos de carne y hueso. Pero ser carnal quiere decir dejarse dominar por la carne, los instintos más bajos de nuestra naturaleza. Cuatro veces en los cuatro versículos aparece la palabra "carnal". En primer lugar ser carnal denota total inmadurez como cristianos. Al carnal le es imposible entender hasta no ser más maduro espiritualmente (vv. 1, 2). La conducta de cada uno es prueba de carnalidad o espiritualidad. Los corintios, dominados por los celos, la discordia, la división, estaban demostrando ser *carnales* (vv. 3, 4). Una de las consecuencias de la carnalidad es que se privan de ser buenos colaboradores de Dios.

Vv. 5-9. Los versículos 5 y 6 hacen pensar a los lectores en los diferentes líderes. Aquí menciona dos: *Pablo* y *Apolos.* Si agregara a Pedro y otros, veríamos con claridad que cada uno era distinto en su educación, sus talentos y su ministerio. Unos plantaban y otros regaban (v. 7). Pero sus diferencias no los dividían, al contrario, *eran una misma cosa* (v. 8). Esa misma cosa la encontramos en el v. 5: *Sólo siervos, por medio de los cuales habéis creído.* Eran siervos de Dios, unidos en su diversidad para ser eficaces colaboradores de Dios quien es el que da el crecimiento en su obra. *Somos colaboradores de Dios,* dice Pablo, y agrega: *vosotros sois huerto/labranza de Dios* (v. 9). Si sus fieles son el huerto, Dios es el hortelano. El hortelano conoce bien el suelo con el cual trabaja, Dios sabe lo que cada uno de sus seguidores tiene capacidad de producir. El hortelano tiene las semillas para sembrar. Dios tiene su Palabra para sembrar en cada corazón. El hortelano domina los elementos que hacen germinar la semilla: sol, lluvia, temperatura. Dios es el dueño de nuestras circunstancias y su anhelo es que crezcamos hasta la madurez. Nuestra parte es ser sus siervos, colaboradores de él, unidos para que él pueda hacer su obra en su huerto.

2 Colaboradores responsables, 1 Corintios 3:10-15.

Vv. 10, 11. De la ilustración del hortelano, sus siervos y su huerta, Pablo pasa a la ilustración de la construcción de un edificio. En primer lugar, el versículo 10 establece los componentes necesarios para construir el edificio: el dueño (Dios) elige un *perito arquitecto* (Pablo) para echar los cimientos (*el fundamento,* Cristo), sobre el cual otros obreros pueden ir levantando el edificio (Apolos y los demás creyentes en Corinto). Por eso, es importante que cada obrero de la construcción se fije bien cómo y con qué está trabajando. El v. 11 es muy lógico. Los obreros no pueden echar *otro fundamento* cuando éste ya existe. No pueden echar un cimiento que se llame Apolos, Pablo, Pedro, etc., cuando ya existe *el fundamento* que es Cristo.

Vv. 12-15. Estos versículos describen la prueba a la que será sometido el trabajo de cada obrero. En ese día de prueba se verá si han construido con los mejores materiales a su disposición: *oro, plata y piedras preciosas* o con materiales inferiores: *madera, heno u hojarasca.* Los primeros simbolizan la *obra* que lleva fruto eterno. Los segundos, la *obra* que no permanecerá. Es la diferencia entre dar lo mejor de uno mismo y dar lo que sobra al Señor. Es la diferencia entre el obrero espiritual responsable y el obrero carnal irresponsable. Ambos se salvarán por los méritos de Cristo, no por los suyos propios. Pero, ¡qué diferencia entre una entrada al cielo del obrero que tuvo una vida abundante y la entrada "apenas raspando" del obrero que vivió una vida irresponsable! Los primeros estarán llenos de gozo en aquel día al ver que no han vivido en vano. ¿Cómo se sentirán los otros al ver cómo desperdiciaron su tiempo?

3 Colaboradores edificantes, 1 Corintios 3:16, 17.

V. 16. Cada iglesia es *templo de Dios.* Pablo recalca aquí que la iglesia que los corintios forman es *el templo de Dios.* El antiguo templo de Dios en Jerusalén ya había perdido su significado. Ahora, cada congregación es el *templo,* el Lugar Santísimo en que se mueve y obra el *Espíritu de Dios.*

V. 17. Para los responsables de la división hay una sentencia: ellos también serán destruidos. Terminando con una nota positiva digamos que, al contrario, los miembros de la iglesia que son espirituales y la edifican manteniendo vivo su "primer amor" (Apoc. 2:4) recibirán bendición eterna.

Aplicaciones del estudio

1. También hoy hay creyentes carnales y creyentes espirituales, 1 Corintios 3:1-4. Los primeros destruyen, los segundos edifican. ¿De cuál de los grupos soy yo?

2. Hoy también vemos a los que se creen "ser alguien" en la obra del Señor, 1 Corintios 3:7. Están errados. Todos somos iguales porque somos simplemente siervos de Dios, él es quien da el crecimiento.

3. Cada creyente es colaborador de Dios y huerto/labranza de él, 1 Corintios 3:9. Su valor depende de su disposición a dejar a un lado sus propios intereses y a obrar con amor en su congregación. Si una iglesia no crece en calidad y cantidad no es por culpa de Dios sino de sus colaboradores.

Prueba

1. Complete las siguientes frases. Las divisiones en la iglesia de Corinto eran prueba de que muchos todavía eran ______________en lugar de espirituales. Demostraban su carnalidad fomentando ______________ en lugar de unión. Para ser buenos colaboradores de Dios, debían ______________ en lugar de destruir porque la iglesia es ______________ ______________ en el cual mora el ______________________.

2. Analice sus actitudes y escriba algo que usted puede hacer esta semana como colaborador de Dios para fomentar el amor, la unión y la madurez cristiana con:
   Su iglesia ______________________________________
   Su pastor ______________________________________
   Sus hermanos en la fe ______________________________

Lecturas bíblicas para el siguiente estudio

Lunes: 1 Corintios 5:1-5
Martes: 1 Corintios 5:6-8
Miércoles: 1 Corintios 5:9-13
Jueves: 1 Corintios 6:1-8
Viernes: 1 Corintios 6:9-11
Sábado: 1 Corintios 6:12-20

Santidad en la iglesia

Contexto: 1 Corintios 5:1 a 6:20
Texto básico: 1 Corintios 5:1-13
Versículo clave: 1 Corintios 5:7
Verdad central: El llamamiento que Pablo hizo a los corintios a la consagración, nos enseña que la iglesia de hoy debe tener como una de sus principales metas la santidad de sus miembros.
Metas de enseñanza-aprendizaje: Que el alumno demuestre su: (1) conocimiento del llamamiento de Pablo a la consagración cristiana, (2) actitud de consagración al Señor en la tarea que desempeña en la iglesia.

Estudio panorámico del contexto

Es fácil entender cómo Corinto, situada sobre la principal ruta comercial del Imperio Romano, llegó a ser una ciudad con una mentalidad secular y liberal. En ella se daban cita "los vicios del oriente y del occidente". La corrupción era tan profunda que se había acuñado el término "corintizar" como sinónimo de una conducta totalmente disoluta. Los corintios no creyentes se sentían orgullosos de la manera como otros se referían a ellos.

No nos extrañe, pues, que la división debido a la preferencia por un líder sobre otro no haya sido el único problema de la iglesia en Corinto. El capítulo 5 contiene un caso de incesto dentro de la iglesia. Pablo no sólo lo condena sin miramientos, sino que reprende a la iglesia por permitirlo y no tomar ninguna acción al respecto.

Pero decirles que lo que están haciendo y permitiendo está mal no basta. El Apóstol les da directivas específicas sobre qué hacer en los casos de conducta escandalosa por parte de uno de los miembros de la iglesia: debe ser quitado de la comunión de la iglesia para que, con su ejemplo, no corrompa a los demás. La aplicación de la disciplina a tiempo siempre será el mejor preventivo para la salud moral del cuerpo de Cristo. Una necesidad de la iglesia de hoy es la práctica amorosa de la disciplina.

El capítulo 6 trata el tema más detalladamente, no dejando lugar a dudas sobre lo que debe decidir la iglesia en casos de impureza moral, incluyendo el sexo, los vicios y la deshonestidad. Sobre todo llama a la consagración del creyente a Dios, quitando de su vida todo pecado.

Lea su Biblia y responda

1. Al leer el capítulo 5 en su Biblia encuentre las preguntas que allí aparecen. ¿En qué versículos las encontró? Versículos ______, ______ y ______.

2. Pablo menciona a la iglesia de Corinto los siguientes pecados que él condena. Búsquelos en el capítulo 5 y subráyelos en su Biblia.
   Inmoralidad sexual/fornicación
   Soberbia/envanecimiento
   Jactancia
   Malicia
   Fornicario
   Avaros
   Idólatra
   Calumniador/maldiciente
   Borracho
   Estafador/ladrón

3. Lea los vv. 7-9 y encuentre qué significa el pan con levadura y el pan sin levadura. Escríbalo aquí en sus palabras. ____________________

   ____

   ____

   ____

Lea su Biblia y piense

1 Pugnar por la santidad de los creyentes, 1 Corintios 5:1-5.

"Pugnar" es un verbo muy fuerte. Quiere decir batallar, pelear. Una de las definiciones que da el diccionario es: "Porfiar con tesón, instar por el logro de una cosa."

Vv. 1, 2. En estos versículos comienza una seria pugna. Hasta ahora Pablo había exhortado con amor y con buenos razonamientos a los corintios para que fueran más unidos y más maduros. Ahora, en los versículos 1 y 2 hay un cambio radical en su tono. Comienza su batalla contra el terrible pecado de un miembro de la iglesia y contra la actitud de tolerancia y la pasividad del resto de la congregación. Un miembro es culpable de incesto, algo que escandaliza aun a los que nada saben de Dios. Hasta la sociedad mundana de Corinto lo condenaba (v. 1). Si esa *esposa de su padre* no era su madre, aún así se condenaba como una aberración (v. 1). ¿Y la iglesia? Era orgullosa, soberbia, estaba "hinchada", llena de sí misma en lugar de estar de duelo por lo que sucedía en su medio. El dolor y la tristeza por el pecado en la iglesia hubiera sido el primer paso para quitarlo (v. 2).

Vv. 3-5. Pablo se cuenta entre los miembros de la iglesia. Su ausencia física no quiere decir que se ha separado mental y espiritualmente de ellos. El, como uno de ellos, ya ha juzgado lo que debe hacerse con el pecador (v. 3). Ahora, la iglesia debe reunirse en asamblea *en el nombre de nuestro Señor Jesús.* Es decir, para hacer la voluntad de Cristo con el poder de Cristo (v. 4). Lo que debe hacer es expulsar de su comunión al pecador, no dejarlo seguir como si no hubiera hecho nada. La esperanza del Apóstol es que, una vez expulsado, el pecador recapacite y proceda a *la destrucción de la carne,* o sea, el dominio que sobre él tiene lo carnal. Si así sucede, será indicación de que sí es *salvo,* por lo tanto, el Señor lo aceptará en el día del juicio (v. 5).

Aquí, la lucha de Pablo ha sido pugnar por la consagración de los creyentes al extirpar el pecado de entre ellos y pugnar por la consagración del pecador, disciplinándolo para que reflexione sobre su maldad y se vuelva al Señor.

2 Una vez santificados, celebrad la fiesta, 1 Corintios 5:6-8.

V. 6. *Vuestra jactancia no es buena.* ¿Se habían jactado de cuán liberales eran? ¿Cuán abiertos y desprejuiciados? Esa liberalidad y desprejuicio era como la *levadura.* La *levadura* era un símbolo que podía ser negativo o positivo, según el uso que se le diera. En el Antiguo Testamento representaba al pecado que se extendía y penetraba a toda la sociedad. Como *levadura* era el pecado que se estaban jactando de aceptar. Se extendería y penetraría en toda la iglesia si permitían que siguiera ejerciendo su influencia en la congregación.

Vv. 7, 8. Estos versículos cobran más profundo significado si recordamos que la levadura (por ser símbolo de pecado) era prohibida en la celebración de la Pascua (Exo. 12:15-20). El que la incluía en la celebración demostraba que aún era esclavo del pecado y de la idolatría. El mismo se excluía de la celebración. Entonces, en los vv. 7 y 8 es como si Pablo dijera: "Así que echen fuera ese pecado que los corrompe, para que sean puros y sin pecado, aptos para celebrar la liberación con Cristo nuestro libertador, muerto en sacrificio por nosotros. Consagrémonos para celebrar nuestra salvación con sinceridad y autenticidad, sin maldad ni perversidad." Ya limpios y consagrados, podemos celebrar continuamente la fiesta a que nos mueve nuestra salvación, *de sinceridad y de verdad.*

3 La necesidad de la santidad, 1 Corintios 5:9-13.

V. 9. Ser consagrados no significaba retirarse a un convento ni vivir en una isla desierta. Era necesario vivir en el mundo, lado a lado con los inconversos. Manteniendo su consagración podrían ser los corintios lo que les mandó Jesús que fueran: Luz del mundo y sal de la tierra.

Vv. 11-13. El peligro no es tanto el pecado de afuera como el de adentro. Si lo aceptaban en el seno de la iglesia en sus diversas manifestaciones, era que lo estaban sancionando, dando su sello de aprobación. Era afirmar: "El adulterio está bien, está bien mentir, robar, practicar el homosexualismo. No tiene nada de malo ser avaro, borracho, chismoso o tramposo." Dice 1 Corintios 6:11 en referencia a este mismo tema: "Y esto erais algunos de vosotros, pero ya habéis sido lavados, pero ya sois santificados, pero ya habéis sido justificados en el nombre del Señor Jesucristo y en el Espíritu de nuestro Dios."

Los creyentes corintios debían ser celosos de su iglesia, diligentes en identificar y quitar los pecados de su seno, y, sobre todo, al pecador, motivo de esta orden terminante de Pablo: "Quitad al malvado de entre nosotros."

Aplicaciones del estudio

1. Son iglesias "liberales" las que nada condenan. Son las que menos crecen y más estancadas están. Hay también iglesias consagradas al Señor que son celosas en mantener su pureza. Estas son las que más crecen porque son verdaderamente "luz" en el lugar donde se encuentran.

2. La santidad de una iglesia comienza con la consagración de cada miembro. Cada uno debe ser fuerte y valiente ante el pecado que siempre está al acecho.

3. Cada creyente debe ser consagrado en su totalidad al Señor. No puede haber en nuestra vida áreas que "nos reservemos" y no las entreguemos al Señor.

Prueba

1. Describa en sus palabras en qué consistió el llamamiento de Pablo a los hermanos de la iglesia en Corinto. ________________________
____
____

2. Analice su propia vida y tome una decisión en cuanto a algunos de sus pecados y piense en el resultado que podría producir la misma.

Mi pecado	Mi decisión	Resultado que preveo
____________	____________	____________
____________	____________	____________
____________	____________	____________
____________	____________	____________

Lecturas bíblicas para el siguiente estudio

Lunes: 1 Corintios 7:1-9
Martes: 1 Corintios 7:10-16
Miércoles: 1 Corintios 7:17-24
Jueves: 1 Corintios 7:25-28
Viernes: 1 Corintios 7:29-35
Sábado: 1 Corintios 7:36-40

Santidad en el matrimonio

Contexto: 1 Corintios 7:1-40
Texto básico: 1 Corintios 7:1-16
Versículo clave: 1 Corintios 7:2
Verdad central: Las declaraciones de Pablo respecto a las parejas nos enseñan que lo ideal es la consagración del matrimonio al Señor.
Metas de enseñanza-aprendizaje: Que el alumno demuestre su: (1) conocimiento de las enseñanzas de Pablo respecto a la santidad en el matrimonio, (2) actitud de consagrar su matrimonio al Señor (si es soltero, valorice la trascendencia de consagrar el hogar a Dios).

Estudio panorámico del contexto

Hasta este capítulo, lo que Pablo escribió eran sus reacciones a las noticias que había recibido de los problemas que había en la iglesia de Corinto.

En el capítulo 7 pasa a dar sus consejos en respuesta a una carta que recibiera de la iglesia. En ella, entre otras cosas, le habían expresado sus inquietudes y dudas respecto a la vida matrimonial. Querían saber lo que Pablo pensaba al respecto.

Para estudiar mejor el capítulo es necesario conocer ciertas corrientes de pensamiento en el mundo grecorromano de aquel tiempo. Corinto, en el corazón de Grecia, por ser un punto estratégico desde el punto de vista comercial, estaba en el centro de la influencia de esas corrientes.

Algunos filósofos enseñaban que todo lo material, incluyendo el cuerpo humano, era malo. Su meta era lograr la perfección espiritual. Creían que lo lograban negándose todos los placeres materiales. Esta idea, que se conocía con el nombre de "ascetismo", comenzaba a infiltrarse en el cristianismo. Ante el relajamiento moral de Corinto y de algunos en la iglesia ¿no sería la solución dar la espalda a todos los goces materiales y físicos, incluyendo el matrimonio y el tener hijos?

Pablo ofrece su opinión en este capítulo.

El celibato tiene sus ventajas, pero también las tiene el matrimonio. Pasa luego a hablar de que, cualquiera sea el estado civil del creyente (soltero, casado, viudo, divorciado) lo importante es su moralidad, que no deje de servir a Dios y sepa discernir entre lo temporal y lo eterno. Habla de lo que él recomienda, pero al ofrecer dos consejos aclara que no lo escribe como un reglamento, como una ley que observar. Luego, les escribe una directiva que sí es un mandato del Señor la cual hay que obedecer.

Lea su Biblia y responda

1. Encuentre en los versículos 6 y 12 las frases de Pablo que indican que algunas de las cosas que aquí escribe son su opinión, no mandato ni palabra de Dios. Escriba aquí las frases: del v. 6 ____________________
   del v. 12 ____

2. El relato del Génesis enseña que el matrimonio existe porque "no es bueno que el hombre esté solo" (Gén. 2:18). Pablo da otra razón en el versículo 2. ¿Cuál es?____
   ____
   ____

3. Encuentre en 2 Corintios 7:1-16 un buen consejo para usted. Escríbalo aquí en sus palabras. ____________________________
   ____
   ____
   ____

Lea su Biblia y piense

1 Consagración mutua en el matrimonio, 1 Corintios 7:1-4.

Vv. 1, 2. Lo que Pablo escribe a continuación es en respuesta a algunas inquietudes expresadas en una carta que escribieron a Pablo los hermanos de Corinto. Podemos deducir las preguntas al leer sus respuestas. Pregunta: ¿Qué conviene más, casarse o quedarse soltero? Respuesta: La cuestión no es si es mejor ser soltero o casado. La cuestión determinante es la moralidad. Personalmente, Pablo prefiere el celibato que le da oportunidad de dedicarse totalmente al Señor, pero el que no puede ser célibe y moral también, absteniéndose de relaciones sexuales, debe casarse. Pablo honra y recomienda el matrimonio. Cada uno ha de tener su *esposo* y su *esposa,* es decir, un *esposo* y una *esposa.* Enseña, así, la monogamia.

Vv. 3, 4. En el matrimonio no debe haber lugar para el egoísmo. Tanto el *esposo* como la *esposa* deben cumplir los deberes propios del mismo. Aunque la razón expuesta anteriormente para casarse era "la inmoralidad" no significa que es para satisfacer los deseos propios. Es para satisfacer los deseos y necesidades de su pareja. Es pensar en el otro antes que en uno mismo. Aquí entra no sólo lo físico, sino que demanda una actitud mental de entregarse el uno al otro, pensando que el otro tiene derecho sobre el cuerpo de su pareja. Esta debe ser una consagración mutua, no sólo de la mujer al hombre sino también del hombre a la mujer.

2 Consagración a motivos superiores, 1 Corintios 7:5-9.

Vv. 5-7. Recordemos que Pablo está respondiendo a preguntas de la iglesia en Corinto. Los versículos 5 al 7 contestan la siguiente: Si un matrimonio es realmente cristiano y espiritual ¿no debe abstenerse de relaciones sexuales? Aquí se nota que se había infiltrado en la iglesia el concepto ascético de que el cuerpo y sus instintos son esencialmente viles y detestables. Quizá algunos proponían esto como una alternativa a la voluptuosidad y carnalidad de la mayoría. ¿Sería la solución privarse de todo contacto físico con su cónyuge y dedicarse totalmente a la búsqueda del bien espiritual?

En su respuesta, Pablo no descarta que los cónyuges se nieguen *el uno al otro* pero bajo dos condiciones: (1) que sea por *acuerdo mutuo,* algo que ambos quieren y (2) que sea *por algún tiempo.* Este acuerdo temporario ha de ser para una consagración a motivos superiores, a cultivar de una manera intensa y especial su vida de oración y su comunión con el Señor. "Es necesario entender esos momentos solemnes que la primitiva iglesia ponía aparte para ejercicios religiosos, y durante los cuales los cristianos renunciaban a todo goce de los sentidos, aun el alimento, a fin de que el hombre entero pudiera entregarse sin distracción, a oraciones y meditaciones prolongadas" (Bonnet y Schroeder).

Porque puede ser cuando Satanás tienta con mayor fuerza que la abstinencia ha de ser temporaria. En cuanto hayan terminado sus devociones, terminen también con el privarse de las relaciones matrimoniales, recomienda Pablo (v. 5).

En los versículos 6 y 7 Pablo aclara que ésta es su opinión, no algo que les escribe como una orden. Su preferencia sería que todos tuvieran el dominio propio que tiene él. Pero admite que cada uno es diferente y que su conducta debe ser "según su don".

Vv. 8, 9. No hay una sola regla para todos. Pero, no olvidemos, lo importante es que nuestra moral, seamos solteros, viudos o casados, sea intachable. Sólo así podremos consagrarnos a motivos superiores.

3 La consagración del cónyuge creyente es el mejor testimonio, 1 Corintios 7:10-16.

Vv. 10, 11. Pablo sigue contestando preguntas: ¿Puede un cónyuge separarse o divorciarse de su esposo o esposa y volver a casarse? En primer lugar subraya Pablo que ahora su respuesta no es meramente su propia opinión, sino un mandato del Señor. El mandato es claro: No, no se separen ni se divorcien. Si lo hacen, no se casen con otro. Quédense *sin casarse* o vuelvan a reconciliarse. El matrimonio es un estado permanente a los ojos de Dios, casarse es una decisión tomada sabiendo que es para toda la vida.

Vv. 12-16. ¡Otra pregunta para Pablo! ¿Qué debo hacer si yo soy creyente y mi cónyuge no lo es? Ahora la respuesta de Pablo vuelve a ser su propia opinión: (1) Si el cónyuge no creyente está de acuerdo en que permanezcan juntos, no se divorcien. Pablo sabía que la situación para el creyente no sería fácil. Pero más importante que el hecho de que el creyente viviera con un inconverso era que el cónyuge inconverso entraba en íntimo contacto con el evangelio por medio de su pareja creyente (v. 14).

Si el cónyuge pagano insiste en divorciarse, que lo haga. El cónyuge creyente acepta la decisión del otro y queda en libertad en "pro de la paz". Pero no sea la separación algo que nace del creyente porque mientras permanecen juntos la influencia de su consagración al Señor puede resultar en la conversión de su pareja (v. 16).

Aplicaciones del estudio

1. Un esposo y una esposa para toda la vida sigue siendo el mandato del Señor. En esta época el divorcio es la salida más fácil a una relación con problemas. Es más difícil buscar soluciones para que el matrimonio permanezca, pero vale la pena hacerlo y tal es la voluntad del Señor.

2. Cada cónyuge debe consagrarse a su pareja y ambos a Dios. Esto incluye la fidelidad moral y espiritual que da una base estable a la vida familiar.

3. No importa el estado civil del creyente: soltero, casado, viudo o divorciado. Lo que importa es que sea cual fuere su estado, su moralidad sea intachable. Que su conducta reciba la aprobación de Dios y de las personas.

Prueba

1. ¿En qué versículos Pablo dice que sus consejos son su propia opinión? V. ______, v. ______. ¿Cuáles eran esas opiniones?____________________

   ____

   ____

   ¿En qué versículo dice Pablo que su consejo es mandato de Dios? V. ___

   ¿Cuál es ese mandato? ____

   ____

   ____

2. ¿Considera que su hogar es consagrado a Dios? ____________
   Si su respuesta es "no", mencione una cosa que usted se propone hacer para que lo sea ____

   ____

   ____

Lecturas bíblicas para el siguiente estudio

Lunes: 1 Corintios 8:1-3
Martes: 1 Corintios 8:4-6
Miércoles: 1 Corintios 8:7, 8
Jueves: 1 Corintios 8:9, 10
Viernes: 1 Corintios 8:11, 12
Sábado: 1 Corintios 8:13

Libertad responsable

Contexto: 1 Corintios 8:1-13
Texto básico: 1 Corintios 8:1-13
Versículo clave: 1 Corintios 8:9
Verdad central: La recomendación de Pablo en relación con lo sacrificado a los ídolos nos enseña que debemos usar la libertad cristiana con suma responsabilidad procurando no ser piedra de tropiezo para los débiles en la fe.
Metas de enseñanza-aprendizaje: Que el alumno demuestre su: (1) conocimiento de la recomendación de Pablo a los corintios en el sentido de no comer carne sacrificada a los ídolos, (2) actitud de usar su libertad cristiana con responsabilidad.

Estudio panorámico del contexto

En el capítulo 8 de la primera carta a los Corintios, Pablo sigue respondiendo a la consulta que la iglesia le hiciera en una carta que él había recibido. De allí el cambio brusco del tema del matrimonio al tema de comer carne ofrendada a los ídolos.

Para entender en qué consistía el problema expliquemos la costumbre que lo motivó. Así como los judíos ofrecían sacrificios de animales a Dios, los paganos los ofrecían a sus propios dioses o ídolos. El sacrificio consistía en asar la carne en el altar. La primera y más selecta porción iba luego a los sacerdotes para el alimento de ellos; otra al que había traído el animal para ofrecer su sacrificio. Los ricos se llevaban la carne y la empleaban en sus banquetes y orgías. De la carne que les era devuelta, los pobres se quedaban con lo que necesitaban y el resto lo vendían en el mercado. Es así que los cristianos tenían abundantes oportunidades de comer esa carne, ya sea al ser invitados a alguna casa o al comprar carne en el mercado.

Veremos en este estudio que Pablo enseña que, en sí, comer esa carne no era malo. Lo malo era que podía ser un mal testimonio que dañaría la vida espiritual de algún hermano en la fe por la asociación de ideas que hacía con la carne que procedía de un sacrificio hecho a un dios falso. En conclusión, uno puede saber que algo que uno hace no es malo pero su amor por sus hermanos "más pequeños" y el mal que a ellos les puede causar es lo que debe determinar si lo hará o no.

Lea su Biblia y responda

1. Complete las siguientes oraciones:

a. El conocimiento ________________, pero el amor _____________ v. 1.

b. ...sabemos que el ídolo ________________________ en el mundo y que no hay __________________________ v. 4.

c. ...pecando contra ________ ____________ e hiriendo______________ __________, contra Cristo __________________ v. 12.

2. El v. 9 es nuestro versículo clave. Apréndalo de memoria. Aquí aparece con todas las palabras mezcladas. Escriba sobre cada una el número ascendente para obtener el orden correcto. Siga el ejemplo: Pero mirad...

débiles para tropezadero Pero (**1**) que vuestra venga no los esta libertad mirad (**2**) a ser.

Lea su Biblia y piense

1 Conocimiento y amor, 1 Corintios 8:1-3.

V. 1. Ya Pablo terminó de responder a las preguntas sobre el matrimonio. Ahora pasa a contestar otra pregunta muy distinta que tiene que haber sido algo así: ¿Está permitido comer la carne que fue sacrificada a los ídolos ya que sabemos que eso no significa nada porque hay un solo Dios? En este versículo encontramos el preámbulo de la respuesta de Pablo. Es verdad que saben la verdad en cuanto a que esos sacrificios no tienen ninguna significación. Pero el *conocimiento* solo, sin el ingrediente del amor, nos hace creernos importantes y superiores a los que saben menos. Con el ingrediente del amor desaparece el sentido de nuestra propia importancia y superioridad. Como resultado, podemos ir creciendo espiritualmente.

Vv. 2, 3. Estos versículos son para los que se creen que saben mucho. Por más que sepan siempre hay algo más para saber. No lo saben todo (v. 2). Se nos ocurre que lo lógico hubiera sido que enseguida Pablo escribiera "el que ama a su hermano, ya sabe lo que necesita saber (o conocer)". En cambio, escribe: *Pero si alguien ama a Dios, tal persona es conocida por él.* Este pensamiento es muy profundo: "la fuente de todo conocimiento de Dios en el hombre, está en que ha sido primeramente conocido por Dios" (Bonnet y Schroeder), o sea, es objeto de su amor. El que su amor more en el creyente hace que el conocimiento tome la dimensión debida dejando de ser algo frío y sin sentimiento. El amor de Dios genera el amor a Dios. Y el amor a Dios se muestra en el amor al prójimo. "En esto hemos conocido el amor: en que él puso su vida por nosotros. También nosotros debemos poner nuestras vidas por los hermanos" (1 Jn. 3:16).

2 La doctrina de un solo Dios, 1 Corintios 8:4-6.

Vv. 4, 5. Habiendo establecido la relación entre el conocimiento y el amor, Pablo pasa al tema específico de la consulta. Al empezar a hablar de esto de comer alimentos ofrecidos como sacrificio a los ídolos, lo primero que Pablo quiere establecer es que *sabemos* (se refiere al "conocimiento" del cual escribió en los primeros versículos) que los ídolos son eso, nada más. No tienen ningún poder, ningún valor, son sólo una invención de la imaginación humana. *Sabemos* que no hay muchos dioses sino *un solo Dios.*

V. 6. Mientras los ídolos nada son, Dios lo es todo. Existe *un solo* y auténtico *Dios* (*el Padre,* Creador del universo), de quien somos y para quien vivimos. Dios, el Hijo, nuestro *Señor Jesucristo,* participa con el Padre como Creador y por quien tenemos la salvación y la seguridad de vida eterna. Por él, Jesucristo, todo existe, y nosotros existimos como hijos de Dios, gracias a él.

3 Libertad responsable, 1 Corintios 8:7-13.

Vv. 7, 8. Los que habían escrito la carta a Pablo ya "sabían" (tenían conocimiento) que era como Pablo decía: los ídolos no eran nada. Así que podían comer la carne que originalmente había sido un sacrificio a un ídolo sabiendo que eso no era nada. No estaban rindiendo culto a un ídolo ni serían bendecidos ni castigados por él. No tenía ninguna relación con su religión ni su espiritualidad.

Pero, ¡aquí viene el gran PERO! No todos son tan maduros o fuertes como ellos. Y es más, muchos, antes de ser de Cristo, habían sido de los ídolos y comían de aquella carne dándole significación espiritual. Al convertirse, comer eso era como volver a acercarse a los ídolos. ¿Y qué sentirían al ver que sus hermanos, más avanzados, más maduros en el Señor comían esa carne? Podían suceder dos cosas: (1) Que pensaran que aquellos eran hipócritas, se decían cristianos, ¡pero "miren lo que hacen"! (2) Que pensaran que si aquellos lo hacían estaba bien hacerlo. El problema era que si ellos comían esa carne pensaban que participaban de una práctica pagana y les remordía la conciencia. Para ellos, estaba mal comer la carne sacrificada a los ídolos por la asociación de ideas que, naturalmente hacían. En realidad, muchas de las cosas que hacemos o dejamos de hacer tienen má que ver con el daño que se puede acarrear a otras personas. Uno de los criterios que el cristiano más debe usar es: ¿Qué consecuencias traerá esta acción?

Vv. 9-13. Pareciera entonces que para unos, los más maduros y esclarecidos estaba bien. Y que, para los otros, más nuevos y débiles, estaba mal. La respuesta de Pablo es: no coma, *no sea tropezadero para los débiles.*

Los que saben, los esclarecidos, deben agregar el ingrediente de amor responsable por los otros. Deben tener en cuenta que son un ejemplo para los demás y no hacer nada que perjudique la fe del débil. Aunque *el que tiene conocimiento* sabe que la acción no tiene nada de malo, debe abstenerse de hacerla por lo que otros, con menos *conocimiento* y experiencia, perciben como algo malo. Es así que algo aparentemente sin significación, llega a tenerla negativamente.

Aplicaciones del estudio

1. No debemos juzgar nada basándonos únicamente en un conocimiento intelectual, 1 Corintios 8:1-3. Debemos, en amor, considerar también cómo afectará a los que nos rodean y nos miran como un ejemplo de vida cristiana.

2. No tenemos derecho a practicar una libertad que puede resultar en la ruina de otros, 1 Corintios 8:9. No podemos hacer algo meramente porque sabemos que no tiene nada de malo. Hemos de tomar en cuenta si, por alguna razón o asociación de ideas, otros opinan que es malo hacerlo. Vea Lucas 17:2.

Prueba

1. Describa la recomendación que Pablo hizo a los hermanos de Corinto en relación con las preguntas que tenían.

____

____

____

____

2. Estudio de caso: Un predicador extranjero fue invitado a participar en una serie de conferencias en México. Nunca había visto una corrida de toros y le pareció una magnífica oportunidad para ver una en la Plaza de Toros de la ciudad de México. Cuando pidió los horarios y demás información, a los hermanos mexicanos les cayó mal. Para ellos, ir a esas corridas era dar muy mal testimonio. Si usted hubiera sido el pastor extranjero ¿qué hubiera hecho? ¿Les hubiera explicado a sus hermanos de México que para él no tenía nada de malo? ¿Hubiera sentido curiosidad por saber el porqué de la actitud de los otros? Al saberlo, ¿cuál hubiera sido su decisión? ¿Por qué? ______________________________________

____

____

____

____

____

Lecturas bíblicas para el siguiente estudio

Lunes: 1 Corintios 9:1-7
Martes: 1 Corintios 9:8-12
Miércoles: 1 Corintios 9:13-16
Jueves: 1 Corintios 9:17, 18
Viernes: 1 Corintios 9:19-23
Sábado: 1 Corintios 9:24-27

Unidad 3

Libertad en el ministerio

Contexto: 1 Corintios 9:1-27
Texto básico: 1 Corintios 9:1-19
Versículo clave: 1 Corintios 9:19
Verdad central: El ejemplo de Pablo en el desempeño de su ministerio nos muestra que se debe hacer buen uso de las libertades que confiere una posición de liderazgo.
Metas de enseñanza-aprendizaje: Que el alumno demuestre su: (1) conocimiento de la manera cómo el apóstol Pablo hizo uso de su libertad cristiana, (2) actitud de responsabilidad en el ejercicio de la libertad cristiana.

Estudio panorámico del contexto

Pablo termina el capítulo 8 diciendo que si por causa de su comida hubiera peligro de hacer caer a un hermano, él no comería carne. El "si" es condicional. "Si eso fuera, así actuaría yo." En el capítulo 9 pasa a dar un ejemplo concreto, positivo, no condicional de su propio ministerio. Explica cómo funciona en otras áreas esto de no hacer algo que es lícito, para no ser razón de que otros se aparten del evangelio.

Se trata del derecho del apóstol Pablo de recibir remuneración por su trabajo de enseñanza y predicación. Los rabinos (maestros), aunque se mantenían principalmente con una ocupación secular, recibían parte de las ofrendas de las sinagogas; otros apóstoles con sus esposas eran mantenidos por las congregaciones cristianas a las cuales ellos ministraban. Sólo él y Bernabé no recibían salario. Los sacerdotes del templo en Jerusalén se mantenían con la porción de los sacrificios, ofrendas, primicias de frutos, etc., que les correspondía por ley. Los abusos de los rabinos y sacerdotes que con las ofrendas vivían mucho mejor que los demás era algo que el pueblo resentía y criticaba. Esa situación sin duda motivó a Pablo para estar dispuesto a renunciar a su derecho de recibir un salario, con tal de no causar ningún comentario negativo en contra de su ministerio.

Pablo, en el pasaje a estudiar enumera otros casos que muestran que cada uno tiene derecho de recibir un salario justo por su trabajo. El también tiene ese derecho, pero ha renunciado a vivir del evangelio para no ser motivo de que alguno se pierda. Al contrario, lo hace para ganar a más almas para Cristo. Es un ejemplo concreto y real de su propia vida con respecto a la "libertad responsable".

Lea su Biblia y responda

1. Lea 1 Corintios 9:1-18 e identifique el o los versículos...
   ...que dice(n) que cada uno tiene derecho a comer y beber. V.______.
   ...donde Pablo explica por qué no ejerce su derecho de cobrar un salario como apóstol. V.________.
   ...que declara(n) que el Señor ordenó que "los que anuncian el evangelio, vivan del evangelio". V._______.
   ...donde Pablo explica cuál es su recompensa al predicar el evangelio. V.______.
2. Complete el versículo 19 resolviendo la mezcla de letras en las siguientes palabras: ebilr, eisrov, ragan, omúner.
   Siendo _________ de todos, me hice/he hecho ________ de todos para ________ a mayor ___________.

Lea su Biblia y piense

1 La libertad de Pablo, 1 Corintios 9:1-6.

Vv. 1, 2. *¿No soy libre?* Pablo es tan libre como los creyentes en Corinto quienes, sabiéndose libres, abusaban de su libertad cristiana. *¿No soy apóstol?* Como apóstol de Jesucristo tenía aún más libertad y privilegios. El hecho de que había *visto a Jesús* lo califica como apóstol. En aquel tiempo, sólo los que habían conocido a Jesús en su vida terrenal eran considerados apóstoles. Pablo lo había visto en su camino a Damasco, cuando iba a perseguir a los cristianos. Y más adelante, en otras oportunidades también se le había revelado (Gál. 1:1; Hech. 18:9, 10; 1 Cor. 11:23, etc.). Como si eso fuera poco, la propia existencia de la iglesia en Corinto era prueba o *sello* de que él era un legítimo apóstol.

Vv. 3-6. Como legítimo apóstol tenía los mismos derechos que otros apóstoles: *derecho a comer y beber* o sea que sus necesidades básicas fueran suplidas, *derecho a llevar una esposa creyente.* Sólo él y Bernabé no llevan esposa en sus viajes misioneros. Los demás apóstoles, los hermanos de Jesús y Pedro eran acompañados por sus esposas que también eran sostenidas por las distintas congregaciones donde cumplían su ministerio.

Ellos habían podido dejar su trabajo secular porque vivían, con todo derecho, del trabajo que hacían para Dios. Sólo Pablo y Bernabé se habían negado a recibir su sostenimiento económico por parte de las iglesias que ministraban, aunque también tenían derecho a ello. Pablo, como auténtico apóstol se sentía en libertad para recibir el mismo trato que los demás apóstoles y, sin embargo, consideraba que su libertad le permitía decidir si quería depender de otros para suplir sus necesidades básicas o si él mismo trabajaría con sus manos para hacerlo.

2 Un principio fundamental, 1 Corintios 9:7-14.

Vv. 7-10. El principio fundamental que establece Pablo en estos versículos es que cada uno tiene derecho a vivir de su trabajo. Cita como ejemplos: (1) El *soldado,* ¿no es ridículo pensar que un soldado iría a combate a *sus propias expensas?* La nación a la cual presta sus servicios lo mantiene de la mejor manera posible. (2) El campesino, ¿no es ridículo pensar que el que cultiva el campo (aquí una viña) no viva de lo que ese campo le provee? Por un lado, puede guardar parte de la cosecha para su propio uso y, por el otro, lo que obtiene con la venta de sus productos es también para su manutención. (3) El ganadero, ¿no es ridículo pensar que alguien criaría gallinas, vacas, cabras, ovejas, etc., etc. y no usar su leche, su carne y aun sus pieles? Al igual que el campesino, por un lado usaría sus productos en su casa y, por otro lado, lo que obtiene con la venta de ellos sostiene a su familia. (4) El último ejemplo muestra que aun los animales tienen derecho a comer de lo que ayudan a producir. Cita Deuteronomio 25:4 que dice: *No pondrás bozal al buey que trilla.* Esto era para que se pudiera alimentar de los granos que trillaba. Si Dios cuida así a un animal, con más razón cuida a los seres humanos, hechos a su imagen y semejanza. Los cuida con la práctica de que el que trabaja lo hace sabiendo que recibirá su justo pago (v. 10).

Vv. 11-14. Por aquel principio fundamental, Pablo tenía derecho a recibir su salario de la iglesia. Había sembrado en un sentido *espiritual* por lo que bien podía cosechar lo *material* que necesitaba para vivir. Por el hecho de que otros que ministran en la iglesia recibían manutención, Pablo también tenía derecho a recibirla. Pero...no ha hecho uso de su derecho para evitar ser un tropiezo a otros. Si aceptaba pago podían surgir los que dijeran: "Es igual que los rabinos y sacerdotes que se aprovechan de la gente y viven diez veces mejor que el pueblo" o "Predica y enseña por dinero". Para que no hubiera ningún *obstáculo al evangelio de Cristo* renuncia al principio fundamental que ya explicara. Tenía la libertad de recibir un sueldo, porque los que anuncian el evangelio tienen derecho a vivir de él. Pero Pablo, haciendo uso legítimo de su libertad, no lo hace.

3 El verdadero galardón, 1 Corintios 9:15-18.

Podemos decir que en estos versículos Pablo establece la mejor motivación para cualquier trabajo, obra o acción que realizamos. A veces, al recibir una carta tenemos que leer "entre líneas" para entender lo que la persona realmente quiere decirnos.

V. 15. En este versículo, si leemos entre líneas captamos que Pablo les hace ver que a pesar de todas las *libertades* a las que tenía derecho como maestro y predicador, no se las tomó. Es una forma de decir que así deben actuar ellos con la libertad que tienen en el evangelio. Aunque uno puede hacer ciertas cosas, no debe hacerlas si van a ser mala influencia sobre otros. Pablo estaba contento, satisfecho (orgulloso) de usar su libertad para no ser tropiezo a otros. Al decirles cuál es la actitud de él les enseña cuál debe ser la actitud de ellos.

Vv. 16-18. El galardón de la obra que uno hace no radica en el pago material que recibe, sino en la satisfacción que uno siente cuando ha cumplido con lo que el Señor le ha llamado a hacer. *¡Ay de mí si no anuncio el evangelio!,* dice Pablo. El hecho de anunciarlo como el Señor le mandó es el mejor premio que puede haber recibido. Tiene premio el hecho de ejercer con responsabilidad la libertad de que gozamos en Cristo.

4 El servicio de un hombre libre, 1 Corintios 9:19.

V. 19. Pablo indica que tiene completa libertad, que ningún compromiso lo ata a nadie. Pero, voluntariamente se ha puesto a disposición incondicional de todos para ganar a más almas para Cristo. Su actitud es de sacrificio. Está dispuesto a que su propia libertad sea determinada por aquellos a quienes quiere ganar al evangelio. Poniendo primero las necesidades de ellos. En su actitud de sacrificio resalta su humildad. No emprende su obra con delirios de grandeza, creyendo que se van a agolpar alrededor de él. Emprende su obra sabiendo que no todos lo aceptarán, pero confía en que yendo como un siervo podrá ganar a más personas. Así es el servicio del verdadero siervo de Dios que es verdaderamente libre.

Aplicaciones del estudio

1. Todos tenemos un ministerio. Al cumplirlo hemos de considerar como nuestro premio la oportunidad de hacerlo (1 Cor. 9:16, 17).

2. La actitud correcta en la obra del Señor sigue siendo la de un siervo, 1 Corintios 9:19. Entristecen al Señor los que se ponen de "jerarcas" y "dictadores" en su viña. Alegran al Señor los que están dispuestos a ser siervos. Dios no necesita caciques, necesita esclavos, siervos obedientes.

Prueba

1. ¿Cómo usó Pablo su libertad cristiana? Elija entre las siguientes frases las que mejor lo describen:
   Distanciándose de los demás; siendo siervos de todos; cobrando un buen sueldo por su trabajo; tratando de disimular su orgullo; demandando sus derechos como apóstol; trabajando gratuitamente.

2. Identifique una situación en la que usted va a actuar responsablemente en el ejercicio de su libertad.
   ¿Qué hará? ____________________
   ¿Por qué? ____________________

Lecturas bíblicas para el siguiente estudio

Lunes: 1 Corintios 10:1-5
Martes: 1 Corintios 10:6-10
Miércoles: 1 Corintios 10:11-17
Jueves: 1 Corintios 10:18-22
Viernes: 1 Corintios 10:23-29
Sábado: 1 Corintios 10:30 a 11:1

Los límites de la libertad cristiana

Contexto: 1 Corintios 10:1 a 11:1
Texto básico: 1 Corintios 10:6 a 11:1
Versículos clave: 1 Corintios 10:23, 24
Verdad central: Las enseñanzas de Pablo acerca de la libertad que tiene el cristiano para decidir lo que conviene nos recuerdan que esa libertad debe ejercerse en relación con la edificación individual y de la iglesia.
Metas de enseñanza-aprendizaje: Que el alumno demuestre su: (1) conocimiento de las normas bíblicas en cuanto a la práctica de la libertad que el cristiano tiene para decidir lo que conviene, (2) actitud de adoptar esas normas en su relación con los demás.

Estudio panorámico del contexto

Pablo sigue explorando el tema de la libertad cristiana. En el capítulo anterior ofreció a sus lectores el ejemplo de cómo él practicaba esa libertad responsablemente. Ahora, exhorta contra la libertad irresponsable presentando ejemplos tomados de la historia de Israel. Les recuerda que el pueblo "fue bautizado en la nube y en el mar" (v. 2). Al ser liberados de la esclavitud en Egipto Dios les mandó una nube (Exo. 13:21, 22) que les mostraba su protección y les guiaba por donde debían andar. Al decir también "el mar" Pablo interpreta el pasar por el mar Rojo como una especie de bautismo con el cual el pueblo se consagró a Dios para seguirle. En los versículos 3 y 4 habla de la comida y bebida espiritual. Es una referencia al maná milagroso y a que nunca les faltó agua en el desierto (Exo. 16). Estos beneficios que son símbolo de la gracia de Dios debían acercarlos más a él, pero no fue así, convirtieron su libertad en libertinaje y fueron castigados. Hicieron mal uso de un privilegio recibido de parte de Dios.

En el versículo 20 Pablo hace referencia a "los demonios". Los griegos llamaban a sus deidades *daimonia* y Pablo usa esa palabra en un doble sentido. Para los griegos "deidades", pero para los judíos "demonios"en el sentido que damos nosotros a la palabra. Participar en la comida sacrificada a los "demonios" (dioses de los gentiles) daba pie a los "demonios" (Satanás) para hacer su obra.

A través del capítulo 10, Pablo enfatiza los males de la idolatría, la necesidad de huir de ella, de no caer en ella y de no ser motivo para que otros caigan.

Estudio del texto básico

Lea su Biblia y responda

1. Pablo recuerda a sus lectores los distintos castigos sufridos por Israel cuando ya estaba libre de su esclavitud en Egipto. Busque en 8-10 qué castigo sufrieron por dos pecados.

   Pecado: inmoralidad sexual/fornicación. Castigo: ____________________

   Pecado: tentar a Cristo/al Señor. Castigo: ____________________

2. Lea en silencio el resto del capítulo y 11:1. Lea en voz alta y subraye en su Biblia los versículos 12, 22, 23, 24, 11:1. Elija uno y escriba lo que significa para usted. ____

   ____

   ____

Lea su Biblia y piense

1 Un mal ejemplo del uso de la libertad, 1 Corintios 10:6-13.

Vv. 6, 7. Pablo acaba de escribir, en los versículos 1-5, sobre las bendiciones del pueblo de Israel al ser liberado de la esclavitud en Egipto. En el versículo 6 explica que les recuerda lo que sucedió en la antigüedad para que les sirva de lección en el presente. El pueblo ya era libre. ¿Cómo usó su libertad? Codiciaron cosas malas, no codiciemos nosotros. Se entregaron a la idolatría, no lo hagamos nosotros. Actuaron irresponsablemente (Exo. 32:6), no seamos nosotros así.

Vv. 8-10. En su libertad, en primer lugar, algunos israelitas se entregaron a la *inmoralidad sexual* (Núm. 25:6-9). Fueron castigados con la muerte. En segundo lugar, tentaron a Dios. Tentar al Señor es abusar de sus bondades, de su paciencia y de su poder pensando que Dios tiene que hacer lo que a uno se le antoja (Núm. 21:4 y siguientes). El pueblo se impacientó, se airó contra Dios. Fueron castigados con la muerte. En tercer lugar, *murmuraron* contra Dios. ¡Qué injustos e ingratos! Dios los había liberado, pero como tenían escollos que vencer antes de llegar a la tierra prometida: "Aconteció que el pueblo se quejó amargamente a oídos de Jehovah" (Núm 11:1). ¿El resultado? Lo vemos en ese mismo versículo. Fueron castigados con la muerte.

Vv. 11-13. Los tres ejemplos dados, tomados de la historia del pueblo de Dios, son muy fuertes. Dios es un Dios que perdona y libera. Pero es también un Dios que castiga la desobediencia. Esta es una lección para el presente, asegura Pablo. Dios sigue siendo el mismo. El ser humano también sigue siendo el mismo. Los corintios estaban expuestos a las tentaciones como lo había estado el pueblo en la antigüedad, pero no tenían que caer. Más poderosa que la tentación humana es la potencia de Dios. Esa potencia está a disposición del cristiano para darle las fuerzas que necesita para salir airoso.

2 No conviene repetir el pasado, 1 Corintios 10:14-22.

Vv. 14-16. *Por tanto,* como conclusión de todo lo que Pablo ha escrito anteriormente, ahora dice: *amados míos, huid de la idolatría.* Su corazón está lleno de amor por ellos, ese amor es la clave para lograr todo lo que les va a decir a continuación. El consejo cobra especial importancia al recordar que Corinto era cuna y capital de las peores influencias y corrupciones de la idolatría. En el huir va implícita la idea de autodisciplina y dominio propio. (V. 14). *Como a sensatos os hablo.* Dirige sus palabras a creyentes "iluminados", maduros, capaces de discernir entre libertad y libertinaje (v. 15).

La copa de bendición se refiere a la copa de la cena pascual con la cual el padre de familia pronunciaba su bendición y daba gracias a Dios antes de pasarla al resto de la familia, era la tercera copa de la Pascua. Para el tiempo en que Pablo estaba escribiendo, esto y el rompimiento del pan simbolizaban la sangre y el cuerpo de Cristo, cuyo sacrificio en la cruz nos dio libertad o salvación de la esclavitud del pecado.

Vv. 17-22. Aquí Pablo enfatiza la comunión de los cristianos al considerar cómo están unidos por el sacrificio de Cristo en la cruz. Presenta una comparación entre los sacrificios a Jehovah y el sacrificio de Cristo con los sacrificios a los ídolos. De allí muestra que aunque los dioses no son nada, los sacrificios a ellos no son inocentes. El que se sienta en la mesa de Cristo no puede, encogiéndose de hombros, sentarse también a la mesa de los *daimonia:* dioses, ídolos, *demonios.* Termina este párrafo con dos preguntas (v. 22) que podríamos expresar así: "Nuestro Dios que es celoso de poseer totalmente el amor de sus hijos ¿se va a prestar a compartir ese amor con el demonio? ¿Tendríamos la fuerza para hacer frente y prevalecer sobre el peso de su indignación?"

3 ¿Hasta dónde llega mi libertad?, 1 Corintios 10:23 a 11:1.

Vv. 23, 24. En general, todo es lícito para el que es libre en Cristo. Pero no es cuestión de hacer algo porque uno puede hacerlo. La acción debe pasar primero por tres pruebas basadas en el amor y la responsabilidad que uno siente por los demás: (1) Pensando en mis prójimos, ¿me conviene hacerlo? (2) ¿Esto que pienso hacer ayudará a mi hermano a ser un mejor cristiano, edificándolo? (3) ¿Al pensar en esta acción estoy pensando egoístamente o estoy tomando en consideración el bien de quienes son influenciados por mí?

Vv. 25-33. En este pasaje Pablo da pautas de cuándo comer carne y cuándo no. ¿Cuándo sí? Cuando uno va a la carnicería ¡adelante compre la carne y cómala en su casa! ¿Qué finalidad tiene preguntar: "y esta carne de dónde vino"? Todo fue creado por Dios para uso del hombre. Cita Pablo el Salmo 24:1. Al final de cuentas, todo es del Señor, sea del matadero que sea el animal.

¿Cuándo sí? Cuando uno es invitado a comer en casa de un inconverso ¡no ande preguntando: ¿y esta carne de dónde es?!

¿Cuándo no? Cuando alguien nos ofrece carne a comer pero primero explica que fue ofrecida en sacrificio.

¿Por qué no? *Por causa de la conciencia* o sea por la conciencia del otro. La mía ya sabe que nada tiene de malo, pero el que me observa quizá no sepa. El que yo coma perjudicará mi testimonio ante él. Así, no comer carne en esta circunstancia es más que privarme de una libertad. Es poner el bienestar de mi prójimo primero en una muestra de auténtico amor cristiano.

Hacedlo todo para gloria de Dios es la medida para nuestras acciones. Nos recuerda las palabras de Jesús al decir: "De cierto os digo que en cuanto lo hicisteis a uno de estos mis hermanos más pequeños, a mí me lo hicisteis" (Mat. 25:40). En el caso del que escribe Pablo, no es dar a otro ropa o alimentos sino renunciar a su libertad para dar salvación a muchos.

11:1. Desde que nacemos aprendemos imitando. En la cuna el bebé empieza a imitar los sonidos que oye, más adelante imita la conducta de quienes lo rodean. ¡Hay tanto que aprender con la imitación! Pablo ruega a los corintios que lo imiten a él en un aspecto: en lo que él imita a Cristo. Así los corintios y el Apóstol serán todos imitadores de Cristo, el ejemplo perfecto en sentimientos, conducta y espiritualidad.

Aplicaciones del estudio

1. Dios castiga la desobediencia, 1 Corintios 10:6-10. La máxima desobediencia es rechazar la salvación y el camino de vida. Seamos obedientes como Cristo (11:1) que fue obediente hasta la muerte (Fil. 2:5-11).

2. Huyamos de las tentaciones, 1 Corintios 10:12-13. Podemos vencerlas en el poder de Dios.

3. Dios nos salvó haciéndonos libres. Debemos ejercitar nuestra libertad dentro de los límites que determina el derecho ajeno y la gloria de Dios, 1 Corintios 10:31-33.

Prueba

1. ¿Cuál es el criterio que usted debe usar para decidir hacer lo que conviene? ____________________

   ____

2. Describa un caso donde usted está dispuesto a sacrificar su gusto de hacer algo con tal de no servir de tropiezo para otros. ____________________

   ____

   ____

Lecturas bíblicas para el siguiente estudio

Lunes: 1 Corintios 11:2-6
Martes: 1 Corintios 11:7-12
Miércoles: 1 Corintios 11:13-16
Jueves: 1 Corintios 11:17-22
Viernes: 1 Corintios 11:23-26
Sábado: 1 Corintios 11:27-34

Adoración por medio de la cena del Señor

Contexto: 1 Corintios 11:2-34
Texto básico: 1 Corintios 11:23-34
Versículo clave: 1 Corintios 11:26
Verdad central: La exhortación de Pablo a los corintios a celebrar la cena del Señor de manera digna nos enseña que tal celebración debe estar revestida de solemnidad y respeto, así como de una profunda comprensión de su verdadero significado.
Metas de enseñanza-aprendizaje: Que el alumno demuestre su: (1) conocimiento del significado espiritual de la cena del Señor, (2) actitud de respeto y dignidad al celebrarla.

Estudio panorámico del contexto

En este capítulo 11, siguen los consejos e instrucciones de Pablo. Hasta aquí éstos se han relacionado con conductas y prácticas en el diario vivir. Ahora, enfoca conductas y prácticas en los cultos. Se identifican dos motivos de desorden en ellos:

(1) Primero, la falta de decoro en un detalle de su vestimenta en los cultos: los hombres debían estar con la cabeza descubierta y las mujeres con la cabeza cubierta. Justifica su opinión por la posición del hombre, el orden de la creación y por "la presencia de los ángeles". El significado de cada punto sigue siendo motivo de debate. Hay estudiosos que opinan que "los ángeles" se refiere a los ancianos y predicadores de la iglesia. Ante la presencia de ellos en aquel tiempo y lugar lo decoroso era que la mujer se cubriera con un velo. Pablo trata un problema serio en su día, pero que tiene principios aplicables para nuestro día en cuanto al decoro y la sumisión de la mujer. Se debe señalar, para evitar equivocaciones, que Pablo señala al igualdad del hombre y la mujer en Gálatas 3:28.

(2) El segundo desorden que enfoca es el de la cena del Señor. Es evidente que se juntaban no sólo para "beber la copa" sino muchas copas, no para "partir el pan" sino para comer hasta hartarse. Y los que llegaban primero empezaban a comer en desconsideración de los que llegaban al último. De este grosero desorden brotaron las instrucciones más sublimes sobre la cena del Señor. Hasta hoy se leen cada vez que la celebramos. Reflexionar en ese pasaje profundizará el sentido que damos a la celebración de la cena del Señor.

Lea su Biblia y responda

1. Según los versículos 24 y 25, Jesús instituyó la "cena del Señor" para que sus seguidores (tache las respuestas incorrectas):
   - ❑ lo recuerden a él y su sacrificio
   - ❑ tengan comunión unos con los otros
   - ❑ vean quién participa y quién no
   - ❑ den prueba de su obediencia

2. En los versículos 28 y 31 Pablo dice algo que deben hacer los corintios para asegurarse de participar dignamente de la cena. ¿Qué es? ________
____
____

3. Según el versículo 26 ¿qué anunciamos cada vez que participamos de la cena del Señor? ________________________________

Lea su Biblia y piense

1 Adoración en memoria de Cristo, 1 Corintios 11:23-26.

V. 23. En estos breves versículos encontramos la única enseñanza apostólica sobre la cena del Señor. Es verdad que tenemos el relato de la ocasión cuando Jesús la instituyó, por lo que hubiera sido de esperar que Pedro o Juan escribieran las directivas para celebrarla. Pero sólo Pablo lo hace y sólo en este pasaje con la autoridad que significa el haber recibido directamente del Señor la enseñanza que está por darles. Recuerda a sus lectores que lo que les va a decir es lo que Jesús pidió, su última petición en una de sus horas más tristes: *la noche que fue entregado.* Era la noche de la traición, pero Jesús no dejó que la acción de Judas acaparara sus sentimientos. Su atención permaneció puesta en sus verdaderos discípulos.

V. 24. Primero, Jesús dio *gracias.* En el momento de adoración que es la cena del Señor, lo primero es dar gracias. Del alma debe brotar una sentida gratitud al hacer *memoria* de Jesucristo, nuestro ejemplo, nuestro único y suficiente Salvador.

Después de dar *gracias* tomó el pan y *lo partió* para dar una parte a cada uno. Explicó que representaba su cuerpo que *por* ellos fue *partido.* Fue partido o quebrantado en la cruz. Fue el darse como sacrificio por cada uno que aceptara su sacrificio. *Tomad, comed* les dijo a sus discípulos. En un sentido espiritual, el cristiano se alimenta de Cristo cada vez que lee su Biblia, medita y ora buscando su voluntad.

V. 25. La cena ha terminado. Pero Jesús quiere presentar un símbolo más para que sus seguidores de todos los tiempos lo recuerden. Presentó la copa de vino a sus discípulos como un símbolo de su sangre derramada en sacrificio por el pecado de ellos. Llama a la copa *el nuevo pacto.* En el antiguo pacto el penitente era rociado con la sangre del animal que había llevado para sacrificar. Con la sangre de Cristo todos los que aceptamos su sacrificio somos "rociados" espiritualmente estableciendo una comunión permanente con él.

El pan debía ser comido, simbolizando su cuerpo, y el vino debía ser bebido, simbolizando su sangre, todo *en memoria* de él. El pensamiento del creyente debe estar centrado sólo en Cristo en genuina adoración pensando y recordándolo sólo a él: su nacimiento milagroso, sus enseñanzas, sus milagros, su muerte, su resurrección y su ascensión.

V. 26. En el culto de adoración que es la cena del Señor el mensaje es uno: *la muerte* de Jesús. Eso es lo que los símbolos proclaman. Pero hay una cosa más, la cena debe celebrarse *hasta que él venga.* Entonces, es una celebración cimentada en la certidumbre de un Cristo vivo con quien nos reuniremos en el futuro, en el Día del Señor cuando él venga.

2 Comprensión al tomar la Cena, 1 Corintios 11:27-30.

V. 27. ¿Qué es comer y beber de la copa del Señor indignamente? Tomémonos un momento para recordar a quién iban dirigidas estas palabras. A la iglesia en la voluptuosa Corinto, llena de múltiples tentaciones. A la iglesia, con mucho de bueno, pero también con mucho de malo, con la luz del evangelio y la oscuridad de las divisiones entre ellos, con el gozo de su salvación y la tristeza de su conducta permisiva, con santidad por un lado y corrupción por el otro. El que caminaba en la oscuridad pero igual se juntaba con el resto de la iglesia para celebrar la cena del Señor se hacía *culpable del cuerpo y de la sangre del Señor.* En una palabra, cometían uno de esos pecados que Jesús vino para pagar. Esto es una cosa seria que cada uno debía comprender.

V. 28. Para comprender con qué actitud y espíritu participaban, cada uno debía examinarse *a sí mismo* (¡no a los demás!). En ese examen identificaría su condición. Al comprenderla, el cristiano que anda en el error querrá inmediatamente arrepentirse y confesarlo al Señor. Así, comerá luego, dignamente, de la cena conmemorativa.

Vv. 29, 30. Otra cosa para tener en cuenta es que al participar de la cena del Señor se debe *discernir* el cuerpo del Señor. Se debía establecer una diferencia entre las actividades comunes como cenar o comer juntos y la cena del Señor. Recordemos que en los versículos 17-22 Pablo condenaba los abusos en la "santa Cena". Los hermanos comían y bebían hasta hartarse sin pensar en lo que los elementos del pan y la copa simbolizaban. Haciéndolo, se hacían culpables del juicio divino, no estaban discerniendo lo que estaban celebrando o recordando. Lo que hacían era un sacrilegio que el Señor castigaría. Se menciona un castigo en el versículo 30 que puede interpretarse tanto en un sentido físico como espiritual. El castigo, aquí en el sentido de ser disciplinado, era la consecuencia de la conducta indigna de los hermanos que aprovechaban la ocasión para satisfacer su egoísmo.

3 Un examen de conciencia al tomar la Cena, 1 Corintios 11:31-34.

Vv. 31, 32. Aquí Pablo repite y resume lo expuesto anteriormente: debía examinarse cada uno a sí mismo quitando de su vida todo lo que impidiera la auténtica adoración y comunión con el Señor en la cena. Haciéndolo, se juzgaría a sí mismo confesando su pecado. De esta manera, no sería necesario que Dios lo juzgara. Pero, si uno no se examina a sí mismo, Dios lo hace, y luego lo juzga y disciplina, evitando el último juicio, la condenación eterna.

Vv. 33, 34. El Apóstol termina con dos consejos prácticos: (1) que se esperen unos a otros para realizar la cena. La iglesia se reunía en casas particulares. Es fácil imaginar al dueño de casa decir: "Empiecen a comer cuando quieran" En el *esperaos unos a otros* hay un llamado a la consideración y la unión. (2) S*i alguien tiene hambre, coma en su casa* antes de ir a la celebración de la cena del Señor. Les vuelve a enfatizar que deben comprender que la cena del Señor no se trata de comer y beber en abundancia y les ruega que cambien su actitud para evitar el juicio de Dios.

Aplicaciones del estudio

1. El significado espiritual de la cena del Señor sigue siendo el mismo que cuando Cristo la instituyera. En ella adoramos al Señor "haciendo memoria de Cristo". Recordamos al Dios encarnado, su nacimiento, su vida, su muerte, resurrección y ascensión. Recordamos al Cristo del presente, alabando su obra de redención en nosotros y que aboga por nosotros ante el Padre. Recordamos al Cristo del futuro, cuando "él venga" en toda su gloria a fin de recogernos para estar con él eternamente.

2. Participemos de la cena del Señor después de examinarnos a nosotros mismos a fin de poder hacerlo con la bendición que es celebrarla dignamente.

Prueba

1. ¿Qué celebramos al participar de la cena del Señor? ________________

____

____

2. ¿Se siente unido al Señor y a sus hermanos en la fe cuando participa de la cena del Señor? ________. ¿Cómo se examina a usted mismo para ser digno de participar? ________________________

____

Lecturas bíblicas para el siguiente estudio

Lunes: 1 Corintios 12:1-5
Martes: 1 Corintios 12:6-11
Miércoles: 1 Corintios 12:12-16
Jueves: 1 Corintios 12:17-20
Viernes: 1 Corintios 12:21-26
Sábado: 1 Corintios 12:27-31

Unidad 4

Los dones espirituales

Contexto: 1 Corintios 12:1-31
Texto básico: 1 Corintios 12:8-20
Versículo clave: 1 Corintios 12:11
Verdad central: La declaración que hace Pablo acerca de los dones espirituales nos confirma el hecho de que el Espíritu Santo reparte los dones como él quiere para la edificación de todo el cuerpo de Cristo: la iglesia.
Metas de enseñanza-aprendizaje: Que el alumno demuestre su: (1) conocimiento de los dones espirituales que menciona Pablo, (2) actitud de practicar su don o dones para edificación de la iglesia.

Estudio panorámico del contexto

Una vez más Pablo contesta algunas preguntas. La situación que las generó parece ser la cuestión de los dones que se habían convertido en un motivo de competencia en la iglesia. Parece ser que los dones más impresionantes, como el hablar en lenguas, tenían preferencia. Los creyentes que hacían despliegue de este don eran considerados más espirituales, más maduros que los demás y estaban causando inquietud y ansiedad en los que no habían recibido este don. Estaba causando también desorden en la iglesia porque los cultos de adoración eran más expresiones de excesos en el ejercicio del don de lenguas que el juntarse para adorar a Dios y proclamar el evangelio.

Además, a algunos los dominaba el "orgullo espiritual", al mismo tiempo que se agrupaban según sus dones en una especie de castas espirituales. Debido a todo esto, los dones que Dios había otorgado para bien de los miembros y la comunión de la iglesia, se habían convertido en una fuerza que carcomía la integridad de los creyentes individualmente y la iglesia colectivamente. Por un lado se practicaban los dones, por el otro se daba lugar a la vanidad, el orgullo y a la formación de grupos.

Escribi sobre el problema no era fácil para Pablo. Debía hacerlo aprobando los dones espirituales que realmente eran parte de lo que el Espíritu repartió y, a la vez, reprobando el uso y los resultados indebidos de los mismos. Es así que lo primero que enfatiza es que, sea cual fuere el don de cada uno, su origen es el mismo: cada don es dado por el Espíritu de Dios. Luego da una lista de dones que el Espíritu da como él quiere para la edificación de la iglesia. A fin de que entiendan bien este "para qué" compara a la iglesia con el cuerpo humano en que cada miembro tiene una función y cada función es importante.

Lea su Biblia y responda

1. Encuentre en los versículos 8-10 la lista de dones que presenta Pablo. Escríbalos aquí: ____
____
____

2. Lea el versículo 11 y escríbalo aquí en sus palabras. ____________
____
____

3. Al leer los versículos 12-20 ¿puede encontrar un miembro del cuerpo que sea más importante que los demás? ________ ¿Por qué cada uno es importante? ____
____

Lea su Biblia y piense

1 Los dones que reparte el Espíritu, 1 Corintios 12:8-10.

Vv. 8-10. En estos versículos Pablo empieza a tirar abajo la pirámide jerárquica que se había levantado en la iglesia de Corinto. Lo hace mencionando nueve dones espirituales, dándoles a todos la misma jerarquía porque todos provienen del *mismo Espíritu.* Veamos esos dones y de qué se tratan.

Palabra de sabiduría. Es hablar sabiamente. Uno habla sabiamente cuando ha podido discernir más allá de lo superficial, de lo que algo aparenta ser para aplicar sabiamente las verdades de Dios. Se manifiesta en el consejo acertado ante una situación que a primera vista parece ser una cosa, pero que en realidad es otra. El que tiene este don sabe escuchar y discernir detrás de lo que escucha la verdadera necesidad espiritual de su interlocutor.

Palabra de conocimiento. "Se caracteriza por la habilidad de descubrir, entender, clarificar y comunicar información relacionada con la vida y crecimiento de la iglesia" (Ebbie Smith). Esto incluye tomar y asimilar datos, como piezas de un rompecabezas, y luego hacerlos encajar de manera que puedan verse como un panorama completo.

Fe. Por supuesto, esto no se refiere a la fe salvadora. La fe que Pablo ve como un don es la capacidad especial de algunos fieles de atreverse a hacer por el Señor y la iglesia algo que parece imposible. Con esta fe, que se manifiesta apasionadamente, se motiva a los demás a emprender lo imposible para Dios.

Sanidades. Es el don de curar enfermedades. Son canales por medio de los cuales actúa el poder sanador de Dios. Es uno de los dones del cual muchos han abusado y mal interpretado. Por eso, muchos cristianos han rechazado este don, por la desconfianza generada por los falsos sanadores.

Hacer milagros. Es hacer maravillas. En la iglesia primitiva se pedía a los que tenían este don que expulsaran a los demonios. Tenían una capacidad especial para ello. Los que tienen este don se animan a hacer frente y solucionar situaciones que a la mayoría les parecen sin salida.

Profecía. Es el don de recibir la palabra divina y compartirla. Los que tienen este don son los visionarios (en el buen sentido de la palabra) que perciben con claridad lo que Dios quiere en situaciones dadas. Poco tiene que ver con señalar el futuro, aunque se puede incluir como un elemento.

Discernimiento de espíritus. Es saber la diferencia entre el espíritu del error y el de verdad. Es discernir entre lo que verdaderamente procede de Dios y lo que aparenta venir de él. El que tiene este don ayuda a la iglesia a mantener su pureza y santidad.

Géneros de lenguas. Es la expresión extática de alabanza y oración de los que tienen este don. Es principalmente para la propia edificación. Es el último don mencionado aquí por Pablo que indica que puede ser de algún beneficio a la iglesia. Este don, como el de sanidad, ha producido desconfianza en muchos por su mal uso y su abuso. También es el don que más ha causado la formación de grupos, porque muchos de los que lo tienen piensan que son más espirituales que los que no lo tienen.

Interpretación de lenguas. No traducir, sino interpretar. La persona que ha recibido este don percibe el sentido de alabanza, de significación y el ánimo y el mensaje del que habla en lenguas. Esta persona quedamente y en forma simultánea interpreta algo de lo que la persona está experimentando. En un caso así, hablar en lenguas puede ser de algún beneficio al culto.

2 El Espíritu designa como él quiere, 1 Corintios 12:11.

V. 11. En este versículo vuelve a subrayar y enfatizar lo que viniera diciendo en los versículos anteriores al mencionar distintos dones: todos proceden del mismo y un solo Espíritu. Agrega que el Espíritu los da de acuerdo con su propia voluntad, como él quiere, como a él le parece. No como capricho, sino porque él sabe lo que cada congregación necesita para su propia edificación y para evangelizar con poder.

3 Ejemplo del cuerpo humano, 1 Corintios 12:12-14.

V. 12. ¿Cómo funcionan en la iglesia los diversos dones que proceden de un mismo Espíritu? Encontramos la respuesta en este versículo. El cuerpo es uno. Para funcionar bien tiene diversos miembros, cada uno con su propia función. *Así... es Cristo* con su iglesia: un solo cuerpo. Cristo es la cabeza y la iglesia provee los diversos miembros con distintas funciones.

Vv. 13, 14. Pablo menciona algunos de esos diversos miembros: judíos y griegos, libres y esclavos. El judío podía sentirse más digno que el griego, el libre podía sentirse superior al esclavo. Pero no, no lo son en realidad. Todos han sido salvos de la misma manera y son distintas partes de un mismo cuerpo. Se necesitan mutuamente para lograr el buen funcionamiento del todo.

4 Cada uno es importante, 1 Corintios 12:15-20.

Vv. 15-20. Al leer este pasaje hágalo identificando cuáles miembros pueden haber pensado: "Soy mejor que..." ¿Pie? ¿Mano? ¿Oreja? ¿Ojo? Considere también cuáles hubieran podido pensar: "¡Valgo menos que...!" Nadie debe creerse más que los demás ni menos que los demás en razón de los dones que el Señor le ha dado. Todos son imprescindibles para el funcionamiento perfecto del cuerpo que es la iglesia.

Aplicaciones del estudio

1. Sea cual fuere nuestro don, debemos practicarlo para beneficio y bendición de nuestra iglesia, sin creernos más ni menos que otros.

2. Es importante que practiquemos los dones porque sólo así se edificará "todo el cuerpo" que es nuestra iglesia.

3. Nunca olvidemos que el Espíritu que me dio dones a mí es el mismo que da dones a mi hermano. Por esa razón, el de él es tan importante como el mío.

Prueba

1. (a) Elija tres de los dones estudiados y explique cómo cada uno se manifiesta:

(1) ____

____

(2) ____

____

(3) ____

____

(b) ¿Por qué no debían los distintos miembros de la iglesia en Corinto jactarse de sus dones?____________________________

____

2. (a) Mencione un don espiritual que usted tiene ______________

____

(b) ¿Cómo lo usa para edificación del "cuerpo de Cristo"? __________

____

Lecturas bíblicas para el siguiente estudio

Lunes: 1 Corintios 13:1, 2
Martes: 1 Corintios 13:3, 4
Miércoles: 1 Corintios 13:5, 6
Jueves: 1 Corintios 13:7, 8
Viernes: 1 Corintios 13:9, 10
Sábado: 1 Corintios 3:11-13

Lo más importante

Contexto: 1 Corintios 13:1-13
Texto básico: 1 Corintios 13:1-13
Versículo clave: 1 Corintios 13:13
Verdad central: La enseñanza del apóstol Pablo a los corintios acerca del amor nos enseña que los dones espirituales de nada sirven si no se practican con amor.
Metas de enseñanza-aprendizaje: Que el alumno demuestre su: (1) conocimiento de la importancia del amor al practicar los dones espirituales, (2) actitud de amor al ejercer su don o dones espirituales.

Estudio panorámico del contexto

Recordemos que en el capítulo anterior Pablo acaba de pregonar que la unidad en medio de la diversidad era la voluntad de Dios para la iglesia, que no debía haber en ella egoísmo, complejo de superioridad ni competencia. La práctica de los dones espirituales exigía una adecuada comprensión de lo que eran y para qué eran. El problema era que aun después de una supuesta comprensión de la naturaleza y el propósito de los mismos, persistía una marcada ausencia de interés por los demás. Más adelante, en el capítulo 14, vuelve a tratar el tema de los dones espirituales, enfocando especialmente el asunto de hablar en lenguas. En medio, casi como entre paréntesis, aparece uno de los capítulos más hermosos de la Biblia: el capítulo 13. Es el magnífico tributo al amor fraternal que nació de la gran necesidad de la iglesia de Corinto de superar sus muchas y variadas diferencias. Cada uno parecía argumentar que su don, su grupo, su manera de hacer las cosas era mejor que el de los demás. Por eso, el último versículo del capítulo 12 es un trampolín al capítulo 13 cuando dice: “Y ahora os mostraré un camino todavía más excelente.” Ese camino superior debía ser recorrido para poder aspirar a alcanzar la meta en el uso de los dones. Esa meta era la edificación del cuerpo de Cristo. Hasta el sacrificio supremo, en donde una persona está dispuesta a dar su vida por alguien, deja de tener sentido y valor si no está fundamentado y motivado en el amor. Los corintios pensaban que distintas cosas constituían el camino para llegar a la madurez cristiana. Pablo les hace ver cómo el mejor es el que está saturado de amor cristiano. Veamos ahora el capítulo más famoso de las cartas de Pablo. Al considerar las características de ese camino podremos darnos cuenta por qué el Apóstol lo llama: “todavía más excelente”.

Lea su Biblia y responda

1. Según los versículos 1-3 ¿de qué sirve tener dones y no tener amor? ______________ Elija de los versículos 4-7 tres cosas que no es el amor:

No es:

1. ______________________________
2. ______________________________
3. ______________________________

2. Complete este versículo:

Y ahora permanecen la ______, la ______________ y el ___________, estos tres; pero el ___________ de ellos es el ______________. V. ____.

Lea su Biblia y piense

1 Sin amor nada sirve, 1 Corintios 13:1-3.

Vv. 1-3. El "capítulo del amor" comienza enumerando nuevamente algunos dones espirituales y agregando otros. Podríamos parafrasearlos así: Si yo tengo el don de lenguas, tanto que hasta puedo hablar como los ángeles... si profetizo hablando de parte de Dios... si tengo el don del conocimiento entendiendo los propósitos de Dios... si tengo el don de fe, tanto que hasta puedo mover montañas... si tengo el don de ayudar (12:8) y reparto entre los pobres todo lo que tengo y aun mi cuerpo... pero...

Los dones y el amor. Los cristianos en Corinto estaban fascinados con los dones espirituales, especialmente los más dramáticos. En esta sección del capítulo 13 Pablo aprovecha su interés para hacerles entender el papel vital que debe tener el amor en el ejercicio de los dones si estos han de ser de algún valor. Si los usan motivados por el amor pueden ser bendecidos y bendecir a la iglesia a través de la cual practican sus dones. Si los usan basados en otras motivaciones que no sea el compartir el amor agape, de nada sirven. No bendicen a la persona que tiene el don ni a su iglesia. Serían un fenómeno interesante, pero de ninguna manera cumplirían los propósitos para los cuales fueron dados. Los dones cobran vida cuando el creyente se consagra a la voluntad de Dios porque le ama y ama a su prójimo. Es entonces que recibe el don que lo convierte en un socio de Dios, el origen del don. El amor agape es lo que nosotros aportamos al don que Dios nos da para ir desarrollándolo y ser el cauce por el cual corren la gracia y el poder de Dios.

2 Características del amor cristiano, 1 Corintios 13:4-7.

Vv. 4-7. Si el amor agape es tan esencial en el ejercicio de los dones es de vital importancia que conozcamos sus características. Pablo dedica el resto del capítulo a dar las pautas para saber identificar el amor del cual está hablando. Lo hace usando un estilo de la poesía hebrea en que un pensamiento se declara en su forma positiva y luego se enfatiza presentando lo opuesto o negativo. Veamos lo que "el amor es" y lo que "el amor no es".

El amor...

Es paciente/sufrido. La palabra griega usada aquí no da la idea de alguien sentado pasivamente esperando algún milagro. Paciencia no significa conformarse porque lo que uno esperaba no se cumplió. Paciencia aquí es "ser sufrido" permaneciendo fiel en la brecha, haciendo que los contratiempos sean motivo de profundizar, aumentar y madurar la vida espiritual.

Es bondadoso/benigno. Es devolver bien por mal. Es perdonar y dar otra oportunidad a quien nos ofendió, aunque no la merezca. Jesús enseñó que si queremos experimentar la gracia perdonadora de Dios, hemos de exteriorizar la misma gracia hacia nuestros prójimos.

Se regocija/goza en la verdad. No se trata solamente de que no es mentiroso. Se trata de lo auténtico y lo íntegro. El creyente que ama celebra y aplaude todo lo que es genuino. Es una persona veraz, en todo siempre anuncia la verdad.

Todo lo sufre, todo lo cree, todo lo espera, todo lo soporta. Que todo lo sufre y lo soporta se relaciona con la paciencia: el amor agape es aguantador. Todo lo cree y lo espera se relaciona con la fe y la esperanza. Es aplicar nuestra fe a todas las áreas de nuestra vida. Es vivir en esperanza sean cuales fueren las circunstancias, sabiendo que el mal del momento pasará. Con fe y esperanza tenemos nuestra mirada puesta en el triunfo final de nuestro Señor.

El amor no...

Es celoso/tiene envidia. Es fácil que broten los celos al ver el progreso y el éxito de otra persona. En lugar de dejar crecer la envidia, el amor la aplasta y mata. Crece y florece sólo cuando no hay amor.

Es ostentoso/jactancioso. Se trata de hablar de nosotros mismos, de lo inteligentes, talentosos y grandes que somos. Es vivir pensando principalmente en nosotros mismos y procurando que otros noten todo lo extraordinario que somos y hacemos.

Es arrogante/envanece. Es el resultado de la gran opinión que tenemos de nosotros mismos. Vemos a los demás como insectos.

Es indecoroso. Es actuar sin vergüenza, hacer lo que a uno se le da la gana. Es ofender a otros con nuestra conducta.

Busca lo suyo propio. El "yo" es rey. Tiene que ver con lo ostentoso e indecoroso, actuando con total egoísmo.

Se irrita. Es reaccionar negativamente cuando uno se siente provocado. Es perder el dominio propio cuando alguien lo ofende.

Lleva cuentas del mal/guarda rencor. Es guardar rencor esperando el momento de la venganza. Es desearle mal al que lo ha ofendido.

Se goza de la injusticia. Es sentirse bien porque a otro le va mal, especialmente si es alguien a quien se le tiene envidia o que lo ha irritado. Es alegrarse cuando aquél fracasa o tiene problemas.

3 Permanencia, integridad y supremacía del amor, 1 Corintios 13:8-13.

Vv. 8-13. Permanencia. *El amor nunca deja de ser* dice Pablo. Llegará el día cuando todos esos dones que practicamos habrán pasado: el don de profetizar, el de hablar en lenguas y el don del conocimiento (v. 8).

Integridad. La prueba de la integridad del amor es que en lugar de apagarse como los dones, con el correr del tiempo aumentará. El amor se irá perfeccionando.

Supremacía. Pablo termina el capítulo presentando una cadena formada por *la fe, la esperanza y el amor.* Declara la supremacía del amor sobre las otras dos. ¿Por qué? ¿Será porque el amor estimula la fe, da razón para tener esperanza y es la meta hacia la cual apuntamos? No sólo es el comienzo y el final de la vida cristiana. Es el poder que da dirección y significado a todo lo que sucede entre ese principio y ese final. El amor *agape* es lo que vino a enseñar y mostrar Jesús acerca de Dios. Fue el poder que rigió su vida. Fue el poder que rompió para siempre las cadenas del pecado. Y es el poder que llena y ayuda a madurar a los que andan en su amor. Por eso, el mayor de todo es el amor.

Aplicaciones del estudio

1. Los dones espirituales no valen nada si no los saturamos de amor (1 Cor. 13:1-3). Con amor, no caeremos en el orgullo, la envidia, ni el egoísmo.

2. La práctica del amor sigue siendo la gran necesidad de cada congregación cristiana. Cultivemos el amor agape en todo lo que hacemos para el Señor.

Prueba

1. Sin mirar en su Biblia, mencione tres cosas que el amor **sí** es.
   El amor es: (a) ____________________
   (b) ____________________
   (c) ____________________

2. Exprese en una breve frase cómo usted ejerce con amor su don o dones espirituales. ____________________
   ____
   ____

Lecturas bíblicas para el siguiente estudio

Lunes: 1 Corintios 14:1-7
Martes: 1 Corintios 14:8-11
Miércoles: 1 Corintios 14:12-17
Jueves: 1 Corintios 14:18-25
Viernes: 1 Corintios 14:26-31
Sábado: 1 Corintios 14:32-40

Estudio 11

Unidad 4

El don de lenguas y la profecía

Contexto: 1 Corintios 14:1-40
Texto básico: 1 Corintios 14:1-17
Versículo clave: 1 Corintios 14:15
Verdad central: La exhortación de Pablo a los corintios a profetizar por sobre todas las cosas, nos enseña cuál debe ser la prioridad de la iglesia cristiana hoy y siempre: predicar.
Metas de enseñanza-aprendizaje: Que el alumno demuestre su: (1) conocimiento de la exhortación que hizo Pablo de profetizar por sobre todas las demás actividades de la iglesia, (2) actitud de valorizar la importancia de la predicación en la tarea de alcanzar a otros para Cristo.

Estudio panorámico del contexto

Pablo vuelve a tocar el tema del don de lenguas una vez que ha terminado el paréntesis en que enfáticamente proclama que el amor debe saturar los dones espirituales. Su propósito es ponerlo en una perspectiva correcta, para ayudar a los hermanos de la iglesia de Corinto a entender el amplio mosaico de los dones espirituales. Para lograr su cometido lo compara con otro don: la profecía. Ambos involucran el habla pero tienen resultados muy distintos.

El término técnico para el hablar en lenguas es *glosolalia,* término derivado de las palabras griegas *glossa,* que significa "lengua", y *lalia,* que significa "habla" o "hablando". En Corinto el hablar en lenguas era motivo de diferencias de parecer entre los hermanos (14:9), tal como lo fueron los problemas del liderazgo de Pablo, de Apolos y de Pedro. El apóstol Pablo trata directamente el don de lenguas en el capítulo 14, comparando su importancia con la de la profecía, o la predicación inspirada.

Según el mencionado pasaje, las lenguas pueden servir en las devociones privadas, si Dios ha dado ese don, en tiempos en que una persona esté a solas con su Señor y para edificación personal (14:2, 4), y es una manera de expresar las acciones de gracias, aunque no la mejor.

En reuniones públicas pueden usarse las lenguas sólo en forma muy limitada, pues los oyentes no reciben ningún beneficio y los no creyentes se escandalizan. Pablo clasifica el don de lenguas como un don espiritual válido y no apoya la prohibición completa de su ejercicio, pero siente que en Corinto se le estaba dando una importancia que realmente no tenía. Para él, era mejor profetizar que hablar en lenguas.

Lea su Biblia y responda

1. a. ¿Qué versículo sugiere que al hablar en lenguas el único que lo entiende es Dios? V. ________.
 b. ¿A quién edifica el que habla en lenguas? ____________. ¿A quién edifica el que profetiza? ________________________.
 c. ¿Qué versículo dice que la práctica de los dones espirituales es para la edificación de la iglesia? V. _____.

2. El versículo 15 dice que debemos orar y cantar con dos cosas ¿qué son?:
 (1) ____
 (2) ____

Lea su Biblia y piense

1 Lenguas para dirigirse a Dios, 1 Corintios 14:1, 2.

V. 1. *Seguid el amor* es la conclusión de lo que Pablo expuso en el capítulo 13. Ya les ha dicho qué es y qué no es el amor, ha establecido su supremacía así que, por todo lo dicho, les recomienda que procuren alcanzar el amor. Y continúa recomendándoles: *anhelad los dones espirituales,* que los deseen ardientemente. Enseguida identifica un don *sobre todo* el de profetizar, que es útil para anunciar las buenas nuevas de Cristo y edificar a los discípulos.

V. 2. Pasa inmediatamente al tema que verdaderamente le preocupa: el uso que los corintios están haciendo del don de lenguas. Aquí empieza a señalar los peligros que surgen de este don. El que habla en lenguas, habla *a Dios* y no a la congregación *porque nadie le entiende.* Lo que dice es espiritual (*misterios*) pero nadie lo sabe. De allí que más delante, el Apóstol indicará que en los cultos públicos el uso de este don debe observar ciertas reglas.

2 Profecía para edificar, alentar y confortar, 1 Corintios 14:3, 4.

V. 3. *El que profetiza,* o sea que comunica mensajes de parte de Dios lo hace con el fin de ayudar en el crecimiento espiritual de otros, de animarlos y de consolarlos. Los tres conceptos abarcan ministerios cruciales. La *edificación* es indispensable porque cada uno necesita crecer constantemente en el Señor. Esto incluye la idea de expansión. La vida espiritual debe ser un programa constante de expansión de conocimiento y experiencia cristiana.

La *exhortación* incluye levantar a los que están desalentados y se sienten fracasados como personas. Es desafiarlos a superarse en todo sentido. Pablo desafía a los corintios a que animen y alienten, en lugar de hacer lo contrario.

La *consolación* incluye saber ponerse en el lugar del que sufre. Sólo así puede darle las palabras que su corazón necesita. En este aspecto del don de profecía se manifiesta empatía por el que necesita consuelo. La misma comparación entre la profecía y las lenguas arroja un resultado muy evidente.

V. 4. Este versículo ofrece la conclusión de lo que Pablo acaba de decir sobre el don de lenguas y el de profecía. Con el primero uno se beneficia a sí mismo, con el segundo beneficia a su iglesia ayudándola a crecer espiritualmente.

3 Sobre todo la profecía, 1 Corintios 14:5.

V. 5. Puestos juntos los dos dones para ser analizados, el apóstol Pablo llega a la conclusión que uno de los dos es el más importante: el de profetizar. Una excepción podría ser que el que habla en lenguas después diga qué significa lo que dijo para que la iglesia se beneficie. No desprecia el don de lenguas. ¡Más bien lo pone en el lugar que le corresponde!

4 Comprensión y edificación son correlativos, 1 Corintios 14:6-17.

Vv. 6-11. Por las dudas que lo que escribió no resulte claro, Pablo pasa a dar ejemplos y breves parábolas para mostrar por qué el don de lenguas sin interpretación no sirve para ayudar a crecer espiritualmente a la iglesia. Estos son los ejemplos:

(1) Si Pablo llegaba a la iglesia y empezaba a hablar en lenguas, ¿qué aprenderían los corintios? Su visita no les serviría de nada. Qué distinto que Pablo llegara de visita y les hablara de lo que el Señor le había revelado, o les explicara las verdades del evangelio o les enseñara a ser mejores creyentes. ¡No hay comparación entre lo que sería una visita y otra!

(2) Si todos los instrumentos musicales tuvieran el mismo sonido, no podrían distinguirse el uno del otro ni tampoco la tonada que trataban de tocar.

(3) Los toques de trompeta comunican las órdenes a las tropas. Un toque es para avanzar, otro para emprender la retirada, etc. Si los toques no son claros y se mezclan las notas sin sentido, las tropas no sabrán qué hacer.

Pablo dice que lo mismo sucede con los hermanos de la iglesia en Corinto. Si nadie entiende lo que están diciendo ¡le estarán hablando al aire! Hablar en un idioma extraño que nadie entiende no une sino que separa a los concurrentes. ¿Cómo pueden conocerse si ni se entienden?

V. 12. Ya que tanto desean los corintios tener dones espirituales, deben procurar aquellos que sirvan para ayudar a la iglesia a crecer espiritualmente. Un don espiritual practicado fuera del contexto de una iglesia local es contrario a la enseñanza de Pablo.

Vv. 13-17. Vemos una orden para el que habla en lenguas: pedirle a Dios que le conceda *poderla interpretar.* Será bueno orar "en espíritu" pero sin el entendimiento es incompleto, le falta algo muy importante. Tanto el *espíritu* como el pensamiento son parte integral de la oración. Lo inconsciente debe ir unido a lo consciente a fin de tener sentido para los demás que participan en el culto. La opinión del apóstol Pablo ya es clara pero, para no dejar lugar a dudas, declara en el versículo 19: "en la iglesia prefiero decir cinco palabras que se entiendan, para enseñar así a otros, que diez mil palabras en lengua extraña".

Un buen resumen de lo que Pablo enseñó acerca del don de lenguas podría ser el siguiente:

1) Señala que en realidad el don de lenguas es inferior a la profecía.

2) Indica que una preocupación desmedida por las lenguas es una señal de inmadurez espiritual (14:20), porque este es el único don que beneficia solamente al que lo posee (14:4, 17).

3) Declara que el don de lenguas debe ser ejercitado principalmente en devociones privadas (14:2, 18, 19, 28).

4) Enseña que el ejercicio público de este don no beneficia ni edifica a la iglesia, a menos que alguno de los presentes tenga el don de interpretación e interprete de manera que la iglesia pueda ser edificada (14:5-13).

5) En los cultos de adoración pública limita a dos o tres, y éstos por turno, el número de personas cuyas declaraciones en lenguas pueden ser interpretadas para edificación de la congregación.

Aplicaciones del estudio

1. Todavía hoy es mejor hablar en la iglesia unas pocas palabras que se entienden que muchas que no se entienden.

2. Nuestra prioridad debe ser profetizar, anunciar el evangelio, enseñar. Querer edificar la iglesia hablando en lenguas será ineficaz. La proclamación (profecía) es anunciar, enseñar, edificar.

Prueba

1. Escriba tres razones por las cuales profetizar debía ser una prioridad para los corintios. ____________________

____

____

2. Escriba una nota dirigida a alguien en su iglesia que predica, "profetiza". Exprese su aprecio por el don que manifiesta y el ministerio que realiza. ¿Qué parte hace usted en la tarea de alcanzar a otros para Cristo? ______

____

____

____

Lecturas bíblicas para el siguiente estudio

Lunes: 1 Corintios 15:1-11
Martes: 1 Corintios 15:12:19
Miércoles: 1 Corintios 15:20-34
Jueves: 1 Corintios 15:35-41
Viernes: 1 Corintios 15:42-50
Sábado: 1 Corintios 15:51-58

La resurrección de Cristo

Contexto: 1 Corintios 15:1-58
Texto básico: 1 Corintios 15:3-8, 12-26, 51-55
Versículos clave: 1 Corintios 15:3, 4
Verdad central: La resurrección de Cristo es un hecho histórico que asegura la resurrección de toda la raza humana, unos para pasar a la vida eterna con Cristo y otros para ir a la perdición eterna.
Metas de enseñanza-aprendizaje: Que el alumno demuestre su: (1) conocimiento de las consecuencias de la resurrección de Cristo, (2) actitud de valorar la victoria de Cristo sobre la muerte y sus consecuencias.

Estudio panorámico del contexto

Si 1 Corintios 13 es el gran capítulo del amor, 1 Corintios 15 es el gran capítulo de la esperanza cristiana. Este se basa en la realidad de la resurrección de Cristo que es la piedra fundamental del testimonio de todo el Nuevo Testamento. Y en 1 Corintios 15 encontramos la presentación más completa del tema. Abarca desde aquel hecho histórico en el pasado hasta lo que significa para nosotros en nuestro presente y nuestro futuro en la eternidad.

Además, el capítulo 15 es la culminación del capítulo 13. En él encontramos la explicación de cómo es que "el amor nunca deja de ser" (13:8), de qué significa "cuando venga lo perfecto... lo que es en parte será abolido" (13:10) y de la victoria de "ver cara a cara", de conocer "plenamente" (13:12). Estas frases del Apóstol, llenas de esperanza, se basan en la realidad que expone en el capítulo 15, en el amanecer de una nueva era el día que Jesús resucitó, que culminará con su victoria final en su segunda venida.

El hermoso capítulo 15 surgió de la necesidad de refutar ideas erróneas sobre la resurrección de Cristo y de los muertos. Entre los judíos, los fariseos creían en la resurrección de los muertos, no así la secta de los saduceos. La resurrección de Jesús fue la manifestación histórica delante de testigos de que sí hay resurrección. De este suceso específico en la historia se basa la certidumbre de nuestra resurrección en el futuro. Por otra parte, los griegos, cuyo pensamiento influenciaba a la iglesia en Corinto, creían en la inmortalidad del alma, pero no del cuerpo. Pablo toca también este aspecto magistralmente. No fue sólo la "identidad" de Jesús la que siguió viviendo y fue al Padre. Jesús volvió a vivir. Sigue y seguirá viviendo. El amor de Dios tuvo, tiene y tendrá la victoria eterna. Es una realidad por la cual vivir y trabajar para el Señor, sabiendo que nuestra fe y esperanza no son vanas.

Lea su Biblia y responda

1. ¿Qué hecho histórico es el fundamento de nuestra esperanza de vida eterna? (vv. 3, 4). ______________________________

2. Haga una lista de las personas a quienes apareció Jesús después de su resurrección (vv. 3-8). ______________________________

3. Según los vv. 12-19 ¿qué significaría para nosotros el hecho de que Jesús no hubiera resucitado? ______________________________

Lea su Biblia y piense

1 La resurrección de Cristo conforme a las Escrituras, 1 Corintios 15:3-8.

Vv. 3, 4. El evangelio, la buena noticia que Pablo ha compartido con los corintios no era un nuevo sistema religioso que adoptar sino un hecho, el hecho de la salvación que es posible para cada ser humano debido a la muerte y la resurrección de Jesucristo. No es él el primero que lo dice, no lo son los otros discípulos que predican lo mismo. Ya en el pasado *las Escrituras* revelaron esa muerte y resurrección. "Con todo eso, Jehovah quiso quebrantarlo, y le hirió" (Isa. 53:10). "Pues no dejarás mi alma en el Seol, ni permitirás que tu santo vea corrupción" (Sal. 16:10). Lo que le pasó a Jesús fue exactamente lo que fuera predicho siglos antes por las voces de los profetas.

Vv. 5-8. Además del testimonio de las Escrituras contaban con el de los testigos que lo vieron personalmente, culminando con el hecho de que a Pablo, indigno perseguidor de la iglesia, también se le apareció. Recordemos que ese fue el hecho que transformó la vida del Apóstol. Nunca fue el mismo después de ver con sus propios ojos al Cristo resucitado, sabiéndose así objeto de su amor.

2 Consecuencias de la resurrección de Cristo, 1 Corintios 15:12-26.

Vv. 12-19. Con argumentos muy lógicos Pablo refuta el concepto de que la resurrección es una quimera, una idea ilusoria y que se puede ser cristiano (creer en el Cristo que vivió y murió y que fue a estar con Dios) sin creer en la resurrección de los muertos. Era aceptar una realidad histórica excluyendo la idea de un cuerpo eterno que es incorruptible. Pablo les hace ver que eso no puede ser. Si Cristo no resucitó:

1. Su *predicación* y salvación no tienen fundamento.

2. El y los demás cristianos son *falsos testigos,* no se les puede creer porque lo que proclaman es la buena nueva de la resurrección.

3. *Si Cristo no ha resucitado,* siguen siendo culpables de sus *pecados* y esclavos de ellos.

4. *Si Cristo no ha resucitado* los creyentes que ya han muerto han sido aniquilados, no "duermen" en el Señor.

5. *Si Cristo no ha resucitado* y sólo pueden tener esperanza para esta vida presente son los más desdichados entre los desdichados.

Vv. 20-26. Lea estos versículos en su Biblia teniendo en cuenta que responde a los que "espiritualizaban" la resurrección de Cristo y la de todos. Comienza diciendo: *Pero ahora* o, como dice la Versión Popular: "Pero lo cierto es que", el evangelio predicado por Pablo está basado en la realidad que así como el pecado entre los descendientes de Adán es universal con su última consecuencia, la muerte, es cosa cierta, también es cosa cierta que Cristo, el segundo Adán, logró para nosotros la resurrección de los muertos. Nuestra firme esperanza en la resurrección de los muertos es porque sabemos que la resurrección de Jesús es una realidad absoluta. Esa certidumbre es la que nos permite vivir en el presente la realidad que será nuestro futuro eterno. Los versículos 23 al 26 describen el presente con su proceso hasta llegar a aquel futuro eterno: (1) Cristo, primicia que anuncia la victoria final. (2) Luego, cuando él vuelva resucitarán los que son suyos. (3) Ese evento marcará el final del tiempo tal como lo conocemos, e irá acompañado de la derrota de todos los poderes opuestos a Dios. (4) Será la consumación del reino de Dios. (5) Cristo reinará hasta haber vencido y extirpado el poder del enemigo, Satanás. (6) Su triunfo final será acabar con la muerte que, virtualmente, ya fue destruida con la resurrección de Cristo.

3 Victoria final sobre la muerte, 1 Corintios 15:51-55.

Vv. 51-55. Cuando toque la *trompeta final,* la última clarinada que anuncia la terminación de la vida humana como la conocemos sucederá un misterio, un milagro mayor que todos los milagros: los muertos resucitarán para no volver a morir, los cuerpos que están vivos en ese momento sufrirán una transformación. Tanto los cuerpos de los que se levantan de la tumba, como los vivos cambiarán de ser corruptibles a incorruptibles, de ser mortales a ser inmortales. El cambio será instantáneo, no el resultado de un proceso. No todos los cristianos vamos a morir, *no todos dormiremos.* Parece que Pablo pensaba que Cristo vendría mientras él estuviera viviendo.

Así como la resurrección de Cristo fue anunciada por las Escrituras, éste será un acontecimiento que también ya profetizó la Biblia: "Destruirá a la muerte para siempre, y el Señor Jehovah enjugará toda lágrima de todos los rostros" (Isa. 25:8). *¿Dónde está, oh Muerte, tu espina? ¿Dónde está, oh Seol, tu aguijón?* (Ose. 13:14). La muerte desaparece en la vida eterna, es el momento cumbre de la victoria de Cristo.

Algunas de las consecuencias de la resurrección de Cristo son:

- ➠Tenemos un Cristo vivo. No se quedó en la tumba fría, se levantó con poder y está a la diestra del Padre intercediendo por nosotros.
- ➠Los muertos en Cristo resucitarán en el día final.
- ➠Hay esperanza y motivación para seguir proclamando las buenas nuevas de salvación.
- ➠La muerte, el último enemigo del hombre, ha sido vencida.

Es imposible terminar este estudio sin considerar lo que los cristianos deben estar haciendo mientras esperan aquella victoria final: Deben seguir "firmes y constantes, trabajando siempre más y más en la obra del Señor" (v. 58, Versión Popular). ¿Por qué? Porque así como no es vana su esperanza de resurrección y vida eterna, no es vano el trabajo que realizan guiados por el Señor.

Aplicaciones del estudio

1. La resurrección de Cristo sigue siendo hoy el motivo de la predicación del evangelio y de anunciarlo por todos los medios. Es la razón de la esperanza cristiana que pasaremos la eternidad con él.

2. El acontecimiento cósmico de la resurrección en el día final es también la resurrección de cada individuo. Les sucederá a todos, pero cada uno, en su cuerpo glorificado, conservará su propia identidad.

3. Nuestra esperanza cristiana prolonga el amor hasta su eternidad. Si la resurrección es verdad "el amor nunca deja de ser".

Prueba

1. Según el pasaje estudiado ¿cuáles son las consecuencias de la resurrección de Cristo? ____

____

2. ¿Cree que usted resucitará? _____ ¿Cuándo? __________________

¿Cómo? ____

____

¿Qué hará mientras tanto? ________________________________

____

Lecturas bíblicas para el siguiente estudio

Lunes: 1 Corintios 16:1-4
Martes: 1 Corintios 16:5-9
Miércoles: 1 Corintios 16:10-12
Jueves: 1 Corintios 16:13-16
Viernes: 1 Corintios 16:17-20
Sábado: 1 Corintios 16:21-24

Servicio amoroso a los necesitados

Contexto: 1 Corintios 16:1-24
Texto básico: 1 Corintios 16:1-12
Versículos clave: 1 Corintios 16:1, 2
Verdad central: Las instrucciones de Pablo acerca de la ofrenda para los pobres de Jerusalén nos enseña que es responsabilidad cristiana servir por amor a los necesitados.
Metas de enseñanza-aprendizaje: Que el alumno demuestre su: (1) conocimiento de las instrucciones de Pablo a los corintios acerca de la ofrenda para los pobres de Jerusalén, (2) actitud de generosidad al ofrendar.

Estudio panorámico del contexto

El último capítulo de 1 Corintios comienza hablando de una ofrenda para la iglesia en Jerusalén. La gran necesidad de ayuda material de los cristianos en Judea se debía a que continuaba la violenta persecución de parte de los judíos. Pablo dio instrucciones sobre cómo organizarla para que estuviera lista cuando él los visitara. Anunció así su intención de visitarles por un tiempo un poco más adelante. Mencionó y recomendó también a varios de sus colaboradores. Algunos nos resultan conocidos: Timoteo, Apolos, Priscila y Aquilas. Otros son menos conocidos pero no por eso menos importantes como siervos del Señor que evidentemente alentaron a Pablo llevándole noticias de la iglesia de Corinto. Son Estéfanas (vea 1 Cor. 1:16), Fortunato y Acaico.

Contiene este capítulo exhortaciones finales en que subraya nuevamente la importancia del amor (vv. 14, 22, 24). Les insta a mantenerse alertas, firmes en la fe, a tener valor y firmeza en su vida cristiana.

Estudio del texto básico

Lea su Biblia y responda

1. (a) ¿Qué debían hacer los hermanos de la iglesia en Corinto cada domingo? ____________________

   (b) ¿Para qué debían guardar semanalmente algún dinero? ____________
   ____

(c) ¿Cómo enviarían el dinero juntado a la iglesia en Jerusalén?________
____

2. Al lado de cada frase escriba una **F** o una **V** según sea Falsa o Verdadera.
_____ Por tantos problemas en la iglesia Pablo ya no quería visitarlos.
_____ Se quedaría en Efeso hasta Pentecostés.
_____ En Efeso no tenía adversarios.
_____ Cuando Timoteo los visitara debían recibirlo con respeto.
_____ Apolos ya había emprendido su viaje para visitarlos.

Lea su Biblia y piense

1 Sirviendo por amor a la iglesia en Jerusalén, 1 Corintios 16:1-4.

V. 1. *La ofrenda para los santos* se trata de la misma mencionada en Romanos 15:25. Es digno de notar que después de dedicar todo el cuerpo de su carta a los problemas y necesidades de la iglesia en Corinto, para terminar dirige los pensamientos de ellos a algo fuera de sí mismos. Algo de relación tiene con el último versículo del capítulo 15. En él les exhorta a abundar en la obra del Señor. Ahora, les presenta una cosa práctica de cómo hacerlo: ayudar a otra iglesia que pasa por problemas muy distintos a los de ellos. La iglesia en Jerusalén seguía sufriendo por la persecución encabezada por los líderes religiosos judíos y necesitaba ayuda material. También necesitaba sentir que no estaban solos, que sus hermanos en otros lugares se acordaban de ellos y los apoyaban. Por otro lado, algunos creyentes en Jerusalén no estaban convencidos de que el evangelio era también para los no judíos. La ofrenda, acompañada del testimonio de Pablo, podría derribar esos prejuicios.

V. 2. *El primer día de la semana* o sea el domingo, era para los cristianos día de descanso y de reunirse para adorar al Señor conmemorando la resurrección de Cristo. Este día tan especial era oportuno para que pensaran en las necesidades ajenas, apartaran, dedicaran y guardaran una ofrenda para llenar necesidades de sus hermanos en Jerusalén. Encontramos aquí el concepto excelente de pensar y determinar con anticipación cuánto uno puede dar en un momento determinado, separarlo del resto del dinero y guardarlo para entregar en el momento adecuado. De esta manera, es posible dar más y hacerlo como algo pensado y planeado. No pidió una suma fija para todos sino que cada uno determinara cuánto dar, según lo que tenía, es lo que llamamos el principio de la proporcionalidad.

Vv. 3, 4. ¿Y cómo darían la ofrenda? Cuando Pablo llegara juntarían todo y decidirían quién llevaría la ofrenda a su destino. La ofrenda debía ser cuidadosamente administrada. Pablo ofrece su ayuda en ese sentido pero no se impone. La administración de la ofrenda es siempre cosa delicada y es sabio que más de uno lo haga para evitar sospechas o malos entendidos que pueden resultar en calumnias.

2 Planes de servicio misionero, 1 Corintios 16:5-9.

Vv. 5-7. Pablo comparte con sus hermanos de Corinto los planes para su ministerio en un futuro cercano. Piensa viajar desde Efeso a Corinto. Si observamos el mapa de la antigua Grecia y Asia Menor notaremos que Efeso, en Asia Menor está frente a Corinto en Grecia, separada por el mar Egeo. Una manera práctica de ir de Efeso a Corinto hubiera sido por barco. Ahora tiene en mente otro itinerario. Iría por tierra, como lo hiciera la primera vez, viajando hacia el norte, tomando un barco en Troas hasta Filipos, luego viajando hacia el sudoeste, pasando por Tesalónica y Berea, en la provincia de Macedonia, y luego hacia el Sur hasta llegar a Corinto. La ruta elegida le permitiría visitar a las iglesias que estaban en ese camino.

¿Y qué de sus planes al llegar a Corinto? No sería una visita de paso. Tenía intención de permanecer allí durante el invierno, quedarse una temporada con ellos. Estaría a su disposición para contestar más preguntas, para corregirles y ayudarles a seguir en la verdad y trabajar hacia la unidad de la iglesia. Luego, ellos podrían "encaminarlo" en su viaje. No sabe todavía a dónde irá desde allí, pero sí sabe que contará con ellos para que le acompañen un trecho. Esa era la costumbre antigua para demostrar amistad y buena voluntad. Iban una distancia con el huésped. ¡Cuántas veces Pablo tuvo que salir de alguna ciudad de una manera muy distinta! A veces, huyendo furtivamente de noche, otras lo corrían apedreándolo. Ahora tiene una visión de una salida alegre, llena de buena voluntad y rodeado de sus hermanos en la fe.

Sus planes parecen muy buenos, pero los llevará a cabo con una condición: *Si el Señor lo permite.* Lo hará si es la voluntad de Dios, si no, no.

V. 8. Mientras tanto piensa quedarse en Efeso por dos razones: (1) "El me ha abierto una puerta grande y eficaz." En otras palabras, muchos estaban respondiendo positivamente a su predicación y ministerio. ¡Que buena señal de que ese era el lugar donde quería tenerlo el Señor en ese momento! Allí es donde ese día le tenía reservadas las máximas bendiciones. (2) Hay *muchos adversarios.* No huye del gran desafío de hacer frente a la oposición. La cobardía no está dentro de los planes de Dios para su vida. Se quedará, luchará y no permitirá que el enemigo tenga la victoria.

3 Colaboradores en el servicio, 1 Corintios 16:10-12.

Vv. 10, 11. Pablo les comunica la posibilidad de que Timoteo los visite. Les recomienda que lo traten bien y que lo respeten porque es un siervo de Dios como Pablo. ¿En qué pensaría el Apóstol al escribir esta petición que parece tan personal? ¿En la juventud de Timoteo? Si a él, Pablo, con mucha más experiencia, le daban trabajo todas las cosas que sucedían en Corinto, ¡cuánto más al joven Timoteo! ¿O lo atacarían los contrarios de Pablo sabiendo que era su colaborador? Las distintas facciones podían hostigarlo y hasta rechazarlo. Les pide que sean buenos con él, que le ayuden a no sentir el temor propio de alguien que llega a un lugar donde evidentemente hay problemas. Les pide que no lo desprecien y que, cuando se vaya, lo acompañen ese trecho acostumbrado para mostrarle su buena voluntad.

V. 12. Pablo comunica que Apolos, fogoso y entusiasta predicador, a pesar de que él ha insistido, por ahora, no quiere visitarles. ¿Por qué no querría hacerlo? ¿Sería porque se había enterado de la formación de un grupo que se denominaba "de Apolos"? No se sentiría capaz de hacer ningún bien en la situación que vivía la iglesia en ese momento. De ninguna manera había voluntad para ir ahora. No era la voluntad de Apolos ir. Tampoco sería la voluntad de Dios si su visita se convertía en motivo de más problemas y divisiones. Uno, Timoteo, irá; otro, Apolos, no irá. Son distintos caminos para distintos siervos de Dios.

Aplicaciones del estudio

1. Hay un plan bíblico para las finanzas del reino. Debemos determinar nuestras ofrendas teniendo en cuenta: Cuándo: el domingo. Cuánto: lo que decidamos según el Señor nos haya prosperado. Cómo: asegurándonos de que serán bien administradas.

2. Necesitamos colaborar para satisfacer las necesidades de otras congregaciones menos afortunadas. Colaboremos en la obra del Señor según él "nos permite" buscando lo que sea la voluntad de Dios en cada circunstancia.

Prueba

1. En la siguiente descripción de la ofrenda que los corintios juntarían, tache la información equivocada que se ha incluido. Escriba en el lugar tachado la información correcta.
   Los hermanos de la iglesia en Corinto recolectarían una ofrenda para poder construir un templo y para comprar muebles. El último día de la semana debían separar 50 pesos cada uno y entregarlos al tesorero. Cuando llegara Pablo levantarían una ofrenda final. Pablo, acompañado de otros hermanos, llevarían la ofrenda a Jerusalén.

2. Llene el espacio en blanco con una de las siguientes palabras que mejor lo describan. "Soy ____________ al ofrendar." (Cauteloso, avaro, generoso, negligente, indiferente, serio, responsable). ¿Su respuesta indica que anda por buen camino o que tiene que mejorar? ____________
   Si siente que tiene que mejorar, ¿cómo se propone hacerlo? __________

____

Lecturas bíblicas para el siguiente estudio

Lunes: Amós 1:1-12	**Jueves:** Amós 2:6-8
Martes: Amós 1:13-15	**Viernes:** Amós 2:9-12
Miércoles: Amós 2:1-5	**Sábado:** Amós 2:13-16

PLAN DE ESTUDIOS
AMOS, OSEAS, JONAS

Escriba antes del número de cada estudio, la fecha en que lo usará.

Fecha **Unidad 6: El profeta Amós**

_______ 14. Dios demanda acciones justas
_______ 15. Dios demanda fidelidad
_______ 16. Dios demanda autenticidad
_______ 17. Dios demanda liderazgo responsable
_______ 18. Dios demanda atención y obediencia
_______ 19. Dios ofrece restauración

Unidad 7: El profeta Oseas

_______ 20. Amor que perdona
_______ 21. Llamado a la consagración
_______ 22. Consecuencias de la corrupción
_______ 23. El amor paternal de Dios
_______ 24. Amor que perdona y restaura

Unidad 8: El profeta Jonás

_______ 25. Jonás y el plan de Dios
_______ 26. Jonás: misión cumplida

AMOS, OSEAS, JONAS
Una introducción

Profecía de Amós

El contexto histórico. El profeta Amós fue uno de los llamados "profetas menores". Su actuación la ubicamos durante el reinado de Jeroboam II quien reinó en Israel (desde el año 786 al 746 a. de J.C.). Fue en este tiempo que el reino del norte de Israel alcanzó su más alto nivel de prosperidad y paz. Los triunfos militares de Jeroboam II corrieron a la par con el desarrollo de la economía del país. El problema en medio de esta situación fue que los ricos se volvían más ricos y los pobres más pobres. Aparejada a la situación económica y social aparece la decadencia de la religión de Israel. Los líderes religiosos establecieron un sincretismo religioso; mezclaron el culto a Jehovah con las prácticas cúlticas de Canaán. Es ese momento histórico en el que se enmarca el llamado de Jehovah a Amós.

El profeta. En el momento en que fue llamado, Amós vivía en el desértico país del sur de Judá, en la región de Tecoa. El mismo declara cuáles eran sus ocupaciones (7:14). Su nombre significa "carga".

El mensaje. Denunció con energía la injusticia social. La prosperidad económica no era acompañada con la justa distribución de la riqueza. La propuesta del mensaje es simple pero terminante: El día del Señor que tanto esperaban para culminar sus sueños de supremacía se tornará en un día de juicio, a menos que haya cambios. Las violaciones de los derechos humanos y el adulterio espiritual no se pueden remediar con liturgia sino con un profundo arrepentimiento.

Profecía de Oseas

Oseas predicó alrededor de 753 a. de J.C. Su nombre significa "salvación". Obviamente él cumplió una tarea similar a la de Amós, pero dramatizando y viviendo en carne propia los estragos de la infidelidad.

El mensaje. Aparte de la agonía de su propia experiencia, Oseas podía ver el corazón quebrantado de Dios por la prostitución de Israel, que le abandonó para ir en pos de dioses ajenos. Este es el tema que se repite a través de la profecía. Es la revelación de un Dios amoroso que está dispuesto a perdonar a su pueblo si éste se arrepiente de su pecado.

Profecía de Jonás

Al igual que Amós y Oseas, Jonás vivió durante el reinado de Jeroboam II. El profetizó algunos años antes que Amós. Su nombre significa "paloma".

El mensaje. Los triunfos políticos y militares que caracterizaron el período del reinado de Jeroboam II propiciaron un marcado exclusivismo religioso. Esto trajo aparejado que Israel rechazara a las naciones gentiles. Jonás fue llamado a neutralizar ese concepto y a llevar las buenas nuevas precisamente a una nación gentil que en ese momento estaba sumida en graves pecados. Allí estaba Jonás para profetizar, muy a su pesar, que el amor de Dios es universal.

Unidad 6

Dios demanda acciones justas

Contexto: Amós 1:1 a 2:16
Texto básico: Amós 1:1-5; 2:4-8, 11-16
Versículo clave: Amós 1:2
Verdad central: El mensaje de juicio del profeta Amós demuestra que Dios demanda que sus hijos actúen con justicia.
Metas de enseñanza-aprendizaje: Que el alumno demuestre su: (1) conocimiento del mensaje de juicio del profeta Amós para Israel y los que habitaban alrededor, (2) actitud de justicia en sus acciones pues Dios lo hace responsable.

Estudio panorámico del contexto

Amós vivió en el siglo VIII a. de J.C. Aunque era de Tecoa, un pueblo al sur de Jerusalén, fue enviado por Dios a profetizar en Israel, el reino del norte. Después de la muerte de Salomón, el reino se había dividido en dos: el reino del sur con dos tribus con Jerusalén como su capital, y el reino del norte, con diez tribus y con Samaria como su capital. Estos dos pueblos hermanos tenían épocas de fuertes conflictos y guerras, pero en el tiempo de Amós parece que había relativa calma entre ellos.

Jeroboam II, rey de Israel, había expandido las fronteras de Israel y como resultado de su fuerza militar y política, había mucho comercio y prosperidad. En estos momentos de orgullo nacional llega el profeta Amós a Israel con las palabras: "Así ha dicho Jehovah", dando un mensaje del juicio de Dios contra las naciones por sus pecados. Usando un marco conceptual literario, "por tres pecados y por cuatro", introduce su acusación contra Judá, Israel y los pueblos vecinos. Damasco, capital de Siria, su vecino al este, será castigado por su crueldad contra los prisioneros de guerra (1:3-5); Gaza, centro de los filisteos, por maltratar a los esclavos (1:6-8); Tiro (los fenicios), por maltratar a los esclavos (1:9, 10); Edom, descendientes de Esaú, el hermano de Jacob, y así parientes de Israel, por su falta de compasión (1:11, 12); Amón, descendientes del hijo del Lot, al este de Israel, por la crueldad de su gobierno (1:13-15); Moab, descendientes del otro hijo de Lot, al este del mar Muerto, por su implacable maldad (2:1-3); y Judá, sus hermanos al sur, por despreciar la ley de Dios (2:4, 5).

Seguramente los oyentes en Israel estaban de acuerdo con estos juicios para otros porque eran naciones con las cuales habían tenido problemas, y no les costaba trabajo aceptar la idea de que Dios iba a castigarles. Pero Amós entonces cambia el enfoque, el castigo ¡es contra ellos mismos por sus múltiples pecados contra la ley de Dios y contra sus prójimos! En este caso son siete los pecados mencionados, pecados que reconocen su falta de solidaridad y de consideración humana, y que son básicos al pacto que Dios había hecho con sus padres y con ellos. El castigo iba a ser devastador, y nadie podría evitarlo (2:9-15).

Estudio del texto básico

Lea su Biblia y responda

1. ¿Qué figura usa Amós para describir la acción de Dios?
   ______________________________ (1:2)
2. ¿Cuál será el resultado? ______________________________ (1:2)
3. El pecado de Damasco fue ______________________________ (1:3)
4. El pecado de Judá fue: ______________________________ (2:4)
5. Nombre los 7 pecados de Israel:
   a. Venden...al justo por ______________________________ (2:6b)
   b. Venden...al pobre por ______________________________ (2:6c)
   c. Codician hasta... ______________________________ (2:7a)
   d. Trastornan el ______________________________ (2:7b)
   e. El hijo y su padre llegan a ______________________________,
   profanando así______________________________ (2:7c)
   f. Sobre ropas______________________ se ______________________
   junto a ______________________(2:8a)
   g. El vino de los ___________beben en la casa de ______________ (2:8b)
6. El castigo de Dios va a ser completo. ¿Qué será? (2:14, 15) ___________
   ____

Lea su Biblia y piense

1 El mensaje del profeta Amós, Amós 1:1, 2.

V. 1. Se ubica el tiempo de la profecía de Amós con los nombres de los reyes de Judá y Israel, y con un dato histórico bien conocido por ellos, dos años antes del terremoto (mismo que se menciona en Zacarías 14:5). Amós, un hombre del campo, demuestra conocer los acontecimientos más allá de su alrededor y de su labor como pastor de ganado. Había sido llamado para dar un mensaje de juicio a Israel, y valientemente se entrega a su tarea abrumadora.

V. 2. Las primeras palabras de Amós indican lo serio de su mensaje. Había escuchado la voz de juicio de Dios sobre este pueblo pecador, y le hacía recordar el rugido del león al matar su presa. La destrucción iba a ser inminente y terrible.

2 El mensaje contra Damasco por su crueldad con los prisioneros de guerra, Amós 1:3-5.

Vv. 3-5. Dios no solamente es Dios de Judá e Israel, sino de todo el mundo. Conoce la forma tan cruel como Damasco (Siria) trató a sus enemigos, trillándoles como se trilla el grano. La frase: *Así ha dicho Jehovah* es impactante. Amós es el mensajero, pero su mensaje es directamente de Jehovah. Como buen orador usa un formato acusador repetido contra cada una de las naciones culpables de injusticia. *Por tres pecados... y por cuatro, no revocaré su castigo.* Todos deben haber estado atentos (4, 5). El castigo abarcará desde el palacio hasta toda la población. El fuego destruirá la ciudad, sus portones serán destruidos y el pueblo será llevado cautivo hasta Quir. La expresión *ha dicho Jehovah* es como el sello final. El castigo es seguro.

3 El mensaje contra Judá por despreciar la ley de Jehovah, Amós 2:4, 5.

V. 4. Judá no tiene excusa, por ser pueblo de Dios ha tenido su dirección, su Palabra, sus profetas, pero han menospreciado y rechazado la ley de Dios. Han preferido andar según sus propios deseos, siguiendo las tradiciones erradas de sus antepasados y a los dioses falsos.

V. 5. El castigo de Judá será también el fuego, y los palacios de Jerusalén serán devorados. Semejante cuadro causa temor.

4 El mensaje contra Israel por su mala conducta, Amós 2:6-8, 11-16.

V. 6. Amós había estado esperando para pronunciar el fuerte mensaje contra Israel, un pueblo que también ha tenido la ley de Dios. Presenta siete *pecados* de Israel que demuestran su falta de consideración por los pobres, tan horrible a los ojos de Dios como las atrocidades cometidas en las guerras mencionadas anteriormente. (1) No hay compasión por la persona infortunada. Se vende a los ciudadanos justos. (2) El pobre es vendido o pagado como esclavo por el precio de *un par de zapatos.*

V. 7. (3) El desvalido es pisoteado como el polvo de la tierra y codician hasta *el polvo de la tierra* que está sobre sus cabezas para quitárselos. (4) A los humildes no se les hace justicia en el juzgado; esto es lo que significa *trastornan el camino de la gente humilde.* (5) El hijo y el padre violan a la joven doméstica que trabaja en su casa. Este crimen es considerado una profanación del nombre de Dios, quien les ha llamado a la pureza sexual y al respeto y amor por el prójimo.

V. 8. (6) La ley exigía devolver la ropa empeñada al atardecer el día porque el pobre que la había empeñado la necesitaba para abrigarse en la noche. Pero el rico en cualquier salida al campo se acuesta sobre esa ropa, demostrando su falta de compasión y aun desdén por la situación del pobre. (7) El vino pagado por un pobre agricultor como multa por alguna infracción de la ley, es consumido en los altares paganos por los ricos que habían puesto la multa.

Vv. 11, 12. Se les recuerda que Dios ha llamado a sus hijos a servirle como *profetas y nazareos,* y les pregunta: *¿no es esto así?* Dios quiso darles líderes para guiarles en su camino, mas el pueblo se interponía presionándoles no solamente a rechazar su llamado, sino haciéndoles profanarlo.

V. 13. Ahora viene el castigo para tan viles pecados: *yo haré tambalear vuestros pies* como un carro pesado. No habrá escape.

Vv. 14, 15. Ni los fuertes ni los valientes, ni el arquero ni el ligero de pies, ni el que tiene caballo escapará.

V. 16. Aun *el más valiente huirá desnudo en aquel día.* Otra vez el sello de Dios; no hay duda, el castigo se cumplirá. El pueblo de Israel debe haber quedado atónito frente a este mensaje que describe tan gráficamente sus pecados. Habría juicio, la voz de Dios había pronunciado el castigo.

Aplicaciones del estudio

1. Todo cristiano es un mensajero de Dios. El nos llama a todos, sea una persona con preparación especial o no. Llama al mecánico, a la profesora, o al comerciante a anunciar su palabra.

2. La Biblia habla con claridad de que ciertos hechos traen graves males. No se puede tratar al prójimo con desprecio. Hay que respetar la dignidad de todas las personas. Dios condena la dureza del corazón.

3. Despreciar y abusar de los derechos de una persona es pecado. Las enseñanzas claras de la Biblia mandan cuidar de los que tienen necesidades, y amar al prójimo como a uno mismo. Ser miembros de la comunidad del Pacto exige seguir y apreciar la Biblia tanto como tratar a los demás con consideración humana. Al no hacerlo viene el juicio de Dios.

Prueba

1. Nombre los tres juicios dados por Amós en este estudio.

   Contra Damasco ______________________________

   Contra Judá ______________________________

   Contra Israel ______________________________

2. Reflexione en cuanto a los siete pecados de Israel (y las actitudes detrás de ellos), y anote por lo menos tres acciones que usted determinará hacer esta semana, como persona responsable por sus actitudes y acciones.

   1) ______________________________

   2) ______________________________

   3) ______________________________

Lecturas bíblicas para el siguiente estudio

Lunes: Amós 3:1-8
Martes: Amós 3:9-15
Miércoles: Amós 4:1-3
Jueves: Amós 4:4, 5
Viernes: Amós 4:6-11
Sábado: Amós 4:12, 13

Estudio **15**

Unidad 6

Dios demanda fidelidad

Contexto: Amós 3:1 a 4:13
Texto básico: Amós 3:1-8; 4:1-13
Versículo clave: Amós 4:12
Verdad central: El castigo que la infidelidad de Israel trajo sobre toda la nación nos enseña que Dios nos hace responsables por ser fieles a él en todo.
Metas de enseñanza-aprendizaje: Que el alumno demuestre su: (1) conocimiento de los resultados que trajo la infidelidad de Israel sobre toda la nación, (2) actitud de fidelidad hacia Dios en cualquier circunstancia.

Estudio panorámico del contexto

Israel sabía que era un pueblo especial, escogido por Dios, y así había gozado de su amor y dirección. Sin embargo, no reconocieron en todo tiempo la responsabilidad de ser fieles en obedecer los mandatos de Dios, y vivir según los principios éticos enunciados por él. Pensaban que porque eran su pueblo, Dios estaba obligado a protegerles y bendecirlos a pesar de su conducta. Amós que ya les había indicado en el capítulo 2 que serían castigados por su falta de solidaridad con el pueblo, les repite estos anuncios varias veces durante su ministerio.

Tal como en el mundo natural un efecto sigue a una causa, el pecado es seguido por el castigo. No hay impunidad ante los ojos de Dios. Israel había sido muy bendecido, pero a pesar de sus condiciones económicas y políticas ventajosas desde el punto de vista de muchos, Dios usaría un enemigo para castigarles terriblemente: fortalezas derribadas y palacios saqueados. La opulencia reflejada en casas de temporada (invierno, verano), casas de marfil extremadamente adornadas con riquezas del extranjero, todo esto sería destruido. El centro del culto, los altares de Betel (el sitio tan reverenciado por el pueblo, el del encuentro de Jacob con Dios, cuando éste huía de Esaú), sería destruido. Los "cuernos del altar", el sitio donde una persona podría buscar protección del enemigo, serían derribados.

Las mujeres eran participantes, y hasta causantes, de la falta de compasión por los pobres. Su deseo de acumular mayores riquezas y sus fiestas se convertirían en un horrible castigo. Amós les recuerda cómo Dios les había castigado, pero no aprendieron. Su falta de sensibilidad en relación con Dios y su prójimo iba a ser castigada, así el profeta pronuncia las palabras temibles: "prepárate para venir al encuentro de tu Dios, oh Israel" (4:12).

Lea su Biblia y responda

1. ¿Cuáles son las razones por las que Dios castigaría a Israel? (3:2).
   a. ______________________________
   b. ______________________________

2. ¿Cómo enfatiza Amós que sus palabras no son suyas, sino "palabra de Jehovah"? (3:1 y 8b) ______________________________
   ____

3. ¿Cuál era el pecado de las mujeres ricas de Samaria? (4:1) __________
   ____

4. ¿Cómo iba a castigarlas el Señor? (4:2, 3) ____________________
   ____

5. Lea 4:6-11 y anote cinco maneras como Dios había castigado a su pueblo en el pasado. ______________________________
   ____
   ____
   ____

6. ¿Qué había aprendido de estos castigos el pueblo de Israel? (4:11). _____
   ____

7. ¿Cuál es la decisión de Dios frente a esta historia de pecado y falta de arrepentimiento? "______________ para venir al ______________ de tu Dios, oh Israel" (4:12b).

Lea su Biblia y piense

1 La elección implica privilegios, pero también responsabilidades, Amós 3:1, 2.

Vv. 1, 2. Amós empieza su mensaje con la fórmula: *Oíd esta palabra que Jehovah ha hablado* (véase también 4:1; 5:1 y 8:4). Parece un mensajero de poca importancia, pero tiene un mensaje que proviene de Dios. ¡Hay que escucharle! La sorpresa de sus oyentes, que se reconocían como "pueblo de Dios", era que Dios podría tener algo en contra de ellos. Les había escogido, les había salvado de Egipto y les había traído a esta tierra. Con todos esos privilegios, las expectativas de Dios habían sido de amor, obediencia, moralidad, una vida ejemplar, y una relación especial con él por parte de su pueblo. Sin embargo, fue otro el resultado, y ahora venía un castigo seguro.

2 La palabra profética es firme y segura, Amós 3:3-8.

Vv. 3-6. Amós sentía el rechazo del pueblo de su mensaje. Para hacerles reaccionar les confronta con siete preguntas retóricas, presentadas en rápida sucesión, y a las cuales la respuesta común tendría que ser un rotundo "no". Ellos no creían posible que Dios les castigaría. Había que hablar de tal forma que les llamara la atención y que no les dejara duda alguna acerca del seguro castigo que venía. Termina el v. 6 con algo que todo pueblo temía: el aviso de *la corneta* que anunciaba la llegada de los enemigos para robar y saquear. Todos se preguntaban: "¿Es posible que Dios permita esto?" "¿Por qué nosotros?" Pero sabiendo que Dios demanda la fiel responsabilidad de sus seguidores, podían estar seguros de que vendría el castigo por no obedecerle.

Vv. 7, 8. Dios obra por medio de sus siervos, los profetas. Su mensaje a Israel es como el rugido de un *león. ¿Quién no temerá?* Igualmente, cuando Dios habla y da un mensaje al profeta *¿quién no profetizará?* Amós, el boyero valiente, no tiene miedo de ser el vocero de Dios y da su mensaje a otros porque él sabe quién es Dios, y le obedece.

3 Mensaje contra las mujeres indolentes, Amós 4:1-3.

Vv. 1-3. Amós se horroriza por la intransigencia de las mujeres ricas de la alta sociedad de Samaria, que no solamente oprimen a los pobres y menesterosos, sino que presionan a sus maridos para que exploten a los pobres y así tener más y más dinero para satisfacer sus placeres. Amós, hombre del campo, les compara a las *vacas de Basán,* una fértil planicie donde los ganados comían hasta saciarse y engordar. Pero, Amós el mensajero de Dios, les compara a esas *vacas* cuando son llevadas al matadero. Habrá muerte y destrucción: el final de estas mujeres que no apreciaban al prójimo ni cuidaban de los pobres necesitados.

4 El castigo contra dos pecados, Amós 4:4-11.

Vv. 4, 5. Israel era una comunidad "muy religiosa", especialmente en el ritual que practicaban en los sitios nacionales de culto. Les encantaban los ritos, así lo demuestra la expresión: *ya que eso es lo que os gusta, oh hijos de Israel.* Amós les habla con sarcasmo, diciendo que deben hacer aún más: en lugar de traer el diezmo cada tres años (Deut. 14:28), deben hacerlo cada tres días, hacer más y más ritos. En verdad su culto era al rito, no a Dios; eran ellos los que quedaban satisfechos con lo que hacían; Dios, no.

Vv. 6-11. Amós menciona siete calamidades que Dios había enviado contra su pueblo como castigo, siempre con el deseo de que ellos reconocieran su pecado y volvieran a él. Repite vez tras vez: *Pero no os volvisteis a mí.* Dios respetó la elección equivocada que ellos hicieron.

5 La advertencia a Israel: *Prepárate para venir al encuentro de tu Dios,* Amós 4:12, 13.

V. 12. La frase: *por tanto,* introduce el pronunciamiento de Dios. Israel será castigado, no por un pecado sino por su vida de pecado; por querer el pecado, por vivirlo. *Prepárate para venir al encuentro de tu Dios, oh Israel.* ¡Qué palabras más conmovedoras! pero para Israel eran palabras que anunciaban el castigo seguro, porque habían vivido tanto tiempo una fe superficial y de apariencia, una vida contraria a las enseñanzas de Dios. ¡Ahora llegaba el merecido juicio!

V. 13. Es un himno o doxología escrito por Amós o citado por él. *Jehovah, Dios de los Ejércitos* es el nombre que Amós usa en el mensaje de juicio. Es Dios el que ha estado procurando por largos años que su pueblo le reconozca como soberano. No hay excusa ninguna para la terquedad y la desobediencia. La misma naturaleza, tan maravillosamente hecha por el Creador, anuncia que hay un Dios. ¿Quién no le va a adorar y obedecer?

Aplicaciones del estudio

1. El privilegio trae consigo responsabilidad. Ser el escogido de Dios es un privilegio muy grande. Pero hay que ser fieles en obedecerle.

2. Hay que vivir una fe auténtica. Es fácil cumplir con ritos, usar un vocabulario piadoso, asistir a ciertas organizaciones, cantar o alabar en maneras específicas, orar en cierta manera, y pensar que somos buenos cristianos. Pero eso no es así, es necesario vivir una fe auténtica.

3. Dios jamás hace caso omiso a nuestro pecado. Dios demanda de nosotros una vida que reconoce sus leyes y su interés en las relaciones personales, el respeto mutuo y el cuidado esmerado de los pobres y necesitados.

Prueba

1. Nombre 3 resultados en la vida de Israel de su infidelidad a las enseñanzas de Dios.

____

____

____

2. Puesto que ha conocido a Dios por medio de Cristo, usted es responsable por sus acciones. ¿Cómo podría ser fiel a las enseñanzas de Dios frente a la tentación de la injusticia personal?

____

____

Lecturas bíblicas para el siguiente estudio

Lunes: Amós 5:1-3
Martes: Amós 5:4-9
Miércoles: Amós 5:10-13
Jueves: Amós 5:14-20
Viernes: Amós 5:21-24
Sábado: Amós 5:25-27

Dios demanda autenticidad

Contexto: Amós 5:1-27
Texto básico: Amós 5:4-9, 14-24
Versículo clave: Amós 5:14
Verdad central: Las demandas de arrepentimiento, justicia y adoración auténtica que Dios hace a Israel nos enseñan que él espera que nosotros hagamos lo mismo hoy.
Metas de enseñanza-aprendizaje: Que el alumno demuestre su: (1) conocimiento de las demandas de arrepentimiento, justicia y adoración auténtica que Dios hace a Israel, (2) actitud de responder adecuadamente a estas tres demandas del Señor.

Estudio panorámico del contexto

Al ver la falta de interés que los israelitas tenían en los mandatos de Dios, Amós quedó cada vez más horrorizado e indignado. Para este mensaje escogió el formato de una endecha, en que lamenta la muerte de una joven señorita que muere antes de tener la oportunidad de casarse y tener hijos (Amós 5:2). El mensaje es claro: Los hijos de Israel serán castigados, habrá lamento profundo. No habrá futuro para ellos. Y no solamente eso, sino que la casa de Israel será destruida, quedando solamente una décima parte de sus habitantes.

A pesar del anuncio tan desastroso, Amós, en nombre de Dios, les llama muy emotivamente a buscarle a él, pero no en los sitios falsos de culto, en Betel, Gilgal y Beerseba. Si buscan a Dios sinceramente ¡vivirán! A pesar de lo horrible de sus pecados y del castigo que les sería aplicado, la misericordia de Dios que les alcanzaría sería aun mayor.

Amós les llama a buscar lo bueno, a aborrecer lo malo; hay que establecer la justicia. Todos estos pasos son esenciales para demostrar arrepentimiento. Si lo hacían entonces Dios estaría con ellos verdaderamente. Habían pensado que el Día de Jehovah les traería aprobación y bendición, pero Amós les revela que va a ser un día de juicio, un día de lamento, un día desastroso. La comparación tan gráfica de lo que será este día enfatiza su horror. Qué sorpresa para el que huye del león al encontrarse con un oso, y el que huye a su casa pensando que allí estaría a salvo, solamente para ser mordido por una serpiente y seguramente morir.

A la vez Amós les llama a rendir a Dios una adoración genuina. Sus fiestas y ceremonias religiosas lujosas, pero sin compromiso personal, son una abominación al Señor. Dios les anuncia (v. 24) que él quiere el juicio y la justicia permanente como un arroyo tempestuoso que toca a todos en su camino. Por la acción pecaminosa de Israel habrá juicio: el destierro y cautiverio (v. 27).

Estudio del texto básico

Lea su Biblia y responda

1. ¿Cuál es el mensaje de Dios a su pueblo repetido cuatro veces en los vv. 4-8?____________________

2. ¿Por qué debían de volverse a Dios? (v. 7) ____________________
____

3. ¿Cuál podría ser el resultado si volvieran a Dios y sus caminos? (vv. 4, 6, 14) ____________________
____

4. ¿Qué esperaban en "el día del Jehovah"? (v. 18) ____________________
____

5. ¿Qué recibirán por sus caminos tan pecaminosos? (vv. 18, 19) ________
____

6. ¿Cuál es la reacción de Dios en cuanto a las fiestas y ceremonias lujosas pero sin compromiso personal? (vv. 21-23) ____________________
____

7. Dios es justo y recto. "Más bien corra el ____________ como agua, y la ____________ como ____________________" (v. 24).

Lea su Biblia y piense

1 Llamado al arrepentimiento, Amós 5:4-9.

V. 4. El mensaje de Dios por medio de su siervo Amós es el tema constante a lo largo de la Biblia: el que busca a Dios vivirá. Es la única esperanza. No es una búsqueda de favores, sino de la presencia misma de Dios para gozar de su compañía y conocer su voluntad. La invitación de Dios se repite tres veces en este pasaje, enfatizando la gran compasión de Dios para el pecador y su deseo de tener comunión con él.

Vv. 5, 6. No hay esperanza en los santuarios de *Betel,* ni *Gilgal,* ni en *Beerseba* (en Judá), porque el culto en estos santuarios es falso. Estos centros religiosos van a ser destruidos igual que el pueblo que asiste a ellos. La única posibilidad es buscar a Dios, entonces vivirán.

Vv. 7-9. Dios les acusa por su falta de respeto para las enseñanzas de justicia y juicio, pero al mismo tiempo les invita a buscarle. La única esperanza es buscar verdaderamente a Dios, el creador y sustentador del universo, *¡Jehovah es su nombre!* (v. 8).

2 Llamado a la justicia, Amós 5:14-20.

V. 14. Amós continúa presentando la invitación de Dios a buscarle, así como a buscar lo bueno y no lo malo. Hacer lo bueno es hacer justicia, aborreciendo el mal.

V. 15. Establecer el juicio en el tribunal (v. 15). Los judíos tenían jueces, pero además de estos cada pueblo tenía a un grupo de ancianos que formaban un tribunal que se reunía a la puerta de la ciudad para arbitrar en los pleitos del pueblo. Cuando eran personas buenas e imparciales daban juicios justos, pero como se ha visto ya, había aquellos magistrados que dictaban sus juicios en favor de los ricos, cometiendo maldad contra los pobres. Dios les llama a procurar la correcta aplicación de la justicia en los tribunales de cada pueblo.

Vv. 16, 17. Puesto que no hay arrepentimiento, habrá juicio y llanto en todas partes, porque Dios pasará por en medio de ellos. Otra vez Amós enfatiza que este juicio es del Señor, y que su mensaje viene, como su profeta, directamente de Dios.

Vv. 18-20. El día de Jehovah era considerado por los judíos como un día de bendición para ellos, cuando Dios iba a derrotar a sus enemigos y elevar a su pueblo a una posición favorable entre las naciones. Amós les asegura que sí va a ser un día de juicio, pero para ellos también porque han desobedecido a Dios y violado sus mandamientos.

Ya no habrá escape para nadie, aunque procuraran huir y pareciera que lo hubieran logrado. Las figuras de la vida del campo y la casa deben haber comunicado con mucha claridad el mensaje de Amós a sus oyentes. Huir de un león, para luego verse frente a un oso describe una situación desesperante, sin salida ninguna, tal como lo hace la persona que huye de un determinado peligro y entra en su casa, pensando que está a salvo, y para colmo allí donde se sentía segura es mordida por una serpiente. Este será un día de tinieblas y oscuridad, y no de luz y resplandor como habían pensado siempre. El día de Jehovah será el merecido juicio para los que habían pecado tan horriblemente.

3 Llamado a la adoración auténtica, Amós 5:21-24.

Vv. 21-23. Dios anuncia con palabras fuertes su rechazo de los cultos y sacrificios religiosos divorciados de un corazón contrito y de una vida de justicia y rectitud. Menciona siete actividades religiosas que Dios rechaza, actividades totalmente carentes de valor para él porque no son acompañadas por la ética y la obediencia: festividades, incienso, sacrificios de distintas clases, el canto, las melodías de los instrumentos. Lo paradójico de este rechazo es que eran formas de dar culto a Dios, pero habían sido tan pervertidas que a Dios le repugnaban. Otra vez, el culto sin el apoyo de una vida entregada a las normas de Dios, carece de toda significación.

V. 24. En lugar de esta religiosidad no auténtica, Dios desea una vida de compromiso con él en la que haya justicia y juicio, no en forma limitada sino como una corriente de agua, un arroyo permanente, impetuoso. El juicio y la justicia no van a ser en forma parcial, sino total; no van a ser suaves, sino como una inundación. La justicia no es solamente la responsabilidad de Dios sino que debía ser practicada por sus seguidores en Israel, y debe ser practicada hoy por los que formamos el nuevo pueblo de Dios, el nuevo Israel.

Aplicaciones del estudio

1. Dios demanda un compromiso total de sus seguidores. Asistir a los cultos, participar en las fiestas, cantar cánticos lindos no agrada a Dios si no van acompañados por una vida ética y la obediencia continua a sus mandatos. Es un mensaje para nuestros días como lo fue para los tiempos de Amós.

2. Dios promete vida significante y abundante a las personas que le buscan y le siguen fielmente. Buscarle significa relacionarse con él y gozar de su presencia.

3. El cristiano debe aprender a distinguir entre lo malo y lo bueno en todas las cosas de la vida. La pornografía, la falta de honradez, las mentiras, el enojo y otras cosas. También a amar lo bueno, cultivando hábitos buenos, empleando bien su tiempo, y sobre todo, sirviendo a su Señor.

4. El cristiano debe promover la justicia en la sociedad. Llevándola para que penetre cada nivel y área de la vida. Su vida de compromiso ético debe penetrar la sociedad como las aguas de un arroyo permanente.

Prueba

1. Describa la demanda de Dios vista en Amós 5 en cuanto a:

   el arrepentimiento ______________________________

   la justicia ______________________________

   la verdadera adoración ______________________________

2. Dios sigue demandando vidas íntegras de sus seguidores. Considerando su propia falta en cada caso, ¿cómo puede usted responder al llamado de Dios al arrepentimiento, a la justicia y a la verdadera adoración? _______

   ____

Lecturas bíblicas para el siguiente estudio

Lunes: Amós 6:1
Martes: Amós 6:2
Miércoles: Amós 6:3-7
Jueves: Amós 6:8-11
Viernes: Amós 6:12, 13
Sábado: Amós 6:14

Dios demanda liderazgo responsable

Contexto: Amós 6:1-14
Texto básico: Amós 6:1-14
Versículo clave: Amós 6:12
Verdad central: El mensaje de Amós contra la arrogancia y el orgullo de los dirigentes de Israel nos enseña que Dios nos hace responsables por la posición de liderazgo que ocupamos.
Metas de enseñanza-aprendizaje: Que el alumno demuestre su: (1) conocimiento de cómo los dirigentes de Israel en los días de Amós pusieron en peligro a la nación, (2) actitud de responsabilidad por la posición de liderazgo que él ocupa.

Estudio panorámico del contexto

Con este estudio termina la primera sección del mensaje de Amós, en el cual el profeta ha dado mensaje tras mensaje en nombre de Dios rechazando la vida egoísta y desobediente del pueblo, especialmente de los ricos quienes oprimían a los pobres y pervertían el culto a Dios. En el Israel del siglo VIII a. de J.C. los pobres llegaban a ser más pobres, y los ricos más ricos. La riqueza y aparente bienestar de la nación les llevaba a pensar que eran invencibles, que sus indulgencias y la extravagancia de su estilo de vida eran aceptables por su posición. Pero no era así, y Amós, el vocero de Dios, anunciaba el juicio total a este pueblo que transgredía la ley y el espíritu de hermandad del Señor, y hacía burla del culto a Dios. El pecado de Israel fue el de divorciar la religión de la ética. Amós ahora se dirige hacia su pronunciamiento final: vendrá un invasor que oprimirá a Israel.

Tanto Judá como Israel confiaban en su posición geográfica, por estar situados sobre montañas no muy altas, donde podían protegerse más fácilmente del ataque del enemigo. Sin embargo, nada iba a salvarlos. Es interesante que Amós, un judío escogido por Dios para traer su mensaje de juicio a Israel, no olvide que su propio país confiaba en su posición privilegiada, el monte de Sion. Pero Dios les iba a castigar. A él le enoja la conducta insensible de los líderes, y de cómo habían guiado al pueblo a desobedecerle. Los que pensaban que eran "los primeros" y "los más importantes" serán los primeros en ser llevados al cautiverio y la esclavitud. Todo el pueblo, desde el norte hasta el sur, sufrirá por la maldad de sus líderes irresponsables. Habían sido corrompidos por su propio egoísmo y arrogancia. No les importaba la condición de los pobres, sino sus deseos e intereses personales.

Lea su Biblia y responda

1. Lea los vv. 4-6 y anote los cinco pecados mencionados por Amós:

____

____

2. ¿Cuál sería el castigo por esos pecados? (vv. 7, 8c, 14)

a. ____

b. ____

c. ____

3. Según el v. 8, ¿qué abominaba Dios? ____________________

4. El v. 12 dice que Israel había: convertido el ____________________ en __________ y el __________ de/la __________ en __________.

Lea su Biblia y piense

1 Mensaje contra los dirigentes indolentes, Amós, 6:1-7.

V. 1. Amós con su lenguaje provoca y hiere a los que están tan seguros y confiados, para lo cual usa el formato del oráculo de lamento, el *ay*. La ruina y la muerte vendrán sobre los que se consideran autosuficientes, pensando que no les puede pasar nada. Amós con agudo sarcasmo ataca la seguridad y orgullo de esos dirigentes indolentes. Tanto ellos como el pueblo creían ser la nación más importante y esperaban que todos los demás iban a acudir a ellos por ser superiores a cualquier otra nación. Amós sabe que este orgullo solamente les traerá la destrucción porque han eliminado de sus vidas una relación de obediencia a los mandatos de Dios, y no han mostrado compasión por los pobres. Tenían que ser líderes responsables, pero sus hechos son de una irresponsabilidad flagrante.

Vv. 2, 3. La arrogancia de Israel al considerarse tan importante como Asiria recibe la burla de Amós. Como otras naciones "fuertes" pronto caerá bajo el poderío devastador del invasor.

Vv. 4-6. El cuadro de indolencia pintado por Amós subraya el orgullo y egoísmo de los líderes. Su vida es de una extrema autoindulgencia, y se alegran de su materialismo, creyendo que nada les puede pasar. El profeta les afronta por su pereza, glotonería, frivolidad, borrachera y vanidad personal. Sus palabras *y no os afligís por la ruina de José* caen con un realismo escalofriante. Aunque habían sido enseñados a ser compasivos y cuidadosos con sus prójimos dentro de la comunidad, ahora no les importaba nada su dolor; no eran capaces de afligirse por ellos, solamente se preocupaban en aprovecharse para su propia extravagancia de los que menos poseían.

V. 7. *Por tanto* introduce la consecuencia que van a vivir. Se consideraban los "primeros" en todo, ahora van a ser los primeros en sufrir el cautiverio. Continuarán en su primacía, pero será distinta. Su orgullo será reducido a la nada.

2 Mensaje contra el orgullo y la jactancia de los dirigentes, Amós 6:8-11.

V. 8. Este versículo está relacionado con el v. 7, el castigo será fuerte, Dios les dice: *Abomino la soberbia de Jacob* (Israel); aborrece sus palacios que son símbolos de toda su extravagancia y vida carente de piedad y compasión para los demás. Su aparente poder les ha hecho sentir que no les hace falta considerar las enseñanzas de Dios, ni obedecerlas. Amós enfatiza el hecho de que este es el mensaje directo y decidido del Señor. La destrucción total de Samaria es el resultado de su pecado.

Vv. 9, 10. Amós anuncia otro elemento al castigo que Dios aplicará a su pueblo por el orgullo y la arrogancia de sus dirigentes. Además de la inminencia de la guerra sobrevendrá otro mal tan tremendo que aun los pocos sobrevivientes de la guerra morirán. Cuando dice: su pariente lo tomará para incinerarlo, está haciendo alusión a la costumbre de honrar a los muertos quemando especias. Por lo terrible del castigo recibido tendrían que evitar mencionar el nombre de Jehovah para que no les vaya a pasar algo peor (Sofo. 1:7).

V. 11. El "día de Jehovah" ha venido sobre el pueblo; su destrucción total es el castigo que merece por sus pecados. Nadie escapará.

3 Mensaje contra la perversión del derecho y la justicia, Amós 6:12-14.

V. 12. Amós concluye su sermón contra los líderes del pueblo enfatizando la equívoca y absurda posición de ellos. Tomando ejemplos de la vida agrícola enfatiza que ningún agricultor sería tan necio y descuidado con sus animales haciéndoles pasar por algo que sería dañino y contraproducente para ellos, pero los líderes han obrado neciamente distorsionando las leyes morales de Dios. Cambiaron lo que podría haberles traído gozo y satisfacción en *ajenjo* (veneno) para todos; los resultados de la justicia en amargura. Cuando los pobres acuden a los tribunales buscando justicia, en cambio han recibido injusticia de parte de quienes debían brindarles protección.

V. 13. Los líderes se jactaban de su propio poder y hazañas, considerándose poderosos e invencibles. No fueron sabios en reconocer que Dios es el que da las bendiciones y el poder para los logros de la vida. *Lo-debar* es el nombre de una ciudad al oriente del Jordán. Las victorias de Israel son vacías y pronto serán nada.

V. 14. Israel tenía mucho orgullo por haber extendido sus fronteras, pero la destrucción será total desde el norte hasta el sur. Dios usará a otra nación como instrumento de su castigo por la vida tan corrupta de su pueblo. Todos los esfuerzos y orgullo de Israel por haber extendido de nuevo las fronteras de la nación como en los tiempos del rey David quedarán en nada. Ha hablado Jehovah Dios de los Ejércitos. Su palabra es segura.

Aplicaciones del estudio

1. El líder arrogante y "fuera de la ley" es responsable por sus acciones y por las consecuencias que traen a su pueblo. Dios espera la más alta moralidad de los que somos sus seguidores en el cumplimiento de nuestro papel. El nos juzgará por la fidelidad que mostremos como sus hijos.

2. El dinero es un buen siervo pero muy mal amo. Los que sólo usan su dinero para divertirse y comprar lujos, un día van a descubrir que no tienen lo que el dinero no puede comprar: amigos leales, paz en su corazón y la seguridad de tener una morada en los cielos no hecha con manos humanas.

3. La justicia de Dios prevalecerá en todo el mundo. Es imposible burlarse de él y de sus normas divinas sin recibir las consecuencias. El que se jacta de sus posesiones, si no ha considerado su responsabilidad de seguir las enseñanzas divinas, será culpable de juicio.

4. El líder es responsable por sus acciones. La mayordomía integral de la vida demanda que seamos responsables en lo más mínimo como seguidores fieles del Señor.

Prueba

1. Los líderes de Israel llevaban a su pueblo a la destrucción por su falta de responsabilidad y obediencia a los mandatos de Dios. Anote por lo menos cinco evidencias de esta realidad. ________________________________

   ____

   ____

   ____

2. Basándose en los pecados tan marcados que eran la base del castigo que Dios iba a traer a su pueblo, evalúe su propia vida en cada caso. ¿Habrá cambios que usted debe hacer? ¿Cuál cambio quiere lograr en primer lugar? ¿Qué hará para lograrlo? ________________________________

   ____

   ____

Lecturas bíblicas para el siguiente estudio

Lunes: Amós 7:1-3
Martes: Amós 7:4-6
Miércoles: Amós 7:7-9
Jueves: Amós 7:10, 11
Viernes: Amós 7:12-17
Sábado: Amós 8:1-3

Estudio **18**

Unidad 6

Dios demanda atención y obediencia

Contexto: Amós 7:1 a 8:3
Texto básico: Amós 7:1-17; 8:1-3
Versículo clave: Amós 7:8
Verdad central: Las cuatro visiones del castigo que Dios daría a Israel nos enseñan lo que pasa cuando ignoramos la voz del Señor.
Metas de enseñanza-aprendizaje: Que el alumno demuestre su: (1) conocimiento de las cuatro visiones del castigo que Dios daría a Israel, (2) actitud de obedecer y no ignorar la palabra del Señor.

Estudio panorámico del contexto

En este estudio se toma como base el capítulo 7 de Amós en el que empieza la segunda parte del libro y que incluye las visiones que Amós tuvo de la destrucción que inevitablemente venía sobre el pueblo escogido. Las cuatro visiones son cuadros que Amós podía apreciar especialmente, porque venían de la vida diaria. Las dos primeras son de un evento que él mismo observaba: una plaga de langostas que devoraba toda la siega, y un incendio que consumía no solamente las ciudades, sino también las fuentes de agua.

En las dos últimas visiones, Dios muestra a Amós dos objetos comunes que sirven como símbolos de lo que le iba a pasar a Israel: (1) una plomada que Dios pone en medio de su pueblo Israel. Al encontrar el muro inclinado, decide destruirlo; (2) la cesta de frutas maduras, a punto de podrirse. La nación totalmente echada a perder tendría que ser desechada.

El uso de la visión era un elemento común a los profetas. Muchos recibieron su llamado por medio de una visión, como también por mensajes directos de Dios. Para Amós estas visiones crearon un sentido de confianza y habilidad de comunicar con fuerza el mensaje dado por Dios. Amós tuvo contacto personal con Dios y de esta viva experiencia pudo anunciar el fin que venía al rey y a su nación. Frente a las palabras tan despectivas de Amasías Amós podía haber defendido su llamado, su acción como profeta, y anunciar el fin que vendría a Amasías por ser un profeta falso, que daba un mensaje de seguridad, cuando Dios anunciaba destrucción.

Después de las dos primeras visiones Amós pide a Dios que no destruya a todo el pueblo, y Dios decide desistir de hacerlo en ese momento, pero en las últimas dos visiones Amós ve que no hay nada que se puede hacer, toda la sociedad está podrida y no es apta para ser el pueblo de Dios. La destrucción es segura.

Estudio del texto básico

Lea su Biblia y responda

1. ¿Cuáles son los elementos de las dos primeras visiones? 7:1-6. ________
____
____

2. En Amós 7:7-9 ¿cuál es la figura que Dios usa para medir el pecado del pueblo? ________________________________

3. Amasías ve a Amós como ______________ (7:10); __________ ________ (7:12); así demanda que ______________ (7:12, 13).

4. La respuesta de Amós demuestra la base de su seguridad. ¿Cuál es? ____(7:15).

5. ¿Cuál es la última visión? (8:1-3)__________________ ¿Y el resultado? ________________________________

Lea su Biblia y piense

1 La visión de las langostas, Amós 7:1-3.

Vv. 1-3. Amós introduce esta primera visión diciendo: *Así me mostró el Señor Jehovah.* No era algo que él buscaba, sino que Dios se lo mostró con el fin de darle un mensaje de juicio para Israel. La primera *siega* se había completado y se había dado al *rey* su parte, según lo establecía la ley. Ya se estaba levantando la segunda cosecha, aquella con la que el pueblo podría sostenerse. En este momento Jehovah forma un *enjambre de langostas,* un insecto que devoró toda la cosecha, dejando el campo desnudo. Amós se atreve a interceder delante de Dios a favor del pueblo.

Tanto en este caso como en el que viene, Amós busca la misericordia de Dios para *Jacob* (su nombre favorito para Israel). Se da cuenta de que ellos no van a arrepentirse, así su única esperanza es la misericordia de Dios. Y Dios dice: — *No será así.*

2 La visión del fuego, Amós 7:4-6.

Vv. 4-6. Esta visión es paralela a la anterior. La visión es de un fuego que va a devorar todo. Consumirá *el gran océano,* o sea el océano cósmico, las fuentes profundas de los ríos y los manantiales, y después empezará a consumir la tierra. ¡No va a quedar nada! Otra vez Amós intercede a favor de este pueblo razonando que la nación no podría restablecerse después de una cosa tan devastadora porque *Jacob es tan pequeño.* Otra vez Jehovah oye su petición y desiste.

3 La visión de la plomada, Amós 7:7-9.

Vv. 7, 8. En esta visión se nota un cambio en el mensaje, en su forma, su contenido y su resultado. Dios escoge un objeto que es simbólico de lo que va a hacer en Israel. Amós ve a Dios de pie sobre *un muro* con una plomada de albañil en la mano. El muro (Israel) había sido edificado bien, pero ahora, comparativamente hablando, por su vida desobediente ha sufrido una inclinación, está desplomado. Dios está *en medio de* ellos con la plomada: *¡No lo soportaré más!* es el lamento pero también la sentencia de Dios por los pecados de la nación. Es su pueblo, han conocido sus leyes y son doblemente responsables. Ha llegado la hora de juicio y es encontrado culpable, lejos de ser el pueblo de Dios que debía ser.

V. 9. Las cosas más corruptas de Israel (aquí llamado Isaac) eran sus altares y santuarios. Israel había conservado muchos de los sitios altos de los cananeos. Además, al establecer el reino del Norte y para evitar que su pueblo fuera a Jerusalén a adorar a Dios, Jeroboam I había construido dos santuarios en Betel y Dan. Puso en ellos becerros de oro contra la voluntad de Dios. Para colmo de su rebeldía puso al rey como líder del culto. Los líderes religiosos servían al rey y sus intereses personales, pero no a Dios. Ahora todo este sistema religioso corrupto quedará desolado. La casa del rey, que debía servir a Dios, había seguido en el mismo camino de sus antepasados, también será destruida. En lo religioso, lo político y lo social, los líderes habían sido irresponsables frente a Dios por lo cual serán destruidos.

4 Amasías confronta a Amós, Amós 7:10-17.

Vv. 10, 11. Amasías, el sacerdote de Betel, tenía un puesto político-religioso importante; veía a Amós como conspirador y turbador del pueblo, y por ende enemigo del rey. Amasías envía un mensaje a Jeroboam (II) para avisarle del peligro. *¡La tierra no puede soportar todas sus palabras!*

Vv. 12, 13. Amasías confronta a Amós, y en forma despectiva le dice: —*¡Vidente, vete; huye a la tierra de Judá y come allá tu pan!* (gana tu vida). Si va a profetizar, tiene que hacerlo allá, pero este santuario (Betel) *es el santuario del rey,* y es estratégico para los intereses de su reino.

Vv. 14, 15. Amós le contesta que él no es profeta, ni de la línea de los profetas, *pero Jehovah me tomó* y dijo: *Ve y profetiza a mi pueblo Israel.* Las credenciales de Amós son su llamado directo de Dios y su obediencia a él. Otra vez Dios llama a Israel *mi pueblo.* ¡Son responsables!

Vv. 16, 17. Amós valientemente da la palabra de juicio de Jehovah a Amasías. En una secuencia impresionante anuncia: su esposa se prostituirá, los hijos serán matados a espada, su tierra será repartida; morirá él en el cautiverio a donde Israel será llevado. Jehovah ha hablado, habrá justicia.

5 La visión de una cesta con frutas de verano, Amós 8:1-3.

Vv. 1, 2. La cuarta visión es tan clara como la tercera: el tiempo de juicio ya ha llegado. El profeta ve una cesta de fruta madura. Al preguntarle Dios lo que es, se da cuenta de que ya viene el fin. El uso de un juego de palabras del nombre de la fruta y la palabra para *final* hace aún más fuerte este mensaje. Dios agrega: *No lo soportaré más.*

V. 3. *En aquel día,* el día de Jehovah, el juicio empezará con el sitio del culto. Los cantos de los templos se cambiarán de alabanza a llanto y lamento. En todas partes, después de la muerte, solamente quedará silencio.

Aplicaciones del estudio

1. La vida puede enseñarnos muchas cosas. La capacidad de observar los hechos de la vida y de sacar conclusiones correctas es de gran significado para cualquier persona, aumentando nuestra capacidad de oír la voz de Dios y de ver lo que hace.

2. Tenemos la responsabilidad de interceder por otros. Al ver el pecado y su resultado debemos interceder por la persona que lo comete, para que la misericordia de Dios se manifieste. A la vez, debemos saber ayudarle a reconocer que Dios es justo y demanda de todos su lealtad y fiel obediencia a sus leyes.

3. Dios es recto y espera la rectitud de sus seguidores. Nos mide constantemente con la plomada. "La inclinación" de nuestras vidas en compromiso con la sociedad que nos rodea será rechazada por él. Hay que vivir vidas rectas y comprometidas con sus enseñanzas.

Prueba

1. Nombre las cuatro visiones del castigo de Dios a Israel según el estudio, e indique su significado para el pueblo en cada una.

Visión	Significado
1) ______________________	______________________
2) ______________________	______________________
3) ______________________	______________________
4) ______________________	______________________

2. Describa en dos breves frases la manera como usted obedece la palabra de Dios. ____

____

____

Lecturas bíblicas para el siguiente estudio

Lunes: Amós 8:4-6
Martes: Amós 8:7-10
Miércoles: Amós 8:11-14
Jueves: Amós 9:1-6
Viernes: Amós 9:7-10
Sábado: Amós 9:11-15

Unidad 6

Dios ofrece restauración

Contexto: Amós 8:4 a 9:15
Texto básico: Amós 8:4-10; 9:2-4, 11-15
Versículo clave: Amós 9:15
Verdad central: El castigo y la restauración de Israel nos enseñan que Dios castiga a los que le desobedecen con el propósito de llamarlos a la obediencia y así restaurarlos.
Metas de enseñanza-aprendizaje: Que el alumno demuestre su: (1) conocimiento de cómo Dios castigó la desobediencia y luego restauró a Israel, (2) actitud de obediencia a Dios para ser restaurado por el Señor.

Estudio panorámico del contexto

El libro de Amós termina con una descripción de los últimos días del reino del Norte. Vendrá una destrucción terrible y completa de Israel que ha sido tan desobediente a las enseñanzas de Dios, tan orgulloso de sus propios logros, y tan ciego y sordo a la voz del mensajero de Dios. En el año 722 a. de J.C. los ejércitos de Asiria anularon todas las defensas de Israel y del pueblo escogido de Dios quedó solamente ruina, muerte y desolación.

En el sexto sermón del libro (8:4-14) Amós enfatiza que las causas por las cuales Dios rechaza a su pueblo son las injusticias en el mercado. El uso de las medidas y pesas falsas era condenado por la ley, y la costumbre común de comprar barato y vender caro eran igualmente condenadas por Dios. La comunidad de Dios tenía que ser honesta y tratar al prójimo como quisiera ser tratada, con compasión, honestidad, justicia e integridad.

Amós proclama el mensaje de Dios: "No me olvidaré jamás de las cosas que han hecho" (8:7). Habrá un castigo terrible para los que habían tratado a sus prójimos, los mismos miembros de la comunidad, en forma tan infrahumana. Los que han vivido con lujo y descuido, van a conocer lo que es el hambre y la destrucción.

Lo más triste de lo que va a pasar en Israel será su desorientación total. No tendrán ningún punto de orientación, ningún propósito por el cual vivir. Por tantos años y décadas habían seguido su propia religión inventada, que quedarán totalmente desubicados y desesperados. Sus líderes religiosos no tendrán ninguna palabra de orientación en este momento, "caerán y nunca más se levantarán" (8:14).

Amós tiene otra visión, esta vez de la fiesta de la cosecha, pero va a ser un tiempo en que toda la casa de Dios va a desaparecer. Los altares que antes eran sitios de refugio serán destruidos. Nadie escapará aunque vaya a los extremos del mundo, porque Jehovah Dios es su creador y el dueño de todo lugar en el universo.

Pero Dios no dejará a su pueblo tan desolado; *en aquel día,* el tiempo glorioso de la restauración del pueblo y su unión con Judá, habrá paz y prosperidad para su pueblo. Dios mismo hará esto, y en esta nueva relación con él, su pueblo nunca más será arrancado de allí.

Estudio del texto básico

Lea su Biblia y responda

1. Lea Amós 8:4-6, e indique por lo menos cuatro de los pecados sociales que cometían los israelitas. ______________________________
____
____
____

2. Lea 8:7-10 e indique las dos maneras en que Dios va a castigar al pueblo por su falta de humanidad. ______________________________
____

3. Lea 9:11-15 e indique tres manifestaciones del día glorioso de Dios (la era mesiánica). ______________________________
____
____

Lea su Biblia y piense

1 Mensaje contra la injusticia social, Amós 8:4-6.

V. 4. La dureza del corazón de los comerciantes de Israel frente al pobre era una muestra más de su pecado. Amós con palabras duras dirige su mensaje a los que *pisoteáis a los necesitados y arruináis a los pobres de la tierra.* ¡Qué comentario más incriminador para este pueblo!

Vv. 5, 6. Amós señala el deseo desenfrenado de ganancias con el que ellos actuaban. No les importaba ni la hermandad, ni la honestidad, ni la compasión para otros; la codicia controlaba su mente, sus acciones y su conducta diaria. La pregunta puesta en la boca de los comerciantes demuestra hasta dónde había llegado el pecado, sin piedad para nadie. Aunque seguían los ritos religiosos, en la vida diaria no aplicaban los mínimos requerimientos de la ley en su trato con sus semejantes.

Con desesperación esperaban llegar al mercado donde podrían usar medidas y pesas falsas y aprovecharse así de los indefensos. La explotación de los pobres como resultado de sus condiciones tan precarias horrorizaron a Dios y a su siervo Amós. Se podía ver a los ricos comprar por dinero, y aun por "nada" a los menos afortunados. Otra prueba de su pecado era la de mezclar el grano con los desechos y venderlo como grano puro.

2 Mensaje de la inminencia del castigo, Amós 8:7-10.

V. 7. La voz de Jehovah viene como un juramento: *por la gloria de Jacob,* o sea por su propia gloria. *No me olvidaré jamás* de los pecados de este pueblo. No se podían burlar de Dios; el juicio vendrá como consecuencia de los pecados cometidos.

V. 8. Dios el creador y sustentador del universo usará un terremoto para castigar a su pueblo. Los comerciantes tan avaros también son culpables de que el pueblo vaya a la destrucción. Habrá duelo en toda la tierra.

Vv. 9, 10. ...*En aquel día,* el día de Jehovah, vendrá el castigo merecido. Habrá tinieblas, luto por todas partes, armagura, y desesperación. Los cultos tan alegres se tornarán en reuniones de lamento. Las evidencias de luto, como son: cubrirse los lomos con cilicio, raparse la cabeza y ponerse ceniza, serán vistas por todas partes. Será como el duelo de la familia que pierde a su único hijo; la amargura del que pierde toda esperanza.

Aunque los versículos 11-14 no se incluyen en el texto básico, son de suma importancia. Nos llaman la atención al hecho de que hacer caso omiso de la Palabra de Dios por tanto tiempo, conduce gradualmente a un momento cuando la misma desorientación controla toda la vida. En los tiempos de crisis nacional y personal buscarán orientación, porque hay sed de "oír las palabras de Jehovah", pero ya no habrá posiblidades. Qué triste experiencia para un pueblo que había sido escogido y establecido por Dios. Puesto que le habían rechazado por tanto tiempo, Dios ya no estaría con ellos para socorrerles ni para orientarles. Vagarán de lugar en lugar, irán a los sitios de culto, pero todo será en vano.

3 Vanos recursos para escapar de Dios, Amós 9:2-4.

Vv. 2-4a. En esta quinta visión Amós anuncia la inminencia del castigo. Aunque vayan a los extremos del universo, no podrían evitar el castigo merecido. Alguien ha dicho: "Ni lo alto, ni lo profundo, ni ninguna otra cosa podrá separarles del castigo seguro."

Se ve la semejanza con el Salmo 139 donde se utilizan estos conceptos para resaltar que la presencia de Dios es real, y que se puede confiar en él y su apoyo siempre, aunque aquí el énfasis es en la imposiblidad de escapar del juicio de Dios.

V. 4b. El veredicto de Dios es seguro. *Poner sus ojos para mal y no para bien,* es decir claramente que cumplirá su propósito de castigar a su pueblo. Desde la fundación de la nación Dios demandó la obediencia y en el capítulo 28 de Deuteronomio Moisés, en nombre de Dios, indica las bendiciones que vienen al obedecerle, y las maldiciones que vendrán al desobedecerle. Dios es fiel a su palabra.

4 Promesa de restauración de Juda y de Israel, Amós 9:11-15.

Vv. 11-14. El libro termina con un oráculo de salvación que es muy distinto a los demás mensajes. Dios promete que va a levantar la casa de David: *Reconstruiré sus ruinas y lo edificaré como en el tiempo pasado.* Todo el territorio que era parte del reino de David será recuperado, incluyendo Edom, en todas esas partes donde *es invocado su nombre, dice Jehovah.*

Dios anuncia que vendrán tiempos de prosperidad, con gran fertilidad en el campo, seguridad y paz continua. La posesión de "la tierra de leche y miel", la tierra prometida, tendrá lugar en los tiempos de la restauración. Promete restaurar al pueblo. Podrán reconstruir sus ciudades, plantar sus viñas y sus huertos, y gozar del fruto de su trabajo.

V. 15. Finalmente Dios promete una restauración permanente con la plena seguridad de que no serán arrancados de nuevo, porque el dueño de esta tierra es él que los va a plantar allí.

Aplicaciones del estudio

1. Dios demanda rectitud en nuestras vidas. El uso de medidas y pesas falsas es condenado por él. Cualquier ganancia falsa sería condenada.

2. Dios espera que sus seguidores cuiden de los necesitados (Lev. 19:1-18) en su comunidad. Critica y lleva al juicio a los que pisotean, maltratan, o hacen caso omiso de la necesidad de su prójimo.

3. Dios está presente en todas partes. En un mundo que sobrevalora a la persona y su capacidad de controlar su vida, el mensaje es claro: la persona es la criatura de Dios, pero sólo él es Dios.

4. La promesa segura de Dios es hacernos residentes permanentes de su reino. No habrá llanto ni dolor, no habrá aislamiento ni rechazo de ninguno que haya seguido y obedecido fielmente a su Señor.

Prueba

1. ¿Por qué castigó Dios al pueblo de Israel? (8:4-10).

   ____

   ____

2. Tomando como base Amós 8:4-7, reflexione sobre su propia vida en cuanto a las actitudes y/o acciones mencionadas. ¿Obedece a Dios en todas sus enseñanzas? ¿Le bendecirá el Señor por su obediencia? Comparta sus respuestas con un compañero de clase.

Lecturas bíblicas para el siguiente estudio

Lunes: Oseas 1:1-5
Martes: Oseas 1:6-9
Miércoles: Oseas 1:10 a 2:1
Jueves: Oseas 2:2-13
Viernes: Oseas 2:14-23
Sábado: Oseas 3:1-5

Amor que perdona

Contexto: Oseas 1:1 a 3:5
Texto básico: Oseas 1:1-3, 6-9; 2:19, 20, 23; 3:1-5
Versículos clave: Oseas 2:19, 20
Verdad central: El mensaje de amor que Dios envió a Israel por medio del matrimonio de Oseas nos enseña que Dios salva a quienes aceptan su amor.
Metas de enseñanza-aprendizaje: Que el alumno demuestre su: (1) conocimiento de las experiencias de Oseas y su matrimonio, (2) actitud de aceptar el amor de Dios con un compromiso de lealtad y fidelidad.

Estudio panorámico del contexto

Oseas empezó a predicar unos diez años después de que Amós terminó su labor profética en Israel. El rey Jeroboam II, conocido por sus dones administrativos, había muerto después de un reinado de 40 años, pero a pesar de haber traído estabilidad política y prosperidad a los ricos, la nación era corrupta. Había dejado las enseñanzas de Dios, y aunque se jactaba de ser su pueblo escogido, no estaba actuando como tal. Durante catorce años después de la muerte de Jeroboam II cuatro reyes fueron asesinados, y Asiria empezó sus movimientos imperialistas hacia el occidente. Probablemente Oseas predicó entre los años 750 a 725 a. de J. C., terminando antes de la caída y destrucción total de Samaria en 722 a. de J.C.

El tema de este libro es el amor permanente de Dios. A pesar de la infidelidad de su pueblo, Dios no lo abandonó. El capítulo 1 habla de la tragedia de la infidelidad. Es difícil para nosotros entender la infidelidad de la mujer de Oseas, el profeta del Señor. La expresión "una mujer dada a la prostitución" significa probablemente que era una persona infiel a Dios. Los nombres del segundo y tercer hijos dan a entender que no eran hijos de Oseas.

El relato de Oseas, Gomer y Dios muestra que Dios buscaba una relación de lealtad y pertenencia con su pueblo infiel. Dios muestra su tristeza porque el pueblo no ha reconocido su fidelidad, demostrada en haberles dado "trigo, vino nuevo y aceite ...plata y oro". Dios lamenta la falta de lealtad de su pueblo y dice, "Ella se ha ido tras sus amantes y se ha olvidado de mí" (2:13b). El hermoso párrafo de 2:14-23 demuestra el gran amor perdonador de Dios. Nadie podría quedar sin entender este mensaje. Dios busca una nueva relación con su pueblo: "la persuadiré, la llevaré al desierto, y hablaré a su corazón" (2:14). Dios tendrá compasión de la hija llamada *Lo-rujama* (no compadecida), y cambiará el nombre de *Lo-ammí* ("no mi pueblo") por "pueblo mío eres tú". La respuesta sentida de este hijo adoptado será: "¡Dios mío!" Dios perdona, Dios ama, y Dios afirma la relación. Este pasaje termina con la visión del pueblo que "temblando" acudirá a Jehovah y a su bondad en los días postreros (3:5).

Estudio del texto básico

Lea su Biblia y responda

1. La razón del mensaje tan difícil que Dios da a Oseas se basa en la expresión: "porque la tierra ______________________________
______________________________" (Oseas 1:2c)

2. Los tres nombres de los hijos de Oseas tienen un significado específico. Escriba en los espacios este significado:
a. Jezreel ______________ b. Lo-rujama ______________
c. Lo-ammí ______________________________

3. El mensaje de amor y perdón de Dios viene al pueblo de Israel y lo expresa en forma simbólica. Complete los pasajes.
a. "Te desposaré conmigo______________, ...en ______________ y ______________, en ______________y ______________" (2:19).
b. "Te desposaré conmigo en ______________ y conocerás a ______________" (2:20).
c. La tierra producirá su fruto, y los nombres simbólicos de los hijos se cambiarán. "Tendré ______________ de *Lo-rujama. Diré a Lo-ammí:* ______________ y él dirá: ______________" (2:23).

4. Lea 3:1-5. y complete los ejercicios.
a. Nombre las cosas que iban a faltarles (v. 4): ______________
____
b. Nombre las acciones del pueblo con la nueva relación (v. 5): ________
____

Lea su Biblia y piense

1 Dios llama a Oseas, Oseas 1:1.

V. 1. Dios llama a Oseas en un período difícil de la vida de Israel. Oseas significa "él salva" o "salvador" y debía traer a la mente de las personas la posibilidad de un cambio, de una acción misericordiosa del Señor. Su mensaje es la invitación de Dios para restaurarles a la posición de pueblo escogido.

2 La tragedia de la infidelidad, Oseas 1:2, 3, 6-9.

Vv. 2, 3. La infidelidad siempre es trágica. Es interesante pensar cómo Dios que tanto ama a su pueblo, pone en términos tan humanos su dolor frente a la infidelidad de sus hijos. La vida trágica de Oseas es usada como el medio por el cual Dios expresa su dolor por la infidelidad de su pueblo Israel, quien se ha prostituido con los dioses de Canaán.

Dios ordenó a Oseas que tomara para sí una "mujer dada a la prostitución". La frase parece indicar que probablemente no era una prostituta, sino parte del pueblo dado a prostituciones, sin crencias definidas, sin lealtad a nada ni a nadie. Quizás Oseas pensaba que al casarse iba a hacer cambiar a su mujer pero estaba equivocado, la tragedia siguió su curso.

Dios usa el nacimiento y el nombre del primer hijo de Oseas como un mensaje para decir al pueblo que pronto lo va a castigar por su pecado y va a dar término a la monarquía en Israel.

V. 6. El nacimiento de una niña, que parece que no era hija de Oseas, trae una nueva enseñanza dolorosa. Dios le pone el nombre de *Lo-rujama,* que significa "no compadecida". Dios ya no compadecerá más a los de la casa de Israel porque han sido infieles.

V. 7. A pesar de su pecado, el reino de Judá no era tan rebelde con Dios, por eso duraría más; no sería destruido tan pronto. Dios le salvará, no con instrumentos de guerra, sino con el poder de su Espíritu.

Vv. 8, 9. Otro niño nace a Gomer, y otra vez parece no ser hijo del profeta. Frente a esta nueva infidelidad, Dios les indica que le pongan por nombre *Lo-ammí,* que significa "no mi pueblo", *porque vosotros no sois mi pueblo, ni yo soy vuestro Dios.* El simbolismo de los nombres en hebreo siempre es un dato de interpretación de mucho valor. Dios usaba esta trágica situación para ayudar a su pueblo a considerar su infidelidad y rechazo.

3 Jehovah restaurará a su pueblo, Oseas 2:19, 20, 23.

Vv. 19, 20. En los vv. 14-23 se ve a Dios como el novio o el esposo "hablando al corazón" de la mujer amada, ganándola con palabras de amor, y con la visión de una relación restaurada y bendecida, esta vez *para siempre.* El pueblo de Dios será fortalecido *en justicia y derecho, en lealtad y compasión.* Conocerá a Jehovah en una relación mutua de amor y de lealtad.

V. 23. Dios como padre va a establecer al pueblo en su tierra y va a tener compasión de ellos. Los nombres de los hijos, que indicaban alienación y rechazo, serán cambiados a nombres de aceptación, de relación y amor. *Tendré compasión de Lo-rujama. Diré a Lo-ammí: ¡Pueblo mío eres tú!* La respuesta sentida de este hijo y pueblo es: *¡Dios mío!*

4 Amor de Oseas por su mujer infiel, Oseas 3:1-5.

V. 1. El amor de Oseas por su mujer le permite comprarla, rescatarla de su vida de infidelidad. Dios ha amado a su pueblo infiel, "a pesar de" su infidelidad y su dedicación a las fiestas de los dioses del pueblo, simbolizado por comer *las tortas de pasas*, uno de los elementos de las celebraciones paganas.

Vv. 2, 3. La compra de Gomer se efectuó con *plata* y grano, tal vez porque su eposo Oseas no tenía todo el dinero para redimirla. El mensaje amoroso de Oseas a su mujer es de aceptación y una promesa de lealtad.

V. 4. El pueblo de Israel pasará por un tiempo de restricción (como Gomer) sin un gobierno reconocido y sin orientación religiosa. Un período de prueba para mostrar que quiere ser fiel.

V. 5. Pero vendrá el día cuando el pueblo volverá a Dios. *Temblando* con gozo, como Gomer con Oseas, *volverán* al Dios de toda bondad que perdona al pueblo con entrañable amor y espera una respuesta de la amada.

Aplicaciones del estudio

1. A veces quedamos perplejos frente a lo que Dios nos manda hacer. Lo que sí podemos afirmar es que su plan es lo mejor; trae bendición y seguridad no solamente a uno mismo, sino a otros.

2. Hay personas que muestran poco interés por seguir a Dios. Esa actitud, sin embargo, es un llamado, a veces desesperado, para ser amada y aceptada. La tarea del creyente es la de amarles y buscar lo mejor para ellas.

3. A través de una tragedia personal o nacional Dios puede darnos nueva esperanza. El está con nosotros y sus propósitos triunfarán. Hay que serle fieles en todo.

Prueba

1. El matrimonio de Oseas pasó por experiencias difíciles. Anote en forma cronológica cuatro de los eventos que se presentan en los capítulos 1-3.
   (1) ____________________ (2) ____________________
   (3) ____________________ (4) ____________________

2. Anote tres bendiciones por medio de las cuales Dios le ha demostrado su amor esta semana. Anote tres acciones que usted se compromete a realizar como su compromiso de lealtad y fidelidad a él.

Bendiciones	Mi compromiso
1) ____________________	____________________
2) ____________________	____________________
3) ____________________	____________________

Lecturas bíblicas para el siguiente estudio

Lunes: Oseas 4:1-3
Martes: Oseas 4:4-10
Miércoles: Oseas 4:11-19
Jueves: Oseas 5:1-15
Viernes: Oseas 6:1-6
Sábado: Oseas 6:7 a 7:2

Llamado a la consagración

Contexto: Oseas 4:1 a 7:2
Texto básico: Oseas 4:1, 2, 6-10; 6:1-6
Versículo clave: Oseas 6:6
Verdad central: El castigo a Israel por su corrupción moral nos enseña que Dios castiga la corrupción moral del pueblo y especialmente de sus dirigentes religiosos.
Metas de enseñanza-aprendizaje: Que el alumno demuestre su: (1) conocimiento de la corrupción moral que había en Israel y cómo Dios los castigó, (2) actitud por evitar o corregir en él tal corrupción.

Estudio panorámico del contexto

La infidelidad de Israel sigue siendo el enfoque del mensaje de Oseas. El pueblo fracasará y será castigado por su falta de consagración. El capítulo 4 empieza con un pleito de Dios contra el pueblo. El pleito o querella ha sido una de las formas más usadas por los profetas para dar el mensaje de Dios. El pueblo puede entender el significado del pleito porque forma parte de su vida cotidiana, lo ha visto muchas veces en la puerta de los poblados, donde comúnmente se podía presentar una queja frente al grupo de ancianos para buscar un veredicto. Ahora, es Dios mismo quien viene con su pleito contra Israel y lo presenta con pruebas irrefutables. Será destruido porque no conoce a Dios, ni ha desarrollado una relación personal con él.

Los mismos sacerdotes no han cumplido con su deber de instruir al pueblo sobre cómo adorar a Dios y cumplir y obedecer sus mandatos. Peor aún, habían permitido prostituir los cultos, mezclando el culto verdadero a Dios con las prácticas consagradas a los dioses paganos, resultando en un sincretismo inaceptable a Dios.

Dios llama a su pueblo a una verdadera consagración. La posición tan liviana y poco seria en cuanto a la expresión religiosa que ha practicado su pueblo es rechazada totalmente por Dios, su tristeza es grande: lo que él quiere es una fe auténtica, expresada en misericordia, la misma expresión de amor que ellos habían experimentado de parte de él. Los sacrificios y holocaustos eran sin valor por ser hechos sin arrepentimiento y sinceridad frente a Dios. El quiere que le conozcan verdaderamente porque una relación personal e íntima con Dios es más importante que el acto ritual, el amor leal es más valioso que cualquier sacrificio. *El pecado trae consecuencias.* Sus acciones los tienen cercados; ha llegado el momento de juicio, van al cautiverio como el que habían sufrido en Egipto.

Lea su Biblia y responda

1. Lea Oseas 4:1, 2 y explique por qué Dios tenía pleito contra su pueblo:
____

2. Dios dice que el pueblo será destruido porque: ______________________
____ (4:6).

3. ¿Qué significaría "rechazar el conocimiento de Dios"? (4:6). ________
____

4. El pueblo no tomó en serio su responsabilidad como escogidos. Pero el amor de Dios fue fiel. Anote por lo menos cuatro evidencias de esa actitud de Dios vista en 6:1-3.
(a) ______________________ (b) ______________________
(c) ______________________ (d) ______________________

5. ¿A qué compara Dios la lealtad de este pueblo? (6:4). ____________
____

6. ¿Cuál es la demanda más grande de Dios a su pueblo? (6:6).
____

Lea su Biblia y piense

1 Las razones del pleito de Jehovah, Oseas 4:1, 2.

V. 1. Los profetas presentaban su mensaje en formas llamativas, entre las cuales el pleito era una de las más impresionantes. Aquí es Jehovah quien tiene pleito contra su pueblo. Presenta tres quejas principales: (1) La primera es que *no hay en la tierra verdad;* ni conocen la verdad. La gente ha mezclado la verdad de Dios con la mentira de los cultos a Baal, pensando erróneamente que mezclar los cultos en un sincretismo tan risible permitiría satisfacer a Dios y, a la vez, los propios deseos pecaminosos de Israel. (2) La segunda queja es que no hay *lealtad,* no hay el "amor leal" del pacto que era la base relacional de Dios con su pueblo, y de ellos entre sí. (3) La tercera queja es que no hay *conocimiento de Dios.* Oseas repite esto varias veces enfatizando así que la base del pecado del pueblo es que no conocen a Dios. Los sacerdotes no han cumplido su labor de enseñar la ley. Las personas no han tenido criterios válidos para tomar decisiones correctas.

V. 2. El resultado se ve en las quejas que siguen. Cada una, perjurar, engañar, asesinar, robar y adulterar, eran pecados comunes. Las calles están llenas de sangre. El pecado contra Dios se manifiesta en pecado contra los seres creados a su imagen.

2 Corrupción del pueblo y sus sacerdotes, Oseas 4:6-10.

V. 6. Una cosa es saber algo de Dios, y otra conocerle personalmente, y regir la vida por sus normas y enseñanzas. El diagnóstico aquí es que la falta de *conocimiento* de Dios es la causa principal de los pecados del pueblo. Los sacerdotes que no han cumplido su labor de enseñar y guiar al pueblo en *la ley* del Señor van a ser castigados. Han sido los representantes de Dios a su pueblo, pero no han cumplido su responsabilidad. No han enseñado al pueblo la *ley*; permitieron que el culto se mezclara con los ritos del paganismo, y no llenar así las verdaderas necesidades de las personas.

Vv. 7, 8. Los sacerdotes se aprovecharon de la situación, su pecado fue flagrante. Usaron los sacrificios traídos por el pueblo para dar de comer a sus familias. Ser sacerdote se convirtió en un negocio rentable.

Vv. 9, 10. La enseñanza de este versículo es clara: un pueblo jamás llega a superar la moralidad de sus líderes espirituales. Pero Dios no les dejará así, serán castigados. Van a recibir la consecuencia de sus obras. Cuando coman de los sacrificios, no van a saciarse; cuando entren en relaciones sexuales con las prostitutas de Baal, esperando la fertilidad para su tierra, ésta no se producirá. La última frase viene como un pronunciamiento final: *porque dejaron de escuchar a Jehovah.* Al no escucharle y volver a sus caminos pecaminosos, haciendo las cosas según su propio criterio en lugar del de Dios, ha traído sobre ellos el castigo final de Dios sobre todo el pueblo. El pecado de los líderes afecta a todo el pueblo.

3 Llamado a la auténtica consagración, Oseas 6:1-6.

Vv. 1, 2. La actitud tan liviana en la relación con Dios se ve en estos versículos. Las palabras y los hechos eran dos cosas totalmente distintas.

V. 3. Al continuar con la misma actitud estaban demostrando la mezcla que habían hecho entre la devoción a Baal y al Señor. Baal era considerado como el dios de la lluvia, así como el dios de la fertilidad de la tierra y la familia. Expresiones tales como: Segura como el alba será su salida; vendrá a nosotros como la lluvia, indican el error de Israel al referirse a Dios mencionando los mismos atributos que, como ellos sabían, eran las características de Baal.

Vv. 4, 5. Se ve el dolor en el corazón de Dios frente a esta actitud de su pueblo, tanto de *Efraín* (Israel) como de *Judá.* El amor de ellos por Dios es como vapor, *como la nube de la mañana y como el rocío que muy temprano se desvanece.* La palabra que se usa aquí, *lealtad* (*hesed*), es el amor leal, el amor del pacto. El único camino que le queda a Dios es el juicio a Israel por su falta en el compromiso con él. Vendrá el juicio como poderosa luz.

V. 6. Este versículo demuestra que Dios espera la autenticidad en sus seguidores: personas que vivan su fe en una relación personal con su Dios, demostrando *misericordia* (el amor leal) en sus relaciones con él y con el prójimo, y queriendo conocerle cada vez mejor y andar en una relación íntima y profunda con el Dios que por amor los eligió. Jesús cita en dos ocasiones este precioso versículo (Mat. 9:12.13; 12:7), demostrando para nosotros su importancia para nuestras vidas como creyentes. Escuchemos su mensaje; vivámoslo diariamente.

Aplicaciones del estudio

1. Hay que vivir la fe, hay que asumir la responsabilidad de regir la vida por las enseñanzas de la Palabra de Dios. El pleito que Dios tenía con Israel sigue vigente porque todavía hay en todos lados desengaño, violencia, mentira y abuso de los derechos humanos. Al creyente viene su palabra: el que participa en estas cosas será llevado al juicio.

2. La moralidad y veracidad del líder tanto político como religioso es esencial para una sociedad sana y estable. Como ciudadanos de una sociedad y miembros de una iglesia, debemos inisistir en esta rectitud en los líderes. A la vez, debemos vivir vidas rectas que demuestran nuestro compromiso en todo momento con estas altas demandas del carácter y práctica de nuestra fe.

3. Dios quiere nuestro amor leal en una relación íntima con él. En ningún momento debemos pensar que cumplir cierto rito o actividad religiosa puede sustituir esta relación. Hay que amar a Dios con todo nuestro ser y buscar conocerle más cada día.

Prueba

1. Escriba una breve frase describiendo la corrupción moral y religiosa del pueblo de Israel que Dios tuvo que castigar. ____________________

   ____

   ____

2. Basándose en las enseñanzas de este estudio, haga una lista de los peligros morales, espirituales y/o relacionales que son reales en su vida. Después, y pidiendo la dirección y apoyo del Señor, decida cómo corregirlos o evitarlos. ¿Lo hizo? _____ ¿Por qué? ____________________

   ____

   ____

Lecturas bíblicas para el siguiente estudio

Lunes: Oseas 7:3-7
Martes: Oseas 7:8-16
Miércoles: Oseas 8:1-14
Jueves: Oseas 9:1-9
Viernes: Oseas 9:10-17
Sábado: Oseas 10:1-15

Consecuencias de la corrupción

Contexto: Oseas 7:3 a 10:15
Texto básico: Oseas 7:8-12; 8:4-8; 10:5, 6, 9-12
Versículo clave: Oseas 10:12
Verdad central: El castigo a Israel por su corrupción política y religiosa nos enseña que Dios demanda fidelidad a su Palabra para ser una influencia positiva en nuestra comunidad.
Metas de enseñanza-aprendizaje: Que el alumno demuestre su: (1) conocimiento del estado de corrupción política y religiosa en Israel durante los días de Oseas, (2) actitud por demostrar fidelidad a Dios y ser una influencia positiva en la comunidad.

Estudio panorámico del contexto

Confusión y anarquía. En este estudio se enfatiza la época de confusión y anarquía que reinaba en el pueblo de Dios antes de la caída de Israel. Cuatro reyes fueron asesinados en este período; había corrupción por todos lados, y aunque Oseas les llamaba al arrepentimiento y a una nueva relación con Dios, parece que a nadie le importaba.

No hay quien invoque a Dios. En el palacio había una corrupción total y muchas intrigas. Los nobles hacían que el rey se emborrachara para crear las condiciones propicias para reemplazarlo. Se vestían con los vestidos de Asiria y escuchaban la música de Egipto. Se habían olvidado por completo de Dios, de sus enseñanzas y de las costumbres de su pueblo. Al verles, Dios tenía que decir tristemente: “no hay entre ellos quien me invoque”. Pero también había una corrupción religiosa total en la adoración. El becerro de oro había reemplazado a Dios.

Dios les advierte por medio del profeta del castigo que viene. Todavía tienen riquezas y abundancia, tienen templos y fiestas alegres y suntuosas, pero han dejado al Dios vivo. Serán castigados por su pecado, por rechazar la palabra de Dios y el llamado al arrepentimiento y cambio que les hace el Señor.

Las consecuencias de su pecado tan abierto y terco van a ser devastadoras. Los maravillosos edificios que habían construido serán destruidos totalmente. El pueblo escogido de Dios llegará a ser “errante entre las naciones”. Las múltiples bendiciones del Señor a esta nación van a ser destruidas, porque no saben agradecer a Dios. Sembraron impiedad; y ahora cosecharán el fruto de esa iniquidad. El profeta Oseas una vez más les llama a arrepentirse; esa vida tan árida tenía otra oportunidad. Les advierte que ya es hora de buscar a Dios y sembrar la justicia para luego cosechar su misericordia.

Lea su Biblia y responda

Complete las siguientes citas bíblicas:

1. Dios compara a Efraín (Israel) con ______________________________ (7:8) y a ______________________________ (7:11).

2. La ______________ de Israel testifica contra él ...con todo esto, no ______________________, ni______________________(7:10).

3. ¿Cuál es la pregunta de Dios a Israel en 8:5? ______________________
____

4. ¿Cuál será el fin del becerro de oro según 8:6? ______________________
____

5. ¿Cuál será el fin de Israel por su pecado, según 8:8? ________________
____

6. Usando figuras de la agricultura, Dios invita a Israel a "____________ para vosotros, y segad ______________. Abríos______________, porque es tiempo de ______________________________" (10:12).

Lea su Biblia y piense

1 Acusación de la corrupción política, Oseas 7:8-12.

Vv. 8, 9. El profeta Oseas acusa al pueblo en lenguaje figurado por haber dejado su verdadera identidad. (1) Se ha mezclado con la gente del mundo. No hay ninguna característica propia que los distinga de los paganos. Han adoptado las costumbres, los cultos, las diversiones y las normas sociales de otros, y han destruido la identidad basada en su relación con Dios, como su pueblo escogido. (2) Es como *una torta a la cual no se le ha dado la vuelta,* o sea una torta quemada por un lado y cruda por el otro, no tiene identidad. (3) No se dan cuenta de que esa vida los ha cambiado, que están terminándose. Ya tienen canas pero no se las han visto. La falta de sensibilidad religiosa y moral es un signo de la gravedad de su condición.

V. 10. La soberbia del pueblo le ciega aún más a su realidad. No ven la necesidad de buscar Dios.

Vv. 11, 12. Oseas usa la figura de una paloma para describir a Israel. Como criatura de hábitos, va volando a las naciones vecinas haciendo aliados, importando sus costumbres, y haciéndose cada vez más prisioneros, aves de presa de las naciones ajenas. Van a caer en la red de Dios quien les cazará por su falta de dependencia en él y por buscar soluciones ajenas a su voluntad.

2 Acusación de la corrupción religiosa, Oseas 8:4-8.

V. 4. Dios acusa a su pueblo de no tomarle en cuenta para nada en el manejo de la nación. Toda la intriga de la corte y la instalación de los *gobernantes* ha sido de ellos, no de Dios. Y peor aún, con su riqueza han construido becerros e *ídolos* lujosos, pero éstos les llevarán a su *propia destrucción,* porque han desobedecido a Dios y han rechazado sus mandatos.

V. 5. Dios pide a su pueblo que rechace el *becerro* de oro que le ha reemplazado. Pero viendo la continua falta de respuesta del pueblo, anuncia su enojo y rechazo de ellos.

V. 6. El *becerro* de oro hecho con manos humanas, *un escultor lo hizo* y además contra los mandatos de Dios (Exo. 20:4-6), será destruido porque *no proviene de Dios.* Este orgullo nacional no va a durar, ni mucho menos puede salvarles del castigo que viene.

Vv. 7, 8. Las figuras empleadas en este versículo describen con claridad la vida de pecado. Se siembra el *viento,* una vida sin control, sin moralidad, y se cosecha el torbellino, el huracán. El mismo pecado y rechazo de Dios trae sus consecuencias –una destrucción total. *Israel será tragado,* y a nadie le va a importar. Se va a cosechar lo que se había sembrado a pesar de los fieles mensajeros de Dios como Amós y Oseas que procuraban llevarles a dejar la vida de pecado y volverse a Dios.

3 El final de una sociedad corrupta, Oseas 10:5, 6, 9-12.

Vv. 5, 6. Estos versículos describen el final tan triste y devastador que experimentará el pueblo de Dios. Los dos objetos de orgullo y de autoridad serán llevados por los conquistadores. El *becerro* de oro *será llevado a Asiria* como parte de su botín al conquistar la nación. Puesto que se había multiplicado el culto al becerro en distintas partes de la nación, ahora todos van a ser atemorizados al verse privados de estos símbolos de su fe y su orgullo. Los sacerdotes quienes les habían encaminado mal son culpables de la vergüenza, la derrota, y el fracaso total de la nación. ¡Qué responsabilidad tiene un líder religioso!

Vv. 9, 10. Dios acusa al pueblo de no haber dejado de pecar *desde los días de Gabaa* (Jue. 19:14-30) donde la falta de protección de los huéspedes y la violación tan brutal de la concubina, llevaron a una guerra civil. El pecado había continuado, ahora vendrá el castigo merecido por su doble iniquidad.

V. 11. Otra vez Oseas usa figuras conocidas por la gente, comparando a Israel a un *vaquilla domada* que le gustaba trillar. ¿Por qué? Porque Dios le había puesto un *yugo de bondad.* La relación había sido tan especial con la joven nación recién llegada a "la tierra que fluye leche y miel". Pero pronto se olvidaron de su amor, rechazaron obedecerle, rechazaron andar con él, y ahora viene el yugo de servidumbre. Tanto *Efraín* (Israel) como *Judá* serán uncidos al yugo de servidumbre.

V. 12. Viene aquí una última invitación para que el pueblo cambie su lealtad, para que busque a Dios. La única esperanza era un cambio de vida manifestado en la rectitud de sus acciones. Buscando sinceramente a Dios cambiaría su manera de ser. Si no lo hacen, él vendrá y hará llover justicia para ellos. Cuán hermoso es ver la apertura que Dios da al pecador. Pero el mensaje es urgente, no deben tardar en responder.

Aplicaciones del estudio

1. El cristiano no debe mezclar su fe con la de otras religiones. Somos llamados a ser separados del mundo para servir al Señor. La triste experiencia de Israel de mezclar su fe con el baalismo debe ser una voz de alarma para el creyente de hoy cuando tantas voces nos dicen que no debemos ser "fanáticos", que no debemos rechazar costumbres o acciones no-cristianas.

2. El pecado trae sus consecuencias. La visión de Oseas de sembrar el viento y segar el torbellino no solamente es gráfica, es verdad tanto para Israel como para el creyente hoy día.

3. Hay que tomar cada día la decisión de conocer mejor al Señor. Obedecer a Dios, conocerle mejor y seguir sus mandatos, leer su palabra, pasar tiempo con él en oración.

Prueba

1. Describa el estado de corrupción política y religiosa de Israel en los tiempos de Oseas. ¿Cuáles eran las causas?

   ____

   ____

   ____

2. Tomando una condición social negativa en su comunidad, decida dos maneras en las cuales usted puede ser una influencia positiva, mostrando así su fidelidad a Dios y sus enseñanzas.

   (1) Condición: ______________________________

   Esto haré: _________________________________

   (2) Condición: ______________________________

   Esto haré: _________________________________

Lecturas bíblicas para el siguiente estudio

Lunes: Oseas 11:1-4
Martes: Oseas 11:5-11
Miércoles: Oseas 11:12 a 12:1
Jueves: Oseas 12:2-6
Viernes: Oseas 12:7-9
Sábado: Oseas 12:10-14

El amor paternal de Dios

Contexto: Oseas 11:1 a 12:14
Texto básico: Oseas 11:1-4, 8, 9; 12:2-14
Versículo clave: Oseas 11:4
Verdad central: El amor de Dios a pesar de la desobediencia de Israel nos enseña que él aborrece el pecado, pero ama al pecador.
Metas de enseñanza-aprendizaje: Que el alumno demuestre su: (1) conocimiento del amor de Dios por Israel a pesar de su desobediencia, (2) actitud de aceptar, por medio de la obediencia, el amor que Dios le demuestra en muchas maneras.

Estudio panorámico del contexto

Oseas está a punto de concluir con la encomienda de Dios: presentar el juicio divino contra la infidelidad de su pueblo. Lógicamente con el fin del ministerio de Oseas se acerca el fin de los hijos de Dios. El capítulo 11 es uno de los grandes capítulos de amor en la Biblia. Se ve esta misma compasión en la parábola del "hijo perdido", la cual muchos la han llamado mejor "El Padre amante" o "El Padre que espera". Usando la figura del padre con su hijo pequeño, Oseas cambia la figura que usó al principio de su profecía: la relación marital con una esposa que era infiel, pero que fue restablecida por el amor del esposo. Usando aquí la figura del padre con su hijo pequeño, Oseas relata la experiencia del cuidado amoroso que Dios había dado a Israel desde el principio, liberándolo de la esclavidad en Egipto, dándole todo el cuidado para que se instalara, para que aprendiera a andar, pero reconociendo el dolor del rechazo del hijo rebelde. Aunque Oseas siempre expresa el amor de Dios que espera que por arrepentimiento su pueblo vuelva a él, también señala que Dios no puede tolerar el pecado de Israel que le ha mentido vez tras vez. En lugar de depender de Dios, han hecho alianzas con Asiria y Egipto. Su ruina es segura.

El capítulo 12 relaciona tres momentos en la vida de Jacob (el hijo de Isaac) como símbolo de la rebeldía de la nación de Israel. Para ayudarles les recuerda las promesas a Jacob, cuando estaba huyendo de su tierra, que aun en el destierro Dios estaría con ellos. Este hecho les debe recordar que Dios todavía no ha terminado con su pueblo. Se basa en la esperanza de que el pueblo responda a la invitación: "...vuélvete a tu Dios; practica la lealtad y el derecho, y espera siempre en tu Dios" (12:6). Al no ver ninguna indicación de arrepentimiento, Oseas afirma: "Efraín (Israel) ha provocado a Dios con armagura. Por tanto, dejará sobre él su culpa de sangre..." (12:14).

Lea su Biblia y responda

1. Lea Oseas 11:1-4, y anote seis maneras que muestran cómo Dios amaba y guiaba a su pueblo.

   (1)________________________ (4) ________________________

   (2)________________________ (5) ________________________

   (3)________________________ (6) ________________________

2. Frente a la rebeldía de Israel, Dios dice: "Mi corazón ___ __________ dentro de mí; se inflama mi _______________" (11:8b).

3. ¿Por qué Dios no destruirá al pueblo por su pecado? (11:9a)____________
   ____

4. Además Dios afirma que "Yo soy ________________________ de ______" (11:9b).

5. ¿Cuáles son las tres cosas que Oseas manda a Israel que haga? (12:6).

   (1) ____

   (2) ____

   (3) ____

Lea su Biblia y piense

1 El amor paternal de Dios, Oseas 11:1-4.

V. 1. Usando la figura del padre, Oseas expone la actitud amorosa de Dios con Israel, trayéndolo del dolor y la oscuridad de la esclavitud de Egipto a formar una nueva nación libre bajo su dirección y bendición.

V. 2. Desde el principio el pueblo fue reacio al llamado y cuidado de Dios. Cuanto más los llamaba, más se fueron en pos de los dioses ajenos. Nunca reconocieron a Dios como su único y exclusivo Señor.

V. 3. Este versículo muestra el dolor tan grande de Dios. A pesar de enseñarles a andar y tomarles en sus brazos cuando caían y tenían dificultades, no reconocían que era él quien les brindaba todos estos cuidados. El *yo* es enfático en este versículo. Dios estaba activo en favor del pueblo.

V. 4. El trato divino se encuadra dentro de los marcos humanos para expresar el amor paternal al pueblo abrazándole y acariciándole. Aún más, *me inclinaba hacia ellos para alimentarlos.* Esta figura de inclinarse hacia la persona se usa frecuentemente en los salmos. Dios se inclina hacia su hijo para oírle, para restaurarle con amor (Sal. 40:1; 116:2).

2 El amor de Dios promete restauración, Oseas 11:8, 9.

V. 8. Alguien ha llamado a este pasaje "el Getsemaní del Antiguo Testamento", porque se ve con claridad el conflicto entre el amor de Dios y su justicia. Su corazón está dolorido, se conmueve; no puede exterminar al pueblo como había ocurrido con Sodoma, Gomorra, Adma y Zeboím (Gén. 19). En lugar de esto, Israel irá al cautiverio, pero no a su fin.

V. 9. Dios mismo da las razones por las cuales no va a eliminar al pueblo. Es porque él es *Dios, y no hombre.* El Señor no guarda rencor sino sabe ser clemente. La última parte de este versículo presenta dos realidades de Dios que debemos recordar; él es el *Santo*, o sea es trascendente, separado de nosotros por su santidad. Pero, *está en medio de ti,* o sea el Santo Dios está entre nosotros, es Emanuel, "Dios con nosotros".

3 El amor de Dios corrige, Oseas 12:2-9.

Vv. 2-5. En un nuevo *pleito* contra el pueblo, Oseas usa tres experiencias de la vida de *Jacob* (no están en orden cronológico), como muestras del espíritu rebelde y engañoso de Israel: (1) Cuando luchaba dentro del *vientre* de su madre para ser el primogénito y obtener lo que no era suyo. (2) Al regresar a su tierra natal tras los años de destierro luchó durante la noche con el ángel de Dios, buscando otra vez una bendición especial; y (3) Muchos años antes en *Betel* al huir de Esaú tiene un encuentro con Dios y en ese sueño Jacob recibe la promesa de la protección de Dios y su regreso a su tierra. Oseas trae estas tres experiencias a la mente para ayudar al pueblo a reconocer que su historia personal y nacional ha sido problemática como la de Jacob.

V. 6. Con todo esto en mente Oseas les da tres mandatos: (1) *vuélvete a tu Dios;* (2) *practica la lealtad y el derecho,* y (3) *espera siempre en tu Dios.* Habrá un futuro con el Señor para quienes lo hacen Señor de sus vidas.

Vv. 7, 8. Hay otra comparación con Jacob quien pensaba que había ganado todo por su propia astucia. Israel ha actuado así también, y no hay manera de borrar esto de los ojos de Dios.

V. 9. La sentencia para Israel es terrible. Serán sacados de sus lujosas casas para vivir en carpas. Se trata de campamentos de nómadas, de prisioneros de guerra. Egipto es símbolo del cautiverio que van a experimentar. Aun allí Dios será Dios, les castigará, pero él estará allá con ellos.

4 El amor de Dios advierte del peligro, Oseas 12:10-14.

V. 10. El profeta como mensajero de Dios era frecuentemente rechazado por el pueblo, pero a pesar del desprecio y las amenazas, era fiel a su llamado.

V. 11. Los sitios falsos de culto serán destruidos. El rito, sea cual sea, carente de sentido, va a traer destrucción a sus participantes.

V. 12. Por engañar a Esaú, Jacob tuvo que huir a una tierra ajena; allí cuidó rebaños de su tío Labán por 14 años para recibir a sus dos mujeres. Este engañador fue engañado (Gén. 29).

V. 13. Dios estuvo cuidando a su pueblo usando a sus siervos para sacarles de Egipto y guardarles.

V. 14. Dios anuncia la sentencia final de Israel. Por su falta de obediencia y de oír la voz del Señor han traído deshonra a su propio nombre, a su posición especial de pueblo de Dios. Han *provocado a Dios con amargura.* El pecado traerá su propia derrota, "su culpa de sangre", o sea los asesinatos e intrigas políticas y la opresión de sus propios hermanos. Cosecharán finalmente lo que habían sembrado.

Aplicaciones del estudio

1. No hay amor comparable al amor de Dios. Las figuras del amor constante y tan pendiente de cada necesidad de la nación y de la persona, el amor paciente y sufrido revelado en este estudio, afirman para nosotros los creyentes que el amor de Dios que conocemos en Jesucristo es el mismo hoy, ayer y para siempre.

2. La rebelión contra Dios y sus enseñanzas es una realidad actual. Como Jacob, le fallamos a Dios y escogemos métodos de engaño y mentira. Dios nos llama hoy, como en los tiempos de Oseas, a arrepentirnos de nuestra rebeldía, escuchar su palabra y seguir sus caminos.

3. Dios no es hombre; él es Dios. El es amor perfecto, y perfecta justicia. Estas cualidades tuvieron su expresión máxima en la cruz. Dios quiere ofrecer a cada uno el camino para relacionarse con él en perdón y comunión.

4. Dios siempre nos invita a volver a él. La persona que lo hace debe obedecerle en todo; y esperar en él y sus promesas (Ose. 12:6).

Prueba

1. Según el estudio describa cuatro muestras del amor de Dios por su pueblo a pesar de su desobediencia.

   (1) ____________________ (2) ____________________

   (3) ____________________ (4) ____________________

2. Identifique cinco maneras especiales en que Dios le ha manifestado su amor en los últimos seis meses. ¿Cuál ha sido su respuesta a este amor tan grande? Es necesario reconocer la responsabilidad personal entre recibir su amor y obedecerle en todo. Reflexione en el estudio de hoy y en Juan 14:15 y 21. Escriba en una breve frase su compromiso de obediencia a Dios: ______________________________

   ____

   ____

Lecturas bíblicas para el siguiente estudio

Lunes: Oseas 13:1-3
Martes: Oseas 13:4-8
Miércoles: Oseas 13:9-16
Jueves: Oseas 14:1-3
Viernes: Oseas 14:4-8
Sábado: Oseas 14:9

Unidad 7

Amor que perdona y restaura

Contexto: Oseas 13:1 a 14:9
Texto básico: Oseas 13:1-3, 9-16; 14:1-9
Versículos clave: Oseas 14:1, 2
Verdad central: El llamamiento hecho a Israel para que se arrepienta y comience el proceso de restauración nos enseña que Dios perdona y restablece a la persona que se arrepiente de sus pecados y se acerca a él.
Metas de enseñanza-aprendizaje: Que el alumno demuestre su: (1) conocimiento de las condiciones del llamado de Dios a Israel para que se arrepienta, (2) actitud de dar los pasos necesarios para recibir el perdón de Dios.

Estudio panorámico del contexto

Los capítulos 13 y 14 presentan los mensajes de Oseas en los últimos días de Israel, antes de su caída final y total en 722 a. de J.C. bajo Asiria. Ya es demasiado tarde para salvar a una nación tan corrupta. La corte, los líderes religiosos, los comerciantes, los políticos, todos han sido corrompidos por su desobediencia a Dios y sus leyes. Lo más triste es que continuamente han dejado al verdadero Dios para ir en pos de los baales, los dioses de la fertilidad de las naciones paganas vecinas.

En el capítulo 13 vemos la habilidad de Oseas para dar un mensaje poderoso tanto con el uso de imágenes simbólicas (3, 7, 8, 13, 15) como de palabras escalofriantes (9-11, 16). Pablo usa Oseas 13:14 en 1 Corintios 15:55 cuando habla de la resurrección de Cristo y de la esperanza de la resurrección de los muertos.

Efraín, la tribu más grande del reino del Norte, había sido poderosa y respetada, pero ahora ha quedado tan debilitada que el profeta la compara con la neblina o el humo. Su debilidad ha sido frente al llamativo culto de la fertilidad de los cananitas. Siendo agricultores, querían que sus campos y sus animales fueran fértiles; y eso era precisamente lo que les ofrecía el culto a Baal. Olvidaron que el Dios vivo es el Dios que gobierna las naciones, que ha establecido las estaciones y que es la fuente de toda bendición. Así, Dios les va a castigar, no habrá lluvia, la muerte reinará en toda la nación.

Sin embargo, Dios les llama a arrepentirse y Oseas ve el día en que volverán con palabras de súplica a Dios, reconociéndole como el único que puede salvarles y restaurarles. Termina el libro anunciando el hermoso mensaje de la Biblia entera: Dios nos perdona y nos salva "de pura gracia". Dios, según su grande misericordia, va a sanarles y restaurarles a su tierra. Allí, en ese tiempo más lejano, van a gozarse de las bendiciones del Señor tanto espirituales como materiales. Usando figuras hermosas de la naturaleza, el profeta dice que los redimidos tendrán salud, salvación y la certidumbre de la presencia y protección de su Dios.

Estudio del texto básico

Lea su Biblia y responda

1. Oseas acusa a Israel de pecar por causa de ________________________.
   El resultado fue que Israel ______________________ (13:1a).

2. En 13:2 mencionan tres maneras en que el pecado del pueblo se desarrolló, ¿cuáles son? (a) ______________________________________
   (b) _______________________ (c)______________________________

3. El resultado será: (13:3) ______________________________________
   ____
   ____

4. Escriba en sus palabras la invitación de Dios en 14:1, 2. _____________
   ____
   ____

5. Dios promete sanidad al pueblo, usando dos figuras en 14:5. El será como
   _____________________ , y el pueblo como ___________________.

6. Simbólicamente se presenta el futuro del pueblo. Dios dice: "Yo soy como _____________________ ; debido a mí ____________________
   ____ " (14:8c).

Lea su Biblia y piense

1 Lo alienante de la adoración a otros dioses, Oseas 13:1-3.

V. 1. Oseas ataca el problema con firmeza. El pueblo de *Efraín* llegó a ser el más grande, el más poderoso, el de más autoridad y fama, *pero* cuando empezó a seguir a *Baal,* pecando por no obedecer a Dios y sus mandatos, *murió* su influencia y su poderío. Ahora va a morir como nación, aunque ya había muerto antes al plan de Dios para ellos.

V. 2. Con sus riquezas han fabricado *ídolos e imágenes* contra los mandatos específicos de Dios. No sólo eso sino que dirigen a la gente a ofrecerles sacrificios y a *besar a los becerros de oro* como muestra de reverencia y adoración. La corrupción, la idolatría y el olvido de su Dios han sido totales.

V. 3. La expresión: *Por tanto,* introduce la sentencia de Dios para la desaparición del pueblo: como la *niebla* o el rocío de la mañana que desaparece luego; como el *tamo* que el viento lleva; y como el *humo* que sale de la casa. En los vv. 4-8 Dios se compara con cuatro animales feroces que buscan su caza: un *león,* un *leopardo,* una *osa,* y un *animal del campo.* La destrucción va a ser terrible por la larga historia de Israel de desobedecer a Dios y no escuchar y aceptar el mensaje de sus mensajeros.

2 No habrá socorro para Israel, Oseas 13:9-16.

Vv. 9-11. La destrucción viene y no hay nada ni nadie que les puede salvar en este momento. Con sarcasmo, Dios pregunta por su *rey.* El *rey* ya había sido llevado a Asiria como prisionero, así todo el orgullo que habían tenido por la monarquía y sus lujosos palacios y ceremonias ostentosas, ha quedado en nada. Dios pregunta por los *jueces,* ¿dónde están? Ya no hay ni *jueces* ni sabios, no hay quienes tienen una voz de autoridad. La anarquía es total. Hacía casi 300 años que Dios les había dado un rey reconociendo: "Es a mí a quien han desechado para que no reine sobre ellos" (1 Sam. 8:7). Ahora el castigo viene por sus largos años de olvido de Dios.

V. 12. El pecado y la maldad de Israel ya es un hábito tan arraigado que no se puede cambiar, *su pecado está bien guardado.*

Vv. 13, 14. La nación de quien tanto esperaba es torpe. No ha respondido a las expectativas de Dios, ha traído la ruina a todo el pueblo. Van a la muerte, y al *Seol,* el lugar de tinieblas de los espíritus de los muertos. La destrucción será total. Dios ya no tendrá compasión de ellos; es demasiado tarde.

Vv. 15, 16. La figura de Oseas del viento *solano* representa a Asiria. Samaria era la capital de Israel y representaba cómo todas las esferas de la vida en la ciudad real habían sido corrompidas.

3 Dios llama al arrepentimiento, Oseas 14:1-3.

V. 1. El capítulo 14 da una hermosa conclusión al libro. Otra vez viene la sentida invitación: *Vuelve, oh Israel, a Jehovah tu Dios,* al verdadero Dios de este pueblo. No es por Dios que han caído, sino por sus propios pecados. Al reconocerle como Dios, pueden arrepentirse y volver al Dios de misericordia.

Vv. 2, 3. Como un pastor que guía a su pueblo Oseas les da las palabras que pueden usar para indicar su verdadero arrepentimiento: no con ritos vacíos, sino *con el fruto de nuestros labios,* una expresión de verdadero arrepentimiento.

Reconocerán su pecado de haber dependido de Asiria, de la fuerza militar, y de dioses que ellos mismos se habían fabricado. *Nunca más* caerán en esa trampa, porque en Dios *el huérfano alcanzará misericordia.* También el hijo indefenso y la persona desesperada pueden encontrar socorro en el Dios de misericordia.

4 Dios promete restauración a los arrepentidos, Oseas 14:4-9.

V. 4. Dios promete salud a los que regresen a él. Les amará generosamente, porque al arrepentirse habrán encontrado su misericordia, su gracia abundante.

Vv. 5, 6. Dios, *como el rocío,* dará nueva vida al pueblo. Se usan tres figuras simbólicas para describir al nuevo pueblo: será como el *lirio,* simbolizando la pureza y la belleza; será fuerte como el cedro de *Líbano,* símbolo de poder y permanencia; y será como el *olivo* que puede producir su fruto por mil años, símbolo de fertilidad y permanencia. En esta nueva relación las bendiciones de Dios serán constantes y abundantes.

Vv. 7, 8. Habrá *sombra* para ellos contra los fuertes rayos del sol. Habrá cosechas abundantes. Será placentera la vida. En esta nueva era el pueblo no volverá a los dioses de la fertilidad, porque reconocerán que el Dios vivo es la fuente de toda bendición.

V. 9. Oseas termina su mensaje invitando a sus oyentes a buscar los caminos del Señor como personas sabias, prudentes y justas. El rebelde, en lugar de ver en Dios la verdadera senda, va a burlarse de ella y tropezará.

Aplicaciones del estudio

1. El pecado destruye a la persona. Servir a dioses ajenos es el camino directo a la destrucción. Hay que tomar en serio los mandatos de Dios.

2. La persona que no confía en Dios será como humo o rocío que desaparece luego. Confiar en riquezas, en poder político o económico, en lugar de tener plena confianza en Dios produce una inestabilidad completa.

3. Dios siempre está atento a nuestro sincero arrepentimiento. Arrepentirse no es lamentarse; es un sincero reconocimiento de los pecados cometidos y una firme determinación de cambiar de actitud.

Prueba

1. ¿Cuáles son los pasos que Dios indicó a Israel que debía tomar para volver a él y así recibir su restauración? ______________________________

____

2. Tomando Oseas 14:2, 3 como ejemplo describa los pasos que usted tiene que dar cuando pide perdón al Señor por un pecado cometido.

____

____

Lecturas bíblicas para el siguiente estudio

Lunes: Jonás 1:1-3
Martes: Jonás 1:4-10
Miércoles: Jonás 1:11-16
Jueves: Jonás 1:17
Viernes: Jonás 2:1-9
Sábado: Jonás 2:10

Estudio **25**

Unidad 8

Jonás y el plan de Dios

Contexto: Jonás 1:1 a 2:10
Texto básico: Jonás 1:1-5, 9-17; 2:1-3, 9, 10
Versículo clave: Jonás 2:9
Verdad central: La reacción de Dios ante la huida de Jonás de la misión que le había encomendado nos enseña que su plan es que toda la gente conozca su mensaje.
Metas de enseñanza-aprendizaje: Que el alumno demuestre su: (1) conocimiento de la reacción de Dios ante la huida de Jonás de la misión que le había encomendado, (2) actitud de participar en el cumplimiento del plan de Dios de que otros conozcan su mensaje.

Estudio panorámico del contexto

Uno de los elementos clave del libro de Jonás es Asiria, país enemigo del pueblo de Dios, pueblo extremadamente cruel con sus cautivos. Era un pueblo odiado por Israel. En forma narrativa el libro de Jonás, demuestra que Dios ama aun a los enemigos de su pueblo y les da la oportunidad para que se arrepientan. Estas buenas nuevas del amor de Dios que constantemente busca al pecador es el corazón de la intervención de Dios en la historia del mundo, y en la historia personal de cada creyente.

Según 2 Reyes 14:25 Jonás ya cumplía una función profética durante el reinado de Jeroboam II de Israel, que llevó al pueblo de Dios a un tiempo de gran prosperidad. Tanto Asiria como Egipto se cuidaban de no molestar a Israel o Judá. En este tiempo de calma, Dios envió a su siervo Jonás a llevar un mensaje de juicio a Nínive, símbolo del poderío y la crueldad de Asiria. Su maldad "había subido" a la presencia de Dios.

Jonás, no estaba de acuerdo con Dios; su odio contra los ninivitas era demasiado. Con una idea equivocada de la omnipresencia de Dios, decide esconderse y evadir su responsabilidad como mensajero. Se encamina a Tarsis, el lugar más alejado del mar Mediterráneo, pero Dios "lanzó un gran viento" de manera que el barco estaba a punto de hundirse. Al reconocer que es Jonás el culpable de esta situación tan peligrosa y por su propia sugerencia, los marineros le echan al mar donde es tragado por un gran pez especialmente preparado por Dios para este propósito. Allí queda tres días y tres noches, tiempo suficiente para reflexionar acerca de su llamado y su huida. El capítuo 2, desde el escenario tan especial, el vientre de este pez, registra la oración sincera y angustiada de Jonás. Los detalles del relato no deben desviar nuestra comprensión del corazón misionero de Dios.

Lea su Biblia y responda

1. Dios manda a ______________ que vaya a ______________, la gran __________________ (1:1, 2).

2. ¿Cuál es la razón por la cual Dios quiere llevar su mensaje allí? ________ ____(1:2b).

3. ¿Cuál es la respuesta de Jonás? __________________________________(1:3).

4. Anote las dos cosas que hicieron los marineros frente a la tormenta tan tremenda. ____________________ y ______________________ (1:5).

5. ¿Cómo se identifica Jonás frente a los marineros? ____________________ ____(1:9).

6. Escriba la oración de Jonás 2:2 en sus propias palabras. ______________ ____ ____

7. Jonás termina su salmo de alabanza con una exclamación de mucho valor para el creyente. Escríbala aquí. ________________________________ ____(2:9c).

Lea su Biblia y piense

1 Dios llama a Jonás, Jonás 1:1, 2.

Vv. 1, 2. El nombre de Dios (o Jehovah, o Jehovah Dios) se menciona 39 veces en este breve libro. El personaje central de la profecía de Jonás no es el propio profeta sino Jehovah Dios. La *maldad* de *Asiria,* un pueblo cruel ha llegado hasta la *presencia* misma de Jehovah, de tal forma que es urgente hacer algo. Dios decide llamar a Jonás quien ya ha desempeñado cierta labor durante el reinado de Jeroboam II, para que él vaya y anuncie el juicio que corresponde a la maldad de Nínive.

2 Rebeldía de Jonás, Jonás 1:3-5.

V. 3. Jonás se levanta, pero sorpresivamente es para huir *de la presencia de Jehovah.* Su teología del Dios del universo (Salmo 139, especialmente vv. 7-12) estaba muy errada porque Dios está en todas partes. Se menciona *Tarsis* tres veces, seguramente enfatizando el plan inútil de Jonás de ir lo más lejos posible del territorio de Jehovah.

Vv. 4, 5. Con un viento sobrenatural que *produjo una enorme tormenta,* Dios demuestra que él es el Dios del universo.

Los marineros tienen mucho miedo, tanto que usan los dos "remedios" que conocían: *cada uno invocaba a su Dios, y echaron al mar el cargamento* para aligerar el *barco.* Todo era caos y desesperación para la tripulación, excepto para Jonás, quien *se había quedado profundamente dormido.*

3 Jonás reconoce su rebeldía, Jonás 1:9-17.

V. 9. El capitán del barco despierta a Jonás para que les ayude a orar por la salvación de todos. Al "echar suertes" para ver quién era el culpable de esta crisis, la suerte cayó sobre Jonás. Al preguntarle quién era él, Jonás respondió seguramente con frases que había aprendido en su niñez, pero sin convicción: *—Soy hebreo y temo a Jehovah.* Podía hablar sobre Dios, pero no hablaba con Dios. Sabía que Dios era el Creador del universo, pero pensaba que podría huir de su presencia yéndose lejos. Decía que tenía temor de Jehovah, pero se había quedado dormido sin sentir pena por los que iban a ser destruidos.

V. 10. Su respuesta causó mucho miedo a los marineros. Le hicieron una nueva pregunta que es como un juicio: *¿Por qué has hecho esto?* Ya les había dicho que huía de la presencia de Dios, y ellos, sin ser creyentes de él, sabían que uno no podría huir de su dios, especialmente del que era el creador del *mar y la tierra.*

Vv. 11, 12. La conversación entre los marineros y Jonás es breve y concreta. Ellos piensan que él debe saber qué se debe hacer para aplacar este viento tan fuerte. Jonás, reconociendo que está huyendo de Dios y que la culpa es de él, decide ahogarse en el mar. No se le ocurre orar a Dios, pedirle perdón, solamente decide que su plan no le funcionó, y no hay otra cosa que hacer que morir. Es interesante notar la tendencia tan marcada de Jonás de optar mejor por la muerte en vez de buscar alternativas.

Vv. 13, 14. Es contrastante la actitud de los marineros. Mientras Jonás no había sentido misericordia por los ninivitas, ellos decidieron seguir luchando contra la corriente antes de echar al mar a una persona. Sin embargo, Dios tenía un plan y lo iba a llevar a cabo, por eso *el mar se embravecía cada vez más.*

Vv. 15-17. Los marineros oran al Dios de Jonás pidiendo que no les haga responsables por su sangre. Al echar a Jonás al mar *cesó de su furia.* La respuesta sorprendente de los marineros revela que se dieron cuenta del poder del Dios de Jonás, así como de la torpeza del profeta al tratar de escapar.

Dos cosas pasaron: *ofrecieron sacrificio e hicieron votos.* Aun la rebeldía de Jonás fue usada para dar un mensaje de la grandeza y el amor de Dios. Si Jehovah se molestó tanto por la actitud de Jonás es porque era sumamente importante que los de Nínive fueran expuestos a un mensaje de parte de Dios. También era importante enseñar que no sólo los de Judá e Israel eran objeto del amor de Dios, sino que todos los pueblos de la tierra son objeto de su amor y misericordia.

4 Dios escucha la oración de Jonás, Jonás 2:1-3, 9, 10.

V. 1. Jonás por fin se da cuenta de que su única salvación es orar al Señor.

V. 2. Este salmo de alabanza y gratitud por la salvación de Dios es muy semejante al Salmo 30. El Seol, sitio de los muertos, simboliza una situación crítica de desesperación. Dios responde a la oración sincera sin importar desde donde se esté elevando.

V. 3. Este versículo revela la desesperación de Jonás. Sirve también para medir las consecuencias de la desobediencia.

Vv. 9, 10. Sabiendo que su oración ha sido escuchada, Jonás cambia el tono de su comunicación. Promete que ofrecerá sacrificios, que su disposición al servicio está en su punto más alto. Quizá sin imaginar lo que el Señor hará con los de Nínive, declara la verdad más importante del plan de salvación: *¡La salvación pertenece a Jehovah!* Fue tan sentida la oración de Jonás que la respuesta de Dios no se hizo esperar. De allí en adelante las cosas serán diferentes y Dios cumplirá su plan.

Aplicaciones del estudio

1. Dios es el Señor de todo el mundo, aun de aquellas personas que no le conocen. Toda maldad es conocida por él, pero su deseo es que cada persona pueda conocer su mensaje de salvación.

2. Nadie puede huir de la presencia de Dios. El está en todas partes y desea relacionarse con cada persona, sea cual sea su situación.

3. En todas partes hay personas nobles y responsables que no son creyentes. Es muy desafiante presentarles el mensaje de nuestro Dios que quiere que todos le conozcan como Señor y Salvador.

Prueba

1. Nombre los dos eventos sobrenaturales que usó Dios para cumplir su propósito de enviar a Jonás a Nínive, y explique el efecto en Jonás.

____

____

2. Anote por lo menos cinco maneras en que usted puede participar con Dios para que otros conozcan su mensaje de amor, de perdón y de salvación.

(1) ____

(2) ____________________ (3) ____________________

(4) ____________________ (5) ____________________

Lecturas bíblicas para el siguiente estudio

Lunes: Jonás 3:1, 2 **Jueves:** Jonás 3:10
Martes: Jonás 3:3, 4 **Viernes:** Jonás 4:1-4
Miércoles: Jonás 3:5-9 **Sábado:** Jonás 4:5-11

Jonás: misión cumplida

Contexto: Jonás 3:1 a 4:11
Texto básico: Jonás 3:1 a 4:11
Versículo clave: Jonás 3:10
Verdad central: La compasión que Dios demostró hacia los habitantes de Nínive nos enseña que el Señor tiene compasión de quienes se arrepienten y lo invocan.
Metas de enseñanza-aprendizaje: Que el alumno demuestre su: (1) conocimiento de cómo Dios tuvo compasión de los habitantes de Nínive a pesar del desagrado de Jonás, (2) actitud de aceptación de la compasión del Señor por medio del arrepentimiento e invocación de su nombre.

Estudio panorámico del contexto

Los dos últimos capítulos del libro de Jonás demuestran cómo Dios cumple sus propósitos. Su plan misionero para dar su mensaje de juicio y de salvación a Níneve se cumplió, y el resultado fue abrumador. El arrepentimiento llegó a todos los niveles de la sociedad.

Nínive era una ciudad grande, muy distinta a los pueblos y aldeas de Israel. Jonás quedó muy impresionado por el tamaño y número de personas que vivían en esta "metrópoli".

Después de su tremenda experiencia camino a Tarsis, Jonás recibe de nuevo la palabra de Jehovah. Esta vez no pretendió huir, es obvio que no fue con entusiasmo, pero seguramente no quería repetir experiencias como la tormenta del mar ni del gran pez. Va a Nínive y cruza una parte de la ciudad donde comienza a dar su mensaje. La gente le escucha, se arrepiente desde el rey y su corte hasta la persona más humilde. El rey queda tan impresionado por estas palabras que declara ese momento histórico como duelo nacional, incluyendo aun a los animales en el duelo y llama al pueblo al arrepentimiento. Su esperanza es que la misericordia y clemencia de Dios se manifieste con los arrepentidos, y efectivamente eso fue lo que pasó.

El último capítulo, aunque lleno de momentos didácticos cuando Dios continúa trabajando con su terco y enfadado mensajero, da mucha tristeza al lector, y sin duda alguna a Dios, por su actitud tan obstinada de rechazar a las personas de Nínive. En lugar de regocijarse por la recepción del mensaje y el arrepentimiento de los ninivitas, Jonás solamente esperaba ver el castigo de Dios. Le era imposible pensar que sus enemigos podían ser perdonados por tan grandes crueldades. Sin embargo, el mensaje del amor y compasión de Dios había llegado con poder para ellos.

Lea su Biblia y responda

1. ¿Cuál es el mensaje que vino por segunda vez a Jonás y cuál su respuesta? ______________________________
______________________________ (3:1-4).

2. ¿Cuál fue la reacción del pueblo?______________________________
(3:5). ¿Y del rey?______________________________ (3:6).

3. ¿Cuál era la esperanza del rey para su pueblo? ______________________________
______________________________ (3:9).

4. ¿Cuál fue la respuesta de Dios?______________________________
______________________________ (3:10).

5. ¿Cuál fue la reacción de Jonás? ______________________________
______________________________(4:1).

6. Nombre las cinco cualidades de Dios que se encuentran en 4:2:__________
____
____

7. La enseñanza más grande del capítulo 4 es el amor de Dios por la gente de todo el mundo. ¿Cómo lo expresa? ______________________________
______________________________(4:11).

Lea su Biblia y piense

1 Dios llama por segunda vez a Jonás, Jonás 3:1, 2.

Vv. 1, 2. *Jonás* el mensajero rebelde tuvo un experiencia que pocos podrían sobrellevar, pero el plan de Dios era volver a llamarlo para la misma comisión que dese un principio le había dado. Es interesante que Dios confía un trabajo muy importante a una persona que ha dado muestras de su incapacidad para cumplir esa tarea.

2 Jonás predica en Nínive, Jonás 3:3, 4.

V. 3. Ahora la respuesta de Jonás fue diferente, la "paloma" que había pretendido huir para no cumplir su importante misión, ahora está dispuesta a convertirse en una paloma mensajera de las buenas nuevas de salvación. Ahora todo *es conforme a la palabra de Jehovah,* no conforme al hombre.

V. 4. Jonás comenzó a proclamar su mensaje de juicio inminente: "*¡De aquí a 40 días Nínive será destruida!*" Apenas cinco palabras en hebreo, las pronunció sin el deseo de que produjeran algún efecto trascendente.

3 La respuesta de Nínive al mensaje, Jonás 3:5-9.

V. 5. Contrario a lo que Jonás pensaba, los ciudadanos *de Nínive creyeron a Dios.* El mensaje de Jonás era muy claro, bastaba que los que lo oían estuvieran dispuestos a hacer algo para evitar la destrucción. La clave es que creyeran que el mensaje era verídico. No solamente creyeron, sino que *proclamaron ayuno* y demostraron una actitud de suma tristeza.

V. 6. El rey mismo responde arrepintiéndose, quitándose sus vestimentas reales, símbolo de su autoridad; cubriéndose de *cilicio,* símbolo de gran tristeza y dolor; y sentándose *sobre ceniza,* símbolo de luto. Si el pueblo y el líder adoptaron una actitud de arrepentimiento y de adoración, entonces no sería fácil mantener el tono de juicio con que se había iniciado la tarea de Jonás.

Vv. 7, 8. El rey *hizo proclamar ayuno* tanto de personas como de animales; que se cubran de cilicio como signo de su arrepentimiento. Además, les instruye que invoquen *a Dios con todas sus fuerzas,* y se arrepientan *de su mal camino y de la violencia que hay en sus manos.*

V. 9. La esperanza del rey para el pueblo se ve en sus palabras: *¿Quién sabe si Dios desiste y cambia de parecer?* El rey no era creyente, no tenía una relación con Dios de larga trayectoria, pero tal vez había oido del Dios de Israel quien es clemente, compasivo y responde con misericordia frente al arrepentimiento.

4 Dios enseña compasión a Jonás, Jonás 3:10 a 4:11.

V. 10. *Dios vio* la acción de los ninivitas cuando se arrepintieron y volvieron *de su mal camino y desistió* de su plan inicial de castigarles.

4:1. Cualquier predicador hubiera estado muy contento con los resultados de su predicación, si fueran como la respuesta que logró Jonás. En lugar de ver lo positivo de este resultado, Jonás se *enojó* porque le desagradó que Dios no les castigaría como había dicho.

V. 2. Jonás ahora da la razón de su rebeldía de procurar huir de esta reponsabilidad. Precisamente temía que los ninivitas se arrepintieran y que Dios les perdonara. Jonás sabía que Dios es *clemente y compasivo, lento para la ira, grande en misericordia y que desistes de hacer el mal* (véase Exo. 34:6, 7). Pobre Jonás, con su visión nacionalista y su actitud de rechazo para con sus enemigos; el que ellos tuvieran la posibilidad de recibir el perdón de Dios es lo peor que le podía haber pasado.

V. 3. Aunque antes Jonás había pedido a Dios por su vida, ahora pide la muerte. Una y otra vez se repite la conducta de Jonás, a veces pidiendo vivir, otras reclamando la muerte. El éxito de su predicación paradójicamente le causó una tristeza existencial.

V. 4. Dios procura hacerle reflexionar. *¿Haces bien en enojarte tanto?*

Vv. 5-8. Jonás sale de la ciudad, pensando que tal vez podría haber un cambio, y que todavía podría ver la destrucción de la ciudad, se construye una ramada para protegerse del sol. Dios colabora con Jonás proveyéndole una sombra inesperada, cosa que hace feliz al profeta. Pero al día siguiente todo vuelve a cambiar, como cambian también las emociones de Jonás.

Envía un gusano, ataca la planta que daba sombra a Jonás y se seca. Después viene un sofocante viento del desierto, tan molesto que casi desmaya al profeta. Todo esto era demasiado y Jonás volvió a pedir la muerte.

Vv. 9-11. La pregunta de Dios y la respuesta de Jonás demuestra la paciencia del primero y el orgullo del segundo. —*¿Te parece bien enojarte?* —*¡Me parece bien enojarme, hasta la muerte!* Parece imposible que un mensajero de Dios podría llegar a una posición tan radical; al enojarse tanto se ha radicalizado en su posición nacionalista. La conclusión es elocuente, el Señor se declara como compasivo y está listo a perdonar los pecados de los ninivitas, para luego restaurarlos a una relación saludable con él.

Aplicaciones del estudio

1. El amor de Dios por su creación es grande. Su plan es que todos pueden arrepentirse de su pecado y recibir el perdón divino.

2. Como Jonás nosotros tenemos la oportunidad de participar con Dios en este gran plan para su creación. Hemos sido llamados a ser luz a las naciones (Isa. 49:6).

3. Hay mucha violencia en el mundo, en la familia, en la calle, y entre grupos étnicos. El error fundamental de Jonás era de ser tan nacionalista que prefería la muerte a contemplar la posibilidad de que Dios pudiera perdonar a los enemigos tan crueles de su pueblo.

Prueba

1. Usando como base todo el libro de Jonás, describa dos pasos que siguió Dios para mostrar su compasión para Nínive.
   (1)______________________________
   (2)______________________________

2. Pensando en su propia experiencia y su necesidad de la compasión del Señor, reflexione en cómo la ha experimentado. ¿Bajo cuáles circunstancias y en qué forma puede experimentarla de nuevo?
   ____
   ____

Lecturas bíblicas para el siguiente estudio

Lunes: 2 Corintios 1:1, 2
Martes: 2 Corintios 1:3-5
Miércoles: 2 Corintios 1:6, 7
Jueves: 2 Corintios 1:8-10
Viernes: 2 Corintios 1:11, 12
Sábado: 2 Corintios 1:13, 14

PLAN DE ESTUDIOS
2 CORINTIOS, FILEMON

Escriba antes del número de cada estudio, la fecha en que lo usará.

Fecha **Unidad 9: Llamamiento a la consolación**

_______ 27. Acción de gracias en la tribulación
_______ 28. Amor y cuidado en la iglesia
_______ 29. Triunfantes en Cristo

Unidad 10: Llamamiento al ministerio apostólico

_______ 30. El ministerio del nuevo pacto
_______ 31. La perseverancia en el ministerio
_______ 32. Esperanza y misión
_______ 33. Las credenciales del ministerio

Unidad 11: Llamamiento a la generosidad cristiana

_______ 34. El ejemplo de Cristo
_______ 35. La generosidad cristiana

Unidad 12: Llamamiento a la defensa del evangelio

_______ 36. En defensa del ministerio
_______ 37. Falsos profetas = falsas doctrinas
_______ 38. Pureza moral y espiritual
_______ 39. Una carta de recomendación

2 Corintios, Filemón
Una introducción

La primera carta de Pablo a los corintios

Pablo partió de Efeso y se dirigió a Troas donde esperaba encontrar a Tito, a quien había enviado a Corinto. Su amigo y colaborador traería noticias de las condiciones en Corinto y de la reacción de parte de los hermanos de allá a la primera carta de Pablo.

Motivado por los informes recibidos por parte de Tito, Pablo escribió la segunda carta en Filipos, alrededor de los años 54 a 55 d. de J.C. Pablo expresa su gozo por los cambios que se observaron en la conducta de los miembros de la iglesia. Pero también había malas noticias. Un grupo seguía menospreciando la autoridad del Apóstol, acusándole de no cumplir su palabra de visitarles, y de adoptar un estilo autoritario en su carta que no tenía cuando estaba en persona.

Contenido de la carta. Después de los respectivos saludos y la aclaración de la naturaleza de su ministerio, el Apóstol explica el cambio de planes en relación con una visita a Corinto que nunca realizó.

Hablando de su ministerio aclara lo siguiente:

Su ministerio señala a la administración del nuevo pacto.

Ser ministro de ese pacto implica serias responsabilidades.

Su ministerio debe efectuarse a la luz del juicio de Cristo.

Debe haber congruencia entre lo que se dice y la manera de vivir; sus lectores son exhortados a limpiarse de toda inmundicia, ya que la rectitud y la maldad no pueden coexistir.

Finalmente, Pablo hace una reseña de su encuentro gozoso con Tito en Macedonia.

La ofrenda para los santos. De manera brusca, pasa a tratar el asunto de la colecta para los necesitados en Jerusalén.

Retoma la defensa de su apostolado denunciando a sus detractores. Señala que tiene las más altas calificaciones para desarrollar su ministerio.

Filemón

Escritor. Pablo se identifica como el escritor de esta carta e incluye a su consiervo Timoteo en los saludos tradicionales.

Remitente. Filemón parece haber sido una persona de buena posición económica; en su casa se reunía la congregación de Colosas.

Asunto. Uno de los esclavos de Filemón, Onésimo, le había robado escapándose de la casa. Onésimo se encuentra con Pablo en Roma y bajo su guía se convierte al cristianismo. Pablo, quien conoce a Filemón, escribe la carta para recomendar al amo ofendido que perdone a Onésimo quien de ahora en adelante pasa a ser hermano de su señor. Parece contradictoria la postura de un amo cristiano siendo dueño "de un hermano en Cristo Jesús" (v. 16), sin embargo, la esclavitud era una práctica de ese tiempo. Sobresale la mentalidad de que a pesar de las diferencias que había entre Filemón y Onésimo, Pablo les animó a relacionarse como hermanos en Cristo.

Acción de gracias en la tribulación

Contexto: 2 Corintios 1:1-14
Texto básico: 2 Corintios 1:3-11
Versículos clave: 2 Corintios 1:3, 4
Verdad central: La declaración de Pablo respecto a la gratitud que él sentía hacia el Señor por el consuelo recibido en las tribulaciones, nos muestra la disposición de Dios para dar consolación en los momentos difíciles del ministerio, y la necesidad de dar gracias aun en la tribulación.
Metas de enseñanza-aprendizaje: Que el alumno demuestre su: (1) conocimiento de las enseñanzas de Pablo en relación con la consolación de Dios en la tribulación, (2) actitud de gratitud al Señor en medio de las tribulaciones.

Estudio panorámico del contexto

Pablo tuvo que postergar el viaje que había prometido hacer para visitar a los hermanos en la iglesia de Corinto y algunos comenzaron a criticarlo severamente, acusándole de no ser ministro verdadero. Por eso les escribe esta carta para defender su llamamiento al ministerio, y para comprobar su fidelidad a Dios en cada momento desde que fue convertido. Los primeros siete capítulos de 2 Corintios están dedicados a esta defensa. Después de dos capítulos que tratan de la ofrenda para los pobres, Pablo comparte su experiencia y ministerio para terminar escribiendo sabias exhortaciones.

Es difícil ser dogmático en cuanto a la fecha de esta carta. Se cree que fue escrita desde Macedonia más o menos un año después de la primera epístola. Muchos señalan el año 56 d. de J.C. como la fecha de la primera epístola.

Al comenzar a escribir (1:1, 2) Pablo escribe su salutación, de acuerdo con la costumbre de aquel entonces: se identifica con su propio nombre, el cual podría ser muy conocido entre los miembros de la iglesia en Corinto. Pablo dice que es apóstol por la voluntad de Dios. Esto se explica en forma más clara en los versículos que siguen, pero aquí está preparándoles para hacerles saber que su decisión de ser ministro no es personal; más bien es consecuencia de una convicción ya que el origen de su llamado es Dios. Identifica a los recipientes de la epístola, los hermanos en la iglesia en Corinto y todos los santos que están en la región de Acaya.

Pablo ofrece acción de gracias por la tribulación que había experimentado, e identifica a Dios como la fuente de bendición, el cual nos socorre en momentos de necesidad.

Lea su Biblia y responda

1. a. Complete con vocales las tres siguientes palabras y descubrirá uno de los títulos que podrían dársele al v. 4.

C__NS__L__D__S P__R__ C__NS__L__R

b. ¿Cuál es el título que le pondría? ______________________________

____

2. Escriba una palabra que califique qué clase de esperanza tenía Pablo respecto a los corintios:

Esperanza ____________________

3. Según el v. 9, ¿Cuál fue para Pablo el propósito de sus tribulaciones?

____

____

Lea su Biblia y piense

1 Acción de gracias en la tribulación, 2 Corintios 1:3-5.

V. 3. *Bendito sea el Dios y Padre,* son palabras de alabanza, porque Pablo está glorificando a Dios en medio de las tribulaciones que ha sufrido. Los comentaristas llaman a este pasaje el himno de acción de gracias de Pablo. Pablo identifica a Dios como padre, Jesús se refirió a Dios en la oración modelo como el "Padre que estás en el cielo". Padre de nuestro Señor Jesucristo relaciona a Jesús con la divinidad. Para Pablo no había dudas en cuanto a la divinidad de Cristo. Estaba convencido de que Jesús era el Hijo de Dios, la segunda persona de la Trinidad. Padre de misericordia, otra cualidad importante de Dios. En la Biblia se destacan los actos misericordiosos de Dios, señalando su constante disposición para beneficiar al hombre, otorgándole no lo que el hombre merece, sino lo que necesita. *Dios de toda consolación* revela la cualidad emotiva de Dios, quien puede consolarnos *en todas nuestras tribulaciones.* Pablo habla de su propia experiencia. Pablo da una lista de sus sufrimientos: "en mucha perseverancia, en tribulaciones, en necesidades, en angustias, en azotes, en cárceles, en tumultos, en duras labores, en desvelos, en ayunos, ..."

Vv. 4, 5. *Quien nos consuela en todas nuestras tribulaciones.* La palabra que se traduce consuelo y consolación Pablo la utiliza diez veces en este párrafo, 29 veces en esta carta, y 74 veces en todas sus epístolas. Es una de sus palabras favoritas. Significa estar al lado de otra persona para ayudarle a llevar su carga. Esto es lo que Dios hace por nosotros y lo que podemos hacer en relación con las personas que están sufriendo. El consuelo que experimentamos nos da la capacidad de brindar esta misma consolación a otros que sufren. Las formas de los verbos en este versículo están en tiempo presente, lo cual significa que este consuelo es constante, está disponible en cada momento, y que debemos estar listos constantemente para brindarlo. Debemos ofrecer el consuelo que proviene de Dios.

Porque de la manera que abundan a favor nuestro las aflicciones de Cristo (v. 5). Hay tres posibles interpretaciones de este versículo: (1) Los sufrimientos del cristiano son parecidos a los de Cristo. (2) Son sufrimientos que el Cristo glorificado experimenta cuando sufre el cristiano. (3) Son los sufrimientos de Cristo en la cruz, los cuales nos son eficaces para salvarnos y darnos consuelo cuando nos toca sufrir.

2 Compañeros en la tribulación, 2 Corintios 1:6, 7.

V. 6. *Pero si somos atribulados... si somos consolados.* Cada persona que sufre persecución o tribulación necesita encontrar sentido en tal experiencia. Por eso, muchos que sufren por su testimonio manifiestan una felicidad y tranquilidad que el mundo no puede comprender. Es el consuelo que proviene de Dios para tales personas. Esto no quiere decir que nuestros sufrimientos deben ser vicarios para aliviar el sufrimiento de otros. Pero sí sabemos que por medio del sufrimiento y la muerte de Cristo nosotros podemos disfrutar de la salvación eterna, y nos prepara para poder soportar los sufrimientos que vendrán por nuestra fidelidad al Señor. *La cual resulta en que perseveráis bajo las mismas aflicciones que ...padecemos.* Esto indica que nuestros sufrimientos no son los mismos que Cristo padeció; más bien son los sufrimientos parecidos a los de Pablo y los demás apóstoles, quienes padecían persecución por compartir el evangelio. Muchos misioneros han padecido toda clase de sufrimiento para tener la oportunidad de anunciar las buenas nuevas. Sus sufrimientos les motivan a seguir adelante para lograr la meta de la conversión de los perdidos.

V. 7. *Y nuestra esperanza...es firme.* La palabra *firme* lleva la idea de tener los pies bien plantados para poder permanecer estables frente a los vientos contrarios que vienen en la vida cristiana. La *esperanza* lleva la idea de tener la seguridad que lo que Dios promete, eso va a cumplir. Así el cristiano puede soportar las aflicciones, porque tiene la promesa de la presencia de Dios para acompañarle. Pablo expresa su confianza en la mayoría de los cristianos en Corinto, lo cual significa que eran pocas las personas que estaban creando problemas en la iglesia. Pablo confiaba en que la mayoría de los cristianos iban a brindarle la consolación que es elemento necesario entre hermanos creyentes.

3 Tribulación para recibir consuelo, 2 Corintios 1:8-11.

V. 8. *No queremos que ignoréis...* Esta expresión la utiliza seis veces Pablo (1 Cor. 10:1; 12:1; Rom. 1:13; 11:25; 1 Tes. 4:13). Siempre introduce así una verdad que tiene significado especial. En esta ocasión él está llamando la atención a la aflicción que experimentó en Asia. *Fuimos abrumados sobre-*

manera, sugiere la idea de ser incapaz de andar bajo una carga que es demasiado pesada. Aquí Pablo no identifica cuál fue la naturaleza de su aflicción, que entre otras posibilidades podrían haber sido: (1) una rebelión en contra de Pablo como apóstol, parecida a lo que ahora encaraba en Corinto, (2) Atentados contra su vida como anteriormente había experimentado en Efeso, (3) una enfermedad grave, su "aguijón en la carne" (2 Cor. 12:7), y (4) una serie de persecuciones. *Hasta perder aun la esperanza de vivir;* no podemos saber con exactitud el problema que Pablo menciona, simplemente nos dice que casi era mortal, muy grave.

V. 9. *La sentencia de muerte*; Pablo en varias ocasiones pensó que estaba frente a la muerte. Pero mantuvo su fe en Dios y su confianza en que tenía que dar testimonio hasta el momento mismo de la muerte. Pablo señala el propósito divino de esta prueba: *para que no confiáramos en nosotros mismos,* su confianza estaba en *Dios que levanta a los muertos.*

V. 10. *Quien nos libró y nos libra de tan terrible muerte.* Pablo está refiriéndose a la experiencia que menciona en el versículo 8, que ha quedado muy viva en su memoria.

V. 11. *Vosotros estáis cooperando a nuestro favor con ruegos...* Pablo está seguro que los que van a recibir esta epístola están intercediendo por él y su seguridad. No entendemos por completo cómo trabaja la oración intercesora, sólo sabemos que lo hace. La oración intercesora obra tanto en el que está orando como en aquel por quien se ora.

Aplicaciones del estudio

1. Es necesario consolar a los que sufren. Esa es parte de nuestra responsabilidad como miembros del cuerpo de Cristo.

2. ¿Qué clase de sufrimientos tenemos que soportor hoy? Las varias formas de oposición han desaparecido en algunas partes pero todavía las hay.

3. ¿Qué recursos tengo yo para consolar a otros? Recordar que Cristo también padeció, nos motiva a permanecer fieles cuando estamos sufriendo.

Prueba

1. Describa la actitud de Pablo ante la adversidad. ________________

____

____

2. ¿Ha pasado alguna vez por tribulación? ¿Cuál ha sido su actitud? ____

____

Lecturas bíblicas para el siguiente estudio

Lunes: 2 Corintios 1:15, 16
Martes: 2 Corintios 1:17, 18
Miércoles: 2 Corintios 1:19
Jueves: 2 Corintios 1:20
Viernes: 2 Corintios 1:21, 22
Sábado: 2 Corintios 1:23, 24

Amor y cuidado en la iglesia

Contexto: 2 Corintios 1:15-24
Texto básico: 2 Corintios 1:15-24
Versículo clave: 2 Corintios 1:20
Verdad central: La declaración de Pablo respecto a los motivos de su amor y cuidado por la iglesia de Corinto nos enseña que debemos preocuparnos por el bienestar de los hermanos y el avance de la obra.
Metas de enseñanza-aprendizaje: Que el alumno demuestre su: (1) conocimiento de los motivos de Pablo en relación con la iglesia de Corinto, (2) actitud de compromiso para buscar el bienestar físico y espiritual de los miembros de su iglesia.

Estudio panorámico del contexto

Pablo había hecho planes para visitar la iglesia en Corinto de nuevo, y parece que había anunciado la fecha de su visita. Pero algo impidió el cumplimiento de esta promesa. Pablo mismo dijo que Dios intervino en el asunto. Pero algunos miembros de la iglesia de Corinto comenzaron a criticar a Pablo, diciendo que no era serio en su compromiso con el Señor. Lo acusaban de vacilación en su servicio. Esto hirió a Pablo profundamente, él escribió los versículos que estudiaremos para defender su ministerio, llegando a hacer una defensa en términos generales en los capítulos siguientes.

Pablo aseguró a los cristianos en Corinto que sí tenía deseos y planes para visitarlos. El hecho de tener que postergar su viaje no quería decir que les había olvidado. Antes de decir que sí o que no a esa invitación, Pablo responsablemente había consultado a Dios para averiguar cuál sería su voluntad sobre el asunto.

Pablo ensalza el papel de colaborador con Dios en compartir el evangelio y así traer el gozo a las personas que aceptan a Cristo. Asegura que su llegada a Corinto será motivo de gozo y no de tristeza. No quiere llegar con palabras de regaño; más bien quiere llevar palabras de gozo.

Estudio del texto básico

Lea su Biblia y responda

1. El v. 15 declara para qué quería Pablo visitar a los corintios:

a. Para que tuviesen ______________________________

b. ¿Qué quería decir Pablo con esa expresión? ____________________

____

2. ¿Quiénes habían predicado a los corintios? ____________________

____

3. Lea los vv. 21, 22 y complete:

Dios es el que:

nos ____________________________

nos ____________________________

nos ____________________________

4. ¿A quién invocó Pablo como su testigo? ______________________

Lea su Biblia y piense

1 El deseo de Pablo de visitar a los corintios, 2 Corintios 1:15-17.

V. 15. *Con esta confianza, quise ir antes a vosotros...* La confianza a que se refiere es lo que menciona en los versículos 12-14. El siempre había ministrado entre los hermanos con sencillez y sinceridad, características que provienen de Dios. No trató de manifestar la sabiduría humana; quería ser vocero de Dios. La expresión *quise ir* revela el profundo interés y amor de Pablo por los hermanos en Corinto. Ellos eran especiales para Pablo, su *motivo de gloria... en el día de nuestro Señor Jesús. Una segunda gracia* comunica la idea de que las visitas de Pablo eran ocasión de la manifestación del poder divino en formas especiales entre los corintios. Ellos ya habían sido bendecidos con la primera visita que Pablo les hizo, la cual se extendió a "un año y seis meses, enseñándoles la palabra de Dios" (Hech. 18:11). Fue durante aquella primera "gracia" que Pablo declaró cuál sería de allí en adelante el propósito de su ministerio "de aquí en adelante iré a los gentiles" (Hch. 18:6).

V. 16. *Y pasar de vosotros a Macedonia ... para ser encaminado por vosotros a Judea.* Pablo tenía en mente un itinerario, el cual se menciona en 1 Corintios 16:5. No sabemos las razones por qué era necesario cambiar estos planes. Pero algunos hermanos quedaron desilusionados con Pablo debido a esto. El propósito de visitar Corinto antes de seguir para Judea era el de recoger la ayuda económica que los hermanos en Corinto habían recolectado para los pobres en Judea de la cual les escribió en su primera carta (1 Cor. 16:1-4).

V. 17. *Siendo ese mi deseo, ¿acaso usé de ligereza?* Fue sorpresa para Pablo la reacción de los hermanos en Corinto, que le acusaron de inestabilidad. Ligereza aquí lleva el sentido de tomar decisiones sin pensar claramente sobre las consecuencias de tales decisiones. Esto hirió a Pablo profundamente. La pregunta retórica esperaba una respuesta negativa, porque Pablo no quería ser acusado de vacilación que es producto de insensatez. *¿Lo que quiero hacer, lo quiero según la carne?* Este no era el patrón de vida de Pablo. Su motivación era vivir para glorificar a Cristo primero, según Gálatas 2:20. Pablo sintió que su carne, su yo había sido sacrificado y que su único motivo en la vida era glorificar a Dios. *De manera que en mí haya un "sí, sí" y un "no, no".* La idea es que por un lado de la boca uno dice que "sí" y por el otro lado dice que "no". A nadie nos gusta tal clase de persona, la que dice lo que piensa que queremos escuchar, aunque no tenga planes de cumplir con su promesa.

2 El sí y no de los hombres y el sí de Dios en Jesucristo, 2 Corintios 1:18-22.

V. 18. *Dios es fiel.* Esto se refiere a un atributo de Dios, que siempre manifiesta su fidelidad en cumplir las promesas que hace. Así fue con Abram y Sara. Aunque ellos vacilaban en su fe en Dios para cumplir su promesa de darles prole, Dios fue fiel en cumplir lo que había prometido (Gén. 17:15-21).

V. 19. *Porque Jesucristo, ...que ha sido predicado, ...fue "sí" en él.* Pablo afirma que no hay lugar para dudas ni vacilaciones en cuanto a lo que Cristo hizo por nosotros y el mensaje de salvación que debemos predicar. *Por mí, por Silas y por Timoteo* se refiere al equipo original que fue a Corinto para iniciar la predicación del evangelio allí. Fue un equipo de tres personas comprometidas para cumplir su misión de anunciar la certidumbre del evangelio y no para compartir dudas.

V. 20. *Todas las promesas de Dios son en él "sí".* El énfasis aquí está en *todas*, abarcando las promesas de Dios tanto en el Antiguo como en el Nuevo Testamentos. La Biblia es un libro de promesas. Si nos ponemos a enumerar las promesas nos llevaría muchos días completar la tarea. Pablo está recalcando el hecho que podían confiar en sus palabras, y el hecho de haber cambiado los planes del viaje no era base suficiente para dudar de su sinceridad como ministro. *Para su gloria por medio nuestro* vuelve a recordarnos que nuestro servicio para el Señor es para la gloria de Dios y no la nuestra.

V. 21. *Y Dios es el que nos confirma con vosotros*; la palabra *confirma* también se traduce "establece". Es un participio en tiempo presente en griego, lo que significa que es una acción constante de parte de Dios a favor nuestro. *Con vosotros*: Aquí Pablo incluye a los corintios, junto con él y sus compañeros, en la compañía de los fieles; es un intento de hacerles ver que están todos juntos entregados a una tarea común. *En Cristo* menciona la relación mística que el cristiano disfruta con Cristo por su fe. *El que nos ungió*; se refiere a la costumbre en el Antiguo Testamento de ungir a alguien dedicándolo, separándolo para una tarea especial en respuesta a un llamamiento divino. Eliseo fue ungido por Elías (1 Rey. 19:19-21).

V. 22. *Es también quien nos ha sellado.* El sello del Espíritu Santo en el cristiano da testimonio verídico a todos que uno es salvado por Cristo. El cristiano debe mostrar un sistema de valores muy distinto al de los inconversos, quienes deben así darse cuenta de que hemos sido sellados por el Espíritu Santo. *Ha puesto como garantía al Espíritu en nuestros corazones.*

La palabra *garantía* es término legal que se utilizaba en asuntos de negocio. Podemos vivir la vida cristiana, porque tenemos la garantía de que las recompensas prometidas están seguras.

3 El verdadero motivo de la tardanza, 2 Corintios 1:23, 24.

V. 23 *Yo invoco a Dios ... es por consideración a vosotros.* Ahora Pablo vuelve al tema, su visita a Corinto. Utiliza la terminología legal del testigo en el tribunal. Invoca a Dios como testigo para verificar sus palabras y la veracidad de lo que va a decir.

V. 24. *Porque no nos estamos enseñoreando de vuestra fe.* Aquí Pablo rechaza la idea de que tiene autoridad legal sobre los hermanos en la iglesia de Corinto. Evitó la posibilidad de esa acusación de parte de los corintios. *Más bien, somos colaboradores para vuestro gozo;* esas acusaciones le hicieron sentir como un "dictador espiritual". La reacción del Apóstol fue inmediata y se apresuró a aclararles que la cooperación y no en el dominio era su método. El motivado por el amor, quería servir.

Aplicaciones del estudio

1. Debemos buscar la manera de resolver los malos entendidos entre hermanos. Muchas veces los motivos de la división son insignificantes cuando se considera su efecto sobre la expansión del evangelio.

2. Cuando vemos que no podemos cumplir con un compromiso, debemos decir con franqueza las razones. Esto evitará que malos entendidos y chismes afecten nuestro testimonio.

3. La fidelidad en anunciar y extender el evangelio es primordial. Tenemos la presencia de Jesucristo, y el sello del Espíritu Santo para verificar el mensaje que anunciamos.

Prueba

1. Exprese en una corta oración cuáles fueron los motivos de Pablo en relación con la iglesia de Corinto. ______________________________
____

2. ¿Cómo podemos testificar a otros por medio de nuestra vida, de tal manera que acepten nuestra palabra como "sí, sí" o "no, no"? ____________
____

Lecturas bíblicas para el siguiente estudio

Lunes: 2 Corintios 2:1-4
Martes: 2 Corintios 2:5-8
Miércoles: 2 Corintios 2:9-11
Jueves: 2 Corintios 2:12, 13
Viernes: 2 Corintios 2:14, 15
Sábado: 2 Corintios 2:16, 17

Estudio **29**

Unidad 9

Triunfantes en Cristo

Contexto: 2 Corintios 2:1-17
Texto básico: 2 Corintios 2:5-17
Versículo clave: 2 Corintios 2:15
Verdad central: Dios no deja a los suyos sujetos a las vicisitudes de la vida, sino que les da el triunfo sobre las circunstancias adversas para bendición de su iglesia.
Metas de enseñanza-aprendizaje: Que el alumno demuestre su: (1) conocimiento del cuidado de Dios para con sus siervos, (2) actitud de confianza en que el Señor le dará siempre la victoria sobre la adversidad.

Estudio panorámico del contexto

Cuando Pablo expresa en 2:1: Así que decidí, les está comunicando a los corintios que él está firme en lo que les dijo en 1:23. Como expresó un comentarista: Pablo postergó su visita a los corintios para que éstos tuvieran tiempo de poner su casa en "orden". Mientras tanto Pablo en mucha tribulación, y con muchas lágrimas les comparte que el amor que siente por ellos es grande. Pablo insistió en escribir una carta en lugar de llegar con tristeza para regañarles personalmente. ¿Cuál fue el propósito de su carta? El de crear en la iglesia de Corinto una atmósfera positiva entre los hermanos de manera que al llegar Pablo todos pudieran gozar una vez más de su compañía.

Estudio del texto básico

Lea su Biblia y responda

1. Según el v. 5, cuando un miembro de la iglesia comete una falta moral, una ofensa, su mal alcanza a (marque la respuesta correcta):
   —Sólo a ella —La persona que ofendió —Toda la congregación

2. ¿Por qué expresa Pablo en el v. 14 su gratitud a Dios? ____________________
   ____

3. El v. 17 señala dos cualidades de la predicación de Pablo que son garantía de éxito al exponer la Palabra de Dios. ¿Cuáles son?
   (a) ____
   (b) ____

Lea su Biblia y piense

1 El triunfo del perdón y la reconciliación, 2 Corintios 2:5-11.

Vv. 5-7. Alguien había entristecido a Pablo y a toda la iglesia. El ofensor había sido sancionado, disciplinado por *la mayoría* de los de la congregación. Ahora Pablo exhorta a los corintios a que perdonen a tal hermano y logren la reconciliación que todos necesitaban para vivir juntos y en armonía. La acción era de *perdonarle y animarle.* Se refleja en este pasaje la práctica de la disciplina cristiana. Y bajo la recomendación de Pablo de restaurar a la comunión de la iglesia a la persona que había sido disciplinada, nos da la pauta para descubrir cuál es, al final de cuentas, el propósito de esta práctica. Una vez que haya un cambio de actitud y evidencias de arrepentimiento, lo mejor es perdonar y animar. Es una acción como la de Dios frente al hombre pecador.

Vv. 8-11. El perdón sería muestra del amor. Perdonar *en presencia de Cristo* implicaba que no sólo debía ser restaurada la relación entre el ofensor y la iglesia, sino también entre él y el Señor. La advertencia final es a no permitir que *Satanás* logre sus propósitos destructivos. *No ignoramos sus propósitos* nos recuerda que una de las tretas favoritas de Satanás es causar problemas internos en la iglesia, para provocar la división y así lograr el retroceso o estancamiento del reino.

2 El triunfo del amor, 2 Corintios 2:12, 13.

V. 12. *Cuando llegué a Troas para predicar el evangelio;* ahora Pablo está explicando las razones de mayor peso que le motivaron a cambiar su plan de viaje; era la gran oportunidad de predicar en Troas. Troas era una importante ciudad en Asia Menor y su puerto era el más cercano a Europa. En una visita anterior a Troas, Pablo recibió en esta ciudad una visión por medio de la cual Dios le llamaba a ir a Macedonia a ayudar a establecer la obra (Hech. 16:8, 9). No sabemos si el plan de Pablo, según el v. 12, era hacer una visita ligera o extensiva. *Se me había abierto puerta en el Señor* quiere decir que encontró a muchas personas hambrientas de escuchar el evangelio. Cuando encontramos una puerta abierta para el evangelio, debemos de entrar en ella porque no sabemos hasta cuándo va a permanecer abierta. Pablo, el apóstol fiel en aprovechar todas y cada una de las oportunidades para predicar la palabra, en esta oportunidad compartía su misión en Troas con una gran preocupación por sus amados hermanos en Corinto.

V. 13. *No tuve reposo en mi espíritu...* Pablo estaba preocupado por el estado de Tito, quien no estaba en Troas como lo esperaba. Tito había sido el mensajero de Pablo para la iglesia de Corinto y el Apóstol se preocupaba por los resultados de su carta entre los hermanos en Corinto. *Me despedí de ellos y partí para Macedonia.* Esta carta fue redactada en Macedonia, después de haber recibido las buenas noticias por boca de Tito del efecto de su carta en Corinto. El grande amor (v. 4) que Pablo tenía por los corintios había triunfado y su gozoso corazón estalla en un cántico de gratitud.

3 El triunfo del testimonio, 2 Corintios 2:14-16.

V. 14. *Gracias a Dios, que hace que siempre triunfemos en Cristo.* Pablo pronuncia un mensaje de triunfo por la oportunidad de ministrar en su nombre. El optimismo de esta declaración presenta un gran contraste con su preocupación por Tito y las condiciones de la iglesia en Corinto (vv. 1-4). A veces nos desanimamos por circunstancias en nuestro lugar de servicio; pero cuando pensamos en el poder omnipotente de Dios, podemos estar gozosos. Es la relación *en Cristo* que nos da la base para regocijarnos. *Manifiesta en todo lugar el olor de su conocimiento*;

El evangelio es como un olor atractivo que permea con su aroma todo lugar donde llega. Tiene el efecto de endulzar la vida de las personas que lo aceptan.

V. 15. *Para Dios somos olor fragante de Cristo*; Pablo usa la figura de los sacrificios en el Antiguo Testamento y el olor fragante que emitían. Dice que la presencia de Cristo en nuestras vidas crea un olor fragante. Cada cristiano puede testificar de la diferencia que Cristo ha hecho en su vida desde que recibió a Cristo como Salvador. *En los que se salvan y en los que se pierden*; la raza humana se divide en dos grupos: los que se salvan y los que se pierden. Cada persona decide si está entre los salvos o los condenados.

V. 16. *A los unos un olor de muerte . . a los otros, un olor de vida para vida.* Pablo explica primero la razón de la muerte de algunos. Es una muerte espiritual, eterna, porque no quieren recibir a Cristo como Salvador personal. Hay elementos de progreso en las dos cláusulas. Los que rechazan a Cristo siguen un camino de degeneración progresiva; los que se salvan van progresando hacia la santidad en su vida cristiana. El abismo entre estos dos fines es grande.

Para estas cosas ¿quién es suficiente? La implicación es que no hay nadie. Pablo está recalcando la importancia de la predicación del evangelio, porque la respuesta a ese evangelio determina si uno va a experimentar la muerte espiritual o la vida eterna.

4 El triunfo de la Palabra, 2 Corintios 2:17.

V. 17. *No somos, como muchos, traficantes de la palabra de Dios.* Traficantes era una palabra con sentido negativo en el día de Pablo. Se refería a las personas que adulteraban sus productos para engañar. *Como muchos* se refiere a los oponentes de Pablo en la predicación. Ellos estaban predicando un evangelio adulterado porque insistían en añadir la observancia de la ley judía como requisito para ser cristianos. Pablo luchaba con estos judaizantes en su epístola a los Gálatas y en otros lugares donde predicaba el evangelio. ¿Hay traficantes del evangelio entre nosotros hoy en día? *Con sinceridad y como de parte de Dios, hablamos...* Pablo afirma que predica un evangelio puro, con sinceridad. Otra vez está respondiendo a los que le acusaban de insinceridad porque no había cumplido con su promesa. El triunfo de la Palabra viene a través de aquellos que como Pablo pueden decir: "nuestra suficiencia proviene de Dios" (2 Cor. 3:5).

Aplicaciones del estudio

1. Es necesario tener una actitud de perdonar a otras personas. En las circunstancias de la vida puede haber ocasiones de malos entendidos, acusaciones falsas y juicios equivocados en las relaciones interpersonales. El desafío para el cristiano es tener la capacidad de pedir perdón y perdonar. Son dos características que siempre son necesarias en la obra de Señor.

2. Nuestro interés en el avance del evangelio es acompañado por una preocupación por el bienestar de los que están predicando el evangelio. No perdamos de vista a las personas que se exponen a grandes peligros para anunciar el evangelio. Hay algunos misioneros secuestrados en varios países; debemos orar por ellos. Es increíble que en plena era de grandes avances en todas las esferas todavía se vea persecución religiosa.

3. Como cristianos tenemos la responsabilidad de transformar la sociedad. Somos olor fragante, lo cual significa que emitimos una influencia de benignidad y creamos un ambiente de alegría y paz en todas partes. Desgraciadamente a veces permitimos que la sociedad con su moda y su filosofía influya en la iglesia.

Prueba

1. ¿Cuáles son algunas de las muestras del cuidado de Dios para con sus siervos, según el estudio? ____________________
____
____
____
____

2. Describa una situación adversa que haya enfrentado alguna vez. ¿Tuvo confianza en el Señor? ¿Cómo demostró esa confianza?
____
____
____
____

Lecturas bíblicas para el siguiente estudio

Lunes: 2 Corintios 3:1-3
Martes: 2 Corintios 3:4-6
Miércoles: 2 Corintios 3:7-9
Jueves: 2 Corintios 3:10-13
Viernes: 2 Corintios 3:14, 15
Sábado: 2 Corintios 3:16-18

El ministerio del nuevo pacto

Contexto: 2 Corintios 3:1-18
Texto básico: 2 Corintios 3:4-18
Versículo clave: 2 Corintios 3:6
Verdad central: Las declaraciones de Pablo acerca de su ministerio nos enseñan que el siervo no es adecuado para ninguna tarea espiritual, Dios es el que lo capacita para ella.
Metas de enseñanza-aprendizaje: Que el alumno demuestre su: (1) conocimiento de las enseñanzas de Pablo acerca de la intervención de Dios en la capacitación de sus siervos para la tarea misionera, (2) actitud de reconocer a Dios como la fuente de adecuación para el servicio.

Estudio panorámico del contexto

Era costumbre en tiempos antiguos, tanto como en nuestros días, escribir y recibir cartas de recomendación. Estamos muy familiarizados con esta costumbre si hemos buscado un empleo en los últimos años. Por eso, Pablo introduce este capítulo con una referencia a esta costumbre, y afirma que los mismos corintios son su carta de recomendación. En Hechos 18:27, cuando Apolos fue a Corinto por primera vez, los hermanos le animaron y escribieron para que lo recibieran con los brazos abiertos. Pablo escribió una carta a favor de Febe, diaconisa en la iglesia de Cencrea (Rom. 16:1, 2). Pablo pudo jactarse de los cristianos en Corinto, diciendo que ellos representaban cartas, no escritas en la forma acostumbrada, sino en los corazones de Pablo y sus compañeros, para dar testimonio permanente de la fidelidad de Pablo en el evangelio.

La vida del creyente es una carta abierta. Otros están leyendo lo que escribimos por medio de nuestras palabras y acciones. En este capítulo Pablo llega a afirmar que su propia fidelidad en el ministerio es testimonio abierto para que todos lo lean, y que él no necesita cartas de recomendación. Otra vez está haciendo alusión a personas que habían logrado entrar y sembrar la división en la iglesia por medio de cartas falsas que testificaban de su veracidad. Pablo quiere reconocer en humildad que la suficiencia que él tiene no proviene de sus capacidades sino de Dios. Además, la mejor carta de recomendación del Apóstol es el arduo trabajo que ha realizado y los frutos que ha alcanzado para la gloria de Dios.

Lea su Biblia y responda

1. ¿En qué estaba basada la confianza de Pablo según los vv. 4 y 5?

____

2. ¿Quién capacita a los ministros? ______________________

3. Teniendo la esperanza expuesta en los vv. 7-11, ¿cómo debe actuar el cristiano? (v. 12) ______________________

____

4. Donde está el Espíritu del Señor, v. 17, hay ______________________

Lea su Biblia y piense

1 Nuestra suficiencia para ministrar proviene de Dios, 2 Corintios 3: 4-6.

V. 4. *Esta confianza tenemos delante de Dios.* Aquí Pablo contrasta la confianza que tiene delante de Dios con la de las personas quienes estaban dudando de su veracidad como ministro. Parece que algunos hasta habían cuestionado lo más fundamental en Pablo: su sentido de llamado de Dios para ser ministro. Su propia vida era la mejor carta de recomendación delante de los que querían cuestionar su sinceridad. Por medio de Cristo señala la fuente de su confianza delante de Dios. Pablo afirma en tantos pasajes que Cristo es el centro de su vida. Su único motivo en vivir era servir a Cristo y extender su evangelio (Gál. 2:20, Fil. 1:21-24).

V. 5. *No que seamos suficientes en nosotros mismos*; La palabra *suficientes* lleva la idea de tener las cualidades para calificarse para una tarea. Pablo está citando su trabajo específico en Corinto entre los hermanos allí, pero la aplicación puede alcanzar a todo siervo de Dios en cualquier lugar donde Dios le tiene ministrando. *...Algo proviene de nosotros*; se refiere a esa debilidad común entre muchos predicadores quienes piensan que sus dones son la clave de su éxito en el ministerio y no son suficientemente humildes para atribuir sus capacidades y éxitos a la bondad de Dios. *Sino que nuestra suficiencia proviene de Dios,* es una aclaración y una afirmación para darle la gloria a Dios. Pablo consideraba que solo no era nada, pero que el poder de Dios en él era todo.

V. 6. *El mismo nos capacitó como ministros del nuevo pacto.* Aquí vemos la fuente de nuestro llamado para ser ministros. Es Dios. Solamente los llamados por Dios van a sentirse felices y tener fruto en su ministerio. Captamos la actividad de Dios en el proceso de capacitarnos. Uno puede tener mucha educación, pero si no ha sido capacitado por Dios, no va a tener fruto en su ministerio. El nuevo pacto presenta el contraste entre el pacto que Dios hizo con Israel en el Antiguo Testamento con el nuevo pacto, representado en Cristo. Jeremías hizo referencia a un nuevo pacto futuro cuando dijo: "He aquí vienen días, dice Jehovah, en que haré un nuevo pacto con la casa de Israel y con la casa de Judá... Pondré mi ley en su interior y la escribiré en su corazón. Yo seré su Dios, y ellos serán mi pueblo" (Jer. 31:31, 33). Dios ha prometido a la humanidad la redención y la salvación. Nuestra tarea es comunicar esta promesa a toda persona en el mundo. *La letra mata, pero el Espíritu vivifica.* La Ley establece reglas de conducta que nadie puede cumplir. Por eso, uno se condena por la ley. El Espíritu da vida, porque trae la convicción del pecado y después trae el perdón del pecado.

2 Ministros del nuevo pacto, 2 Corintios 3:7-11.

V. 7. *Y si el ministerio de muerte... vino con gloria*; con este versículo Pablo comienza a hacer un contraste entre la Ley y la vida eterna y espiritual que tenemos en Cristo por medio del Espíritu Santo. *El ministerio de muerte*, la ley servía para traer la condenación y la muerte. La Ley, frente a la plena luz de Cristo, desvanecía la luz del mundo.

Vv. 8, 9. *¡Cómo no será con mayor gloria...!*; la gloria del ministerio del Espíritu Santo entre nosotros es mucho mayor que el poder de la Ley sobre la gente en el pasado. *Si el ministerio de condenación era con gloria, ¡cuánta más...!* La gloria relacionada con la Ley es la manera en que Moisés la recibió. La Ley servía para condenar, pero la justificación por medio de la muerte de Cristo trae una gloria mucho más resplandeciente.

V. 10. *Lo que había sido glorioso no es glorioso...* En el momento de recibir la Ley en Sinaí, el pueblo sentía que era glorioso porque representaba la revelación de Dios para el pueblo de aquel entonces. Pero al comparar esa Ley con la dádiva de Dios a la humanidad en la persona de Jesucristo, tenemos que reconocer que la Ley ya no se ve tan gloriosa.

V. 11. *Lo que se desvanecía ... lo que permanece.* Pablo sigue haciendo comparaciones por contraste. La Ley, dada en circunstancias de gloria, era temporal, para una época pasada; pero la gloria del evangelio es permanente. Así lo han experimentado las multitudes que han recibido a Cristo a través de los siglos. Cada generación experimenta la gloria de su permanencia. Aun hasta hoy seguimos experimentando una gloria que es permanente. *¡Cuánto más excede en gloria lo que permanece!*

3 El velo del antiguo pacto es quitado por Cristo, 2 Corintios 3:12-18.

V. 12. *Así que, teniendo tal esperanza*; Pablo manifiesta una esperanza o confianza segura que el mensaje del evangelio es duradero, y que va a perdurar hasta el fin del mundo. *Actuamos con mucha confianza*; la palabra *confianza* significa en el griego algo abierto, que puede ser examinado sin temor de descubrir alguna falla. Así Pablo está afirmando que lo que ha experimentado es genuino, verdadero.

V. 13. *No como Moisés, quien ponía un velo sobre su cara.* Se refiere a la experiencia en Exodo 34:33-35. Esto puede ser testimonio de nosotros, cuando permanecemos en la presencia de Dios, sentimos su resplandor; pero cuando nos alejamos del Señor, perdemos algo de esa gloria.

V. 14. *Sin embargo, sus mentes fueron endurecidas*; el pueblo del día de Moisés endureció su corazón en varias ocasiones. *Hasta el día de hoy*; Pablo decide saltar de los tiempos antiguos a su propia época. Los judíos estaban viviendo bajo la sombra de ese velo. *Sólo en Cristo es quitado.* Pablo aprovecha cada ocasión para dar testimonio del poder del evangelio.

Vv. 15, 16. La Ley de Moisés se mantiene con velo; la Ley no tiene eficacia para iluminar los corazones. *Pero cuando se conviertan al Señor, el velo será quitado.* El experimentar el poder del evangelio nos liberta de la carga del pecado y nos da la iluminación divina para poder vivir en la plena luz de entender las cosas espirituales.

Vv. 17, 18. *El Señor es el Espíritu*; identifica a Cristo con el Espíritu; son dos personas de la Trinidad. *Donde está el Espíritu del Señor, allí hay libertad.* En Cristo hay una libertad para vivir libre de la condenación y de las pasiones de la carne. El *Espíritu del Señor* va transformando a los hijos de Dios hasta que sean semejantes a él.

Aplicaciones del estudio

1. El testimonio que damos y las personas que aceptan a Cristo son nuestras cartas de recomendación.

2. La vida en Cristo es una vida de libertad en contraste con el legalismo. Nosotros estamos viviendo bajo Cristo y no bajo la Ley.

3. El pecado nos separa de Dios. Sigue siendo una verdad tanto para los creyentes como para los que no lo son.

Prueba

1. ¿En qué sentido decimos que Dios interviene en la capacitación de sus siervos para la obra misionera? ______________________________

____

2. En su caso particular, ¿a qué atribuye usted su capacidad para cumplir su tarea dentro de la iglesia? ______________________________

____

Lecturas bíblicas para el siguiente estudio

Lunes: 2 Corintios 4:1-3
Martes: 2 Corintios 4:4-6
Miércoles: 2 Corintios 4:7-9
Jueves: 2 Corintios 4:10-12
Viernes: 2 Corintios 4:13-15
Sábado: 2 Corintios 4:16-18

La perseverancia en el ministerio

Contexto: 2 Corintios 4:1-18
Texto básico: 2 Corintios 4:7-18
Versículo clave: 2 Corintios 4:16
Verdad central: La perseverancia en el ministerio a pesar de la adversidad es una de las características esenciales del siervo de Dios.
Metas de enseñanza-aprendizaje: Que el alumno demuestre su: (1) conocimiento de la perseverancia de Pablo en la obra misionera a pesar de las circunstancias adversas que tuvo que enfrentar, (2) actitud de persistencia en la tarea que el Señor le ha encomendado.

Estudio panorámico del contexto

Imaginémonos que estamos acompañando, con las limitaciones de aquella época, a Pablo en uno de sus viajes misioneros del primer siglo. Tenemos que limitar nuestro equipaje a lo que podemos llevar nosotros mismos, sin tener las comodidades de vehículos, carretas y bestias, ni ninguna ayuda humana. Tenemos que estar dispuestos a dormir al aire libre o acomodarnos a las facilidades que estén disponibles cuando llega la noche. Tenemos que comer lo que se puede llevar ya preparado o lo que requiere poca preparación. Juntamente con esto tenemos que estar listos a soportar toda forma de oposición. Pablo fue apedreado en Listra y dejado por muerto fuera de la ciudad (Hech. 14: 19, 20). ¿Estaríamos dispuestos para ministrar en estas condiciones? A pesar de las incomodidades y las formas de oposición, Pablo consideró que la predicación del evangelio era un tesoro que él guardaba y que tenía que gastar su vida en predicar.

Estudio del texto básico

Lea su Biblia y responda

En las siguientes frases marque las palabras o expresiones que no concuerdan con lo que escribió Pablo en 2 Corintios 4:7-18.

1. Tenemos un tesoro en vasos de barro y también de oro.
2. Estamos expuestos a muerte por causa de Satanás, del materialismo y de Jesús.
3. Creemos, por lo tanto cantamos, hablamos y lloramos.
4. Nuestra momentánea y leve tribulación y alegría produce para nosotros

un eterno peso de sufrimiento y de gloria.

5. Las cosas que se ven son temporales y eternas, las que no se ven son eternas y temporales.

Lea su Biblia y piense

1 Tesoro precioso en vasos de barro, 2 Corintios 4:7-10.

V. 7. *Tenemos este tesoro en vasos de barro.* Pablo ha mencionado las limitaciones de la carne refiriéndose a los que ministran con estas limitaciones. Ahora establece un contraste entre el ministro y el evangelio. *Tesoro* se refiere al mensaje del evangelio que trae la luz del conocimiento de la gloria de Dios (v. 6). *En vasos de barro,* son los instrumentos humanos que traen las buenas nuevas. Se ha dicho que la semilla del evangelio se ha sembrado en medio de la sangre de los predicadores. El vaso humano es frágil y no perdura; pero el evangelio es poderoso y eterno, y sus efectos se sienten después de siglos. *Para que la excelencia ... sea de Dios, y no de nosotros.* De esta manera se elogia al autor de la dádiva y no al instrumento que la trae.

Vv. 8, 9. *Estamos atribulados en todo, pero no angustiados.* Pablo menciona en estos versículos cuatro maneras en que el evangelio pudo haber sido sofocado: (1) *atribulados,* con las presiones que acompañan al ministro del evangelio (2) *perplejos,* la palabra lleva la idea de ser triturados, pero sin ser derrotados, (3) *perseguidos,* como los cazadores persiguen a la presa que están cazando, y (4) *abatidos.* La figura de la persona que cae bajo el ataque, pero se levanta para continuar en el combate. Todos estos términos pueden referirse a las competencias de los gladiadores, las cuales eran comunes en día de Pablo. En cada caso, Pablo afirma el hecho que no hemos sido derrotados a pesar de las formas de oposición que experimentamos.

V. 10. *Siempre llevamos en el cuerpo la muerte de Jesús...* Pablo ejercía su ministerio en medio de peligros que amenazaban quitarle la vida. Pero pudo testificar que la presencia de Cristo siempre le mantenía seguro y motivado para seguir adelante. Los que predican el evangelio han corrido peligro a través de la historia. *Para que ... en nuestro cuerpo se manifieste la vida de Jesús.* Pablo insistía en que el creyente es encarnación del amor de Dios comunicado en la muerte de Cristo.

2 Entre la muerte y la vida, 2 Corintios 4:11-15.

V. 11. *...Siempre estamos expuestos a muerte por causa de Jesús.* El cristiano es identificado con Cristo y participa en sus sufrimientos cuando vive una vida de sufrimientos y entrega semejante a la de Cristo. Los oponentes del cristianismo siempre van a buscar maneras de atacar.

V. 12. *En nosotros actúa la muerte, pero en vosotros actúa la vida.* Pablo está diciendo que los cristianos corren peligro de muerte en predicar el evangelio donde hay oposición severa, pero los que escuchan y reciben el evangelio experimentan la vida eterna. Posteriormente, al comenzar a testificar, ellos también llegarán a correr el mismo peligro.

V. 13. *El mismo espíritu de fe*; citando una parte del Salmo 116:10: *Creí, por lo tanto hablé;* Pablo está refiriéndose a la fe personal del creyente en el poder de Dios para obrar el milagro de la salvación para los que creen. El cristiano que manifiesta esta misma fe y puede hablar, dando testimonio de las maravillas del evangelio.

V. 14. *Nos resucitará también.* Pablo llega a uno de sus temas favoritos: la resurrección de Cristo y la esperanza de nuestra resurrección. Los corintios le habían preguntado sobre el estado de los que habían muerto, siendo cristianos, y en 1 Corintios 15 Pablo da una contestación, afirmando que los cristianos vamos a resucitar igual como Cristo resucitó. *Nos presentará a su lado juntamente con vosotros* ; El verbo *presentar* es el mismo que utilizaban cuando traían los animales para los sacrificios. Nosotros vamos a participar con Cristo en el gozo de la resurrección y la herencia eterna reservada en los cielos.

V. 15. *Mientras aumente la gracia por medio de muchos*; se refiere al hecho de cuantos más escuchan y aceptan la predicación del evangelio, tantos más van a escuchar. Por consiguiente, más personas van a disfrutar de las bendiciones, y vemos así extendida la gracia de Dios a otras personas. Es impresionante ver cómo esta verdad se ha comprobado en la historia. Indígenas paganos que eran antropófagos se han convertido, y ahora glorifican a Dios. En muchas partes hay evidencias maravillosas de personas que se han convertido. Todo esto es *para la gloria de Dios.*

3 Perseverar fijando la vista en lo eterno, 2 Corintios 4:16-18.

V. 16. *No desmayamos*; La bendición de ver a otros recibir el evangelio motiva al Apóstol a seguir adelante. Aunque uno puede estar cansado por las dificultades en el proceso, no piensa en darse por vencido. Está entregado a una tarea que no puede abandonar. *Más bien*, son palabras fuertes de contraste en griego, para poner énfasis en lo contrario a desmayarse. *Se va gastando nuestro hombre exterior*; aunque uno se cansa físicamente, sigue adelante con las fuerzas investidas por el poder sobrenatural. El hombre interior es símbolo de la naturaleza espiritual que resiste las influencias de la naturaleza física. *El interior, ... se va renovando de día en día.* Cuando ministramos en nombre de Cristo, tenemos que pedir la fuerza día tras día.

V. 17. *Nuestra momentánea y leve tribulación*; Pablo consideraba que sus sufrimientos resultaban insignificantes al compararlos con los de Cristo. A la vez está afirmando que la recompensa eterna será tanto mayor que vamos a considerar los sufrimientos como de poco significado. A veces los sufrimientos que padecemos nos hacen disfrutar más de las bendiciones que llegan posteriormente.

Un eterno peso de gloria más que incomparable afirma el hecho de que los sufrimientos sirven para prepararnos para recibir una bendición de mayor grado. Así fue la crucifixión de Cristo; sus sufrimientos sirvieron para redimir a toda la humanidad de las consecuencias de sus pecados.

V. 18. *Las cosas que se ven ...las que no se ven ...son eternas*; los cristianos trabajan y muchas veces no reciben una recompensa comparada con la que reciben las personas del mundo que hacen igual esfuerzo. La recompensa visible es mucho menor, pero sabemos que la mayor recompensa la recibiremos cuando lleguemos al cielo. Allí habrá recompensas en proporción con nuestra fidelidad al Señor. Se cuenta que un misionero que había pasado toda su vida en el interior del Africa llegó en buque al puerto de su país para su jubilación. En el mismo buque había otro pasajero que había sido embajador en el exterior. Había una banda y centenares de personas allí para recibir al embajador y darle la bienvenida a su país, pero no había nadie para recibir al misionero. Cuando alguien le mencionó tal hecho al misionero, su respuesta fue: "No estoy llegando a casa todavía. Habrá una fiesta de bienvenida celestial cuando entre en el cielo. Ese es mi hogar eterno." Así es con todo cristiano. Posiblemente servimos sin recibir la recompensa material o reconocimiento que merecemos aquí; pero debemos recordar que hay recompensas que no se miden en términos monetarios; son recompensas espirituales y eternas.

Aplicaciones del estudio

1. El evangelio avanza por medio de la fidelidad de los "vasos de barro", o sea, los instrumentos humanos. Cristo nos ha encomendado la tarea de llevar las buenas nuevas a otros. Ellos no van a poder escuchar el evangelio si no cumplimos con nuestra comisión.

2. El ejemplo de Pablo y sus compañeros nos inspira para ser fieles en predicar las buenas nuevas, aun en medio de circunstancias que no son ideales. Estemos dispuestos a soportar las incomodidades y hasta los sufrimientos para tener el gran privilegio de anunciar las buenas nuevas.

3. La mejor inversión de la vida es el servicio para el Señor. Pablo sentía que el gastar la vida física en servicio en el reino de Dios era un privilegio, porque nos asegura de una recompensa aun mayor en el cielo.

Prueba

1. Describa dos acciones de Pablo que demuestran que era perseverante en el ministerio. a. ____________________
   b. ____________________

2. ¿Cómo demuestra usted su perseverancia en la tarea que desempeña en su iglesia? ____________________
   ____

Lecturas bíblicas para el siguiente estudio

Lunes: 2 Corintios 5:1-3
Martes: 2 Corintios 5:4-8
Miércoles: 2 Corintios 5:9, 10
Jueves: 2 Corintios 5:11-13
Viernes: 2 Corintios 5:14-16
Sábado: 2 Corintios 5:17-21

Unidad 10

Esperanza y misión

Contexto: 2 Corintios 5:1-21
Texto básico: 2 Corintios 5:1-17
Versículo clave: 2 Corintios 5:1
Verdad central: El servidor de Cristo enfrenta las adversidades propias de su vocación y cumple su misión con la esperanza de que un día estará para siempre en la presencia del Señor.
Metas de enseñanza-aprendizaje: Que el alumno demuestre su: (1) conocimiento de la esperanza que alentaba a Pablo para seguir adelante con su ministerio con una actitud de triunfo, (2) actitud de esperanza en una vida superior en los cielos con el Señor.

Estudio panorámico del contexto

Pablo estaba completamente consagrado a Dios, y por eso podía soportar las incomodidades y los contratiempos que encontraba en el camino de su servicio al Señor. Estaba completamente feliz cuando podía meditar en la maravilla del evangelio. Por eso, podía estar tranquilo en la cárcel en Filipos, aun cuando el terremoto había tirado las puertas. En vez de tratar de escapar, Pablo se regocijó en la oportunidad de testificar al carcelero. Solamente después de convertido el carcelero, Pablo estuvo listo para recibir atención a las heridas producidas por los azotes. Esta capacidad de concentrarse en su fidelidad al servicio del Señor es el tema del estudio de hoy.

Somos motivados en nuestro servicio al Señor en varias maneras. Primera, sabemos que esta vida es una preparación para algo mejor, una existencia gloriosa en el cielo por toda la eternidad. Segunda, nuestro deseo de agradar al Señor nos motiva a la fidelidad y a soportar los sufrimientos que posiblemente nos lleguen. Sabemos que en el tribunal de Cristo habrá justicia en repartir la recompensa por nuestra fidelidad al Señor. Tercera, el amor de Cristo nos impulsa para continuar en momentos cuando nos desanimamos. El poder de la naturaleza espiritual nos puede dar la victoria sobre los deseos carnales y la tentación de abandonar nuestra misión.

Estudio del texto básico

Lea su Biblia y responda

1. Lea 2 Corintios 5:1-5 y conteste las siguientes preguntas:
   (a) ¿A qué se refiere Pablo al hablar de "tienda"? ________________

(b) ¿A qué se refiere al hablar de "edificio", "casa" y "habitación"?

____

2. Encuentre los versículos que dicen que:
V. _____ Tenemos una casa eterna en los cielos
V. _____ Dios nos ha dado la garantía del Espíritu
V. _____ Nuestro anhelo debe ser agradar al Señor
V. _____ Todos compareceremos ante el tribunal de Dios

Lea su Biblia y piense

1 Contraste entre nuestro estado actual y el futuro, 2 Corintios 5:1-5.

V. 1. *Porque sabemos*; Pablo continúa su discusión del tema anterior, pero a la vez quiere ir en una dirección diferente. *Si nuestra casa terrenal, ...se deshace*; es referencia al cuerpo físico. La palabra *si* no expresa una duda del hecho, más bien se refiere al tiempo indefinido en el futuro. Pablo está considerando la posibilidad de la muerte física de él y los otros cristianos antes de la segunda venida de Cristo. *Esta tienda temporal*, es sinónimo del cuerpo, pero recuerda a los creyentes la naturaleza temporal de la tienda en el desierto. En comparación con la eternidad, los setenta u ochenta años que vivimos aquí en la tierra representan una porción minúscula de tiempo. *Tenemos un edificio de parte de Dios...* Hay contraste entre la *tienda*, que representa el aspecto físico, con el *edificio*, que representa el aspecto espiritual. Dios es el constructor del edificio eterno. Consideramos que el lenguaje es figurativo, pero nos asegura que nuestros esfuerzos en la vida actual serán reconocidos por Dios en la eternidad. *Casa no hecha de manos, eterna...*; nuestra morada en los cielos no está sujeta al deterioro que sufren las casas aquí en la tierra. La certidumbre de la inmortalidad es doctrina cristiana y neotestamentaria; los que quieren negar la inmortalidad hoy en día tienen una perspectiva puramente secular.

V. 2. *En esta tienda gemimos*; por las circunstancias indeseables del presente podemos estar añorando el edificio en el cielo, pero tenemos que esperar el momento que Dios tiene señalado para gozar de nuestra herencia eterna. *Deseando ...nuestra habitación celestial*; Pablo concibió la muerte como el quitarse la ropa vieja para ponerse un vestido celestial. Aquí se mezclan las metáforas, porque habla de la ropa y a la vez la habitación. Los dos términos están enfocando nuestra recompensa en el cielo después de la muerte.

V. 3. *Aunque habremos de ser desvestidos, no seremos hallados desnudos*. En la filosofía de Platón había el concepto del cuerpo como una cárcel que mantiene preso al espíritu; pero este concepto está lejos de la idea de Pablo. Para Pablo el cuerpo era parte esencial de la personalidad humana. Los creyentes que han muerto están disfrutando de las bendiciones celestiales desde el momento de la muerte.

V. 4. *No quisiéramos ser desvestidos, sino sobrevestidos*; Pablo está reaccionando en forma humana frente a la muerte física. Aunque el cristiano sabe que tiene una herencia eterna mucho mejor en el cielo, todavía hay algo que rehuye de la muerte. *Para que lo mortal sea absorbido por la vida*; Es necesario pasar por el valle de la muerte para gozar de la vida eterna.

V. 5. *El que nos hizo ... es Dios*; la esperanza de una vida eterna es de Dios; no es nada que el ser humano puede crear. Es una herencia divina, reservada para nosotros en el cielo. *La garantía del Espíritu*, el Espíritu es la primera cuota o las arras, que nos da la seguridad de que hay algo de mayor valor que viene posteriormente.

2 Andamos por fe, no por vista, 2 Corintios 5:6-9.

V. 6. *Así vivimos;* Pablo declara, en palabras sencillas, que tenemos la seguridad de que hay algo más, reservado para nosotros en el cielo. *Peregrinamos ausentes del Señor.* Aunque Cristo nos prometió en la Gran Comisión que estaría con nosotros hasta el fin del mundo, sabemos que esta presencia es espiritual. El cristiano tiene la seguridad de la presencia del Señor, sin embargo, no es una presencia física, como la de un compañero con quien podemos conversar sobre los detalles de la vida diaria.

V. 7. *Porque andamos por fe, no por vista.* Este es el testimonio de todo siervo del Señor. Sembramos la semilla, pero no vemos el fruto inmediatamente. Por fe sabemos que los frutos vendrán. Muchos comienzan a predicar y pasan años sin ver los frutos.

V. 8. *Consideramos mejor estar ausentes del cuerpo, y estar presentes delante del Señor.* Hay cristianos que dan demasiado énfasis a la necesidad de negar los aspectos físicos en esta vida. Para ellos cada día es una lucha para tratar de no disfrutar de esta vida, porque creen que la herencia espiritual en la eternidad debe ser nuestro anhelo. Hay otros que enfocan demasiado la búsqueda de las comodidades físicas aquí y enfocan muy poco el aspecto futuro de nuestra herencia. Un balance entre estos dos extremos es el ideal. Hay aspectos de la vida que aceptamos por fe, porque la recompensa es futura.

V. 9. *Por lo tanto, ...nuestro anhelo es serle agradables.* Ojalá tengamos como nuestro mayor anhelo el agradar al Señor en la vida y en la muerte.

3 Todos compareceremos ante el tribunal de Cristo, 2 Corintios 5:10.

V. 10. *Es necesario que todos nosotros comparezcamos;* es una necesidad, no es opción donde tenemos la oportunidad de participar o no. Todo creyente, de todas las edades, va a estar presente en aquella experiencia. Va a ser una reunión masiva porque los fieles al Señor durante los siglos van a estar presentes. El *Tribunal* era una figura común entre la gente del primer siglo. Estaban familiarizados con los tribunales romanos, llamados "bancas", donde se decidían los asuntos jurídicos de los ciudadanos. *De Cristo*, quien será el Juez divino. *Para que cada uno reciba según lo que haya hecho por medio del cuerpo*; es cierto que habrá recompensa personal para cada creyente. Vamos a recibir de acuerdo con nuestra fidelidad en utilizar los talentos que Dios nos entregó. Pablo no menciona a los inconversos en este pasaje. Está enfocando el hecho que los cristianos tendrán una recompensa segura, según sus obras. Sabemos que el inconverso será juzgado porque no recibió la oferta de la salvación eterna por medio de la fe en Cristo. *Sea bueno o malo*; la recompensa será basada en las obras externas que hayamos hecho y también en las actitudes y motivos internos que nos impulsan. Por eso, como cristianos en esta vida debemos preocuparnos no solamente por los hechos, sino también por los motivos, que sean sinceros y sin deseo de ganancia personal.

4 Impulsados por amor proclamamos nueva vida, 2 Corintios 5:11-17.

Vv. 11-17. ¿Cuál es la motivación del ministerio cristiano? Pablo testifica de su propia experiencia respondiendo que es *el amor de Cristo* lo que impulsa su trabajo. Las acusaciones que había recibido sirven de marco espléndido para aclarar sus motivos. Una de las síntesis más importantes de lo que significa la nueva vida en Cristo la encontramos en el v. 17: *...las cosas viejas pasaron; he aquí todas son hechas nuevas.*

Aplicaciones del estudio

1. Uno debe vivir su vida cristiana con tranquilidad. Cuando llega la muerte habrá una recompensa justa que le espera.

2. Para el cristiano la ocasión de la muerte será como una ceremonia de graduación. Los seres queridos que nos han precedido en la muerte estarán allí para darnos la bienvenida. ¡Qué reunión gloriosa!

3. La seguridad de la vida eterna nos motiva a estar más activos y más fieles durante esta vida. Sabemos que tenemos solamente esta vida en que podemos hacer las buenas obras y testificar a otros de Cristo.

Prueba

1. ¿Por qué Pablo desarrollaba su ministerio con una actitud de triunfo?

____

2. Describa su esperanza en una vida superior en los cielos con el Señor.

____

____

Lecturas bíblicas para el siguiente estudio

Lunes: 2 Corintios 6:1-10	**Jueves:** 2 Corintios 7:2-7
Martes: 2 Corintios 6:11-16	**Viernes:** 2 Corintios 7:8-13
Miércoles: 2 Corintios 6:17 a 7:1	**Sábado:** 2 Corintios 7:14

Unidad 10

Las credenciales del ministerio

Contexto: 2 Corintios 6:1 a 7:16
Texto básico: 2 Corintios 6:3-13
Versículo clave: 2 Corintios 6:3
Verdad central: El ministro cristiano debe poner en alto el nombre de Cristo cultivando las virtudes cristianas que le ayuden a enfrentar con una actitud de triunfo las adversidades que se presenten.
Metas de enseñanza-aprendizaje: Que el alumno demuestre su: (1) conocimiento de los diferentes aspectos que tiene que enfrentar el ministro de Cristo, (2) disposición a responder afirmativamente al llamado del Señor a servirle, a pesar del grado de dificultad que implique ese servicio.

Estudio panorámico del contexto

2 Corintios 5:20 declara: "Así que somos embajadores en nombre de Cristo; y como Dios os exhorta por medio nuestro, rogamos en nombre de Cristo: ¡Reconciliaos con Dios!" Aquí Pablo declara lo que es la pasión de su vida: declarar que Cristo es Salvador de todos. A esta tarea había dedicado su vida, sus talentos, sus energías, su todo. Por eso, cuando llega la noticia de las críticas, Pablo quedó herido. En este pasaje responde a los que le han criticado, citando las varias experiencias en su ministerio. Hace un resumen de algunas de las pruebas, persecuciones y otras dificultades que le ha tocado vivir en el servicio del Señor.

Pablo llama a todos a escuchar el mensaje y reconocer que este momento es el tiempo favorable para responder al mensaje de la salvación. Declara que ha tenido una conducta intachable en el proceso de anunciar este mensaje. Aun en medio de las varias formas de oposición él ha preservado su dedicación a esta misión. Ilustra que el ministerio no es una vocación fácil. Da su propio testimonio para contrarrestar las críticas de los que buscaban desacreditarlo.

Estudio del texto básico

Lea su Biblia y responda

1. En el v. 3 Pablo da una buenísima razón para que el creyente cuide su conducta, ¿cuál es? ____

____

2. Encuentre en los versículos 8-10 las expresiones contrarias a las siguientes.

Mala fama ______________________________

Engañadores ______________________________

No conocidos ______________________________

Entristecidos ______________________________

Pobres ______________________________

No teniendo nada ______________________________

Lea su Biblia y piense

1 Conducta intachable, 2 Corintios 6:3.

V. 3. *No damos a nadie ocasión de tropiezo.* Esta es una declaración bastante fuerte, pero Pablo estaba seguro de que en su vida no había ningún acto ni actitud que podría representar un impedimento para los que escuchaban el evangelio a través de él. La palabra *tropiezo* viene de una palabra en griego que significa golpear, para hacer caer o tropezar. La preocupación de cada cristiano, y especialmente de cada ministro, debe ser vivir de tal manera, con un ejemplo tan genuino, que nunca llegue a ser víctima de sospechas, u ocasión de chismes, porque esto afecta la causa de Cristo. *Para que nuestro ministerio no sea desacreditado*; la palabra desacreditado tiene el sentido de hacer algo grave o vil. Pablo pudo utilizar terminología tan fuerte porque estaba convencido de su inocencia y su devoción a la tarea del ministerio.

2 Conflictos y tribulaciones en el ministerio, 2 Corintios 6:4, 5.

V. 4. Más bien, en todo nos presentamos como ministros de Dios; aquí Pablo está afirmando con una conciencia limpia, que ha dado buen ejemplo como ministro de Dios. Llega a dar los detalles de tal afirmación. Si nos comportamos con amor hacia los otros, con palabras de benignidad, las personas van a ver la encarnación del evangelio que predicamos. Al contrario, si somos contenciosos, criticones y avaros en nuestro comportamiento, esto despierta dudas sobre nuestro ministerio y el evangelio que predicamos.

En mucha perseverancia, aquí Pablo inicia la referencia a su fidelidad en el evangelio. Presenta sus ideas con tres palabras significantes: *en* (vv. 4-7), *por* (v. 8) y *como* (vv. 9, 10). Tiene una lista de 18 circunstancias en las que ha sido fiel al evangelio y no ha llegado a ser tropiezo. *Perseverancia* es la capacidad de permanecer firme frente a la oposición. Podemos utilizar la figura del atleta; sigue fiel a su tarea a pesar de la oposición. Si es corredor, sigue corriendo a pesar del calor, la lluvia, el cansancio u otros obstáculos. ¡Cuántos predicadores han abandonado el ministerio porque no tenían esta cualidad! *En tribulaciones* se refiere a las muchas experiencias que Pablo vivió en el curso de su ministerio. El enfoque puede ser luchas internas y no tanto las externas. El ministro experimenta mucho estrés en el curso de su ministerio. *En necesidades*, la palabra significa fuerzas internas o externas que operan en contra de nuestro servicio. Cada ministro tiene a unos cuantos "demonios" que batallan en su contra. Pueden ser la pereza, el cansancio, el egoísmo u otros. *En angustias*, que se relaciona con la palabra *angosto*. El ministro puede estar apretado en situaciones angostas, que le traen angustia. Quisiera tener más oportunidad para considerar otras alternativas, pero no existe esa posibilidad.

V. 5. *En azotes, en cárceles,* Pablo llegó a conocer el interior de las cárceles de Asia Menor, porque su fama llegó a esparcirse de un lugar a otro. *En tumultos*, o sea, en los motines, que frecuentemente eran resultado de la visita del equipo misionero en una ciudad. *En duras labores*, hasta tal extremo que uno queda en estado de agotamiento completo. *En desvelos*, donde pasa la noche en oración intercesora o en agonía, tal como Cristo en el huerto de Getsemaní la noche de su entrega. En *ayunos*, o en hambre. Probablemente indica la abstención voluntaria de comida para entregarse a la oración y consagración, o quizá la falta de alimentos.

3 Contrastes en el ministerio, 2 Corintios 6:6-10.

V. 6. *En pureza*, la pureza moral y la sinceridad son cualidades esenciales para el ministro. *En conocimiento*, Pablo tuvo que ejercer el conocimiento constantemente en sus decisiones. *En tolerancia*, es la capacidad de soportar el mal a manos de otros sin enojarse y sin reaccionar en forma violenta. *En bondad*, una actitud benigna en relación con los demás. *En el Espíritu Santo*; Pablo encomendó el evangelio a sus oyentes porque el Espíritu Santo preparaba los corazones de los que habían de recibirlo. *En amor no fingido*; es un amor genuino, que no aparenta nada.

V. 7. *En palabra de verdad*; Pablo declara que el evangelio es la palabra de verdad, la cual las personas aceptan como verdad. *En poder de Dios*; el evangelio había sido predicado en el poder de Dios; Pablo pudo dar testimonio de que era instrumento de Dios y que sintió su poder en su predicación. *Por medio de armas de justicia...* Pablo afirma que como cristiano uno es llamado a defender el evangelio, pero siempre debe obrar en forma justa. A la vez tiene que batallar en contra de las fuerzas del mal. *A derecha y a izquierda* puede referirse a uno al lado del brazo derecho para atacar y otro al brazo izquierdo con el escudo, mecanismo de defensa en contra del enemigo.

V. 8. Los convertidos daban elogios a Pablo por haberles predicado el evangelio, mientras los que rechazaron el evangelio reaccionaron con oposición, la cual llegó a ser *deshonra. Por mala fama y por buena fama;* es decir, por los comentarios negativos tanto como los positivos que dan las personas que escuchan el evangelio. *Como engañadores,* una palabra fuerte que hirió a Pablo, porque algunos estaban diciendo que era engañador. *Pero siendo hombres de verdad.* A pesar de los ataques en contra de su persona y su ministerio, Pablo pudo afirmar que era sincero, que hablaba la verdad.

V. 9. Pablo recibió mucha crítica porque no estaba entre los primeros líderes en el cristianismo. En contraste, Pablo sintió que era bien conocido entre las personas que habían visto el cambio en su vida. *Como muriendo,* *pero he aquí vivimos*; Pablo sabía que cada día que vivía estaba en el proceso de morir, pero aceptaba cada día como la oportunidad de vivir para el Señor. *Como castigados, pero no muertos,* el castigo es muestra del amor divino; pero no es tan severo como para producir la muerte.

V. 10. En este versículo Pablo continúa con su énfasis en el contraste entre lo que parece malo pero que en realidad resulta en bendición.

4 Franqueza por franqueza, 2 Corintios 6:11-13.

V. 11. Pablo utiliza los términos más tiernos para referirse a los oyentes. Ahora apela a sus emociones para rogarles que reconozcan su sinceridad en el ministerio que ejerció entre ellos.

V. 12. *No estáis limitados en nosotros, ... en vuestros propios corazones.* Pablo está diciendo que él y sus compañeros no habían restringido su afecto, el problema era que ellos habían formado una actitud negativa.

V. 13. *Como a hijos os hablo*: Pablo sintió que su ministerio entre ellos le había dado la autoridad moral para tratarles como hijos. *Abrid ...vuestro corazón;* Pablo ya había abierto su corazón a ellos; ahora ellos necesitan hacer lo mismo en relación con Pablo.

Aplicaciones del estudio

1. Cada ministro debe poder testificar que su conducta ha sido intachable. Nuestro testimonio es el tesoro de mayor valor.

2. Las experiencias en el ministerio son una mezcla de lo negativo con lo positivo. Cada ministro habrá tenido ocasiones de sufrimiento, pero también habrá experimentado el gozo que acompaña la fidelidad.

3. La mejor manera de despertar la honestidad en las relaciones interpersonales es manifestar la honestidad de parte nuestra.

Prueba

1. Haga una lista de por lo menos cinco aspectos diferentes que tiene que enfrentar el ministro de Cristo. ____________________________________

   ____

2. Si el Señor le llamara a servirle, ¿qué respondería usted, sabiendo que tiene que enfrentar diversas circunstancias difíciles? ________________

   ____

Lecturas bíblicas para el siguiente estudio

Lunes: 2 Corintios 8:1- 4
Martes: 2 Corintios 8:5-7
Miércoles: 2 Corintios 8:8-11
Jueves: 2 Corintios 8:12-15
Viernes: 2 Corintios 8:16-20
Sábado: 2 Corintios 8:21-24

Unidad 11

El ejemplo de Cristo

Contexto: 2 Corintios 8:1-24
Texto básico: 2 Corintios 8:8-15
Versículo clave: 2 Corintios 8:9
Verdad central: El ejemplo del amor de Cristo es la motivación más alta para que el creyente dé generosamente para suplir las necesidades de los demás.
Metas de enseñanza-aprendizaje: Que el alumno demuestre su: (1) conocimiento del ejemplo de Cristo en lo relativo a darse por amor a nosotros, (2) actitud de imitar esa actitud del Maestro.

Estudio panorámico del contexto

Los hermanos en Jerusalén necesitaban ayuda; estaban pasando hambre. Esta situación podría ser el resultado de la situación general en Palestina de aquel día. Era considerada la región más pobre de todo el Imperio Romano. El desierto no daba mucha riqueza a los habitantes. Otra razón que contribuyó a la pobreza de los hermanos cristianos era el número grande de huérfanos y viudas. Sabemos que el día de Pentecostés trajo a multitudes a Jerusalén. Por la gran experiencia del derramamiento del Espíritu Santo, muchos decidieron quedarse allí, especialmente las personas que no tenían familia en otras partes. Por eso, pronto surgió la necesidad de un ministerio especial para repartir a estas personas con necesidad. Hechos 2:44, 45 explica las acciones de los creyentes ante esa situación. Pablo abandona parcialmente el tema de la defensa de su ministerio para tratar una necesidad. Seguramente tenía confianza en los corintios, porque pudo tocar el tema del dinero en la forma más franca. A la vez sabía que estaba hablando con un grupo con capacidad para ayudar a los necesitados. Consideraba que el dar para ayudar a otros era una manifestación del deber cristiano y a la vez la expresión de un don. No se apenaba de pedir su ayuda. Apela al ejemplo supremo de Cristo, quien dio el mejor ejemplo de uno que dio su vida para ayudar a otros.

Estudio del texto básico

Lea su Biblia y responda

1. Según 2 Corintios 8:9, ¿por qué Jesús siendo rico se hizo pobre? ______

______

2. Escriba en el espacio al principio de cada afirmación el número del versículo donde aparece el mismo concepto (2 Corintios 8).

V. ___ De la abundancia de unos se suple lo que a otros les hace falta.

V. ___ Desde el año anterior los corintios estaban reservando su ofrenda.

V. ___ Cristo es el ejemplo ideal de la generosidad.

V. ___ Pablo insta a cumplir lo que se habían propuesto.

V. ___ La ofrenda demuestra la sinceridad del amor.

Lea su Biblia y piense

1 El ejemplo de Cristo, 2 Corintios 8:8, 9.

V. 8. *No hablo como quien manda;* Pablo sabía que su autoridad como ministro no le permitía dar órdenes; su autoridad era moral. Sino para poner *a prueba la sinceridad de vuestro amor;* Pablo está haciendo la prueba del amor de los de Macedonia, como el refinador prueba la calidad del oro por medio del fuego. Pablo quiere lograr que ese amor sea genuino y no algo fingido.

V. 9. *Porque conocéis la gracia de nuestro Señor Jesucristo*; Pablo les recuerda un hecho con el que ellos están familiarizados. La gracia enfoca la dádiva, y los mismos corintios habían sido recipientes de estos favores divinos. *Que siendo rico,* referencia al estado preencarnado de Cristo. Estaba en la presencia de Dios y formaba parte de la deidad. Se presenta más extensamente sobre esta preencarnación en Filipenses 2:6-11. Esto significa que esta doctrina fue común entre los cristianos del primer siglo. *Por amor a vosotros,* el motivo del Calvario era el amor por la humanidad. Así Pablo llega al tema del amor divino, que se presenta como tema central en toda la Biblia. La frase: *Se hizo pobre* es referencia a la muerte de Cristo en la cruz. Su sacrificio fue para beneficiar a toda la humanidad en toda la historia, pero también fue algo para beneficiarme en forma personal. *Para que ...con su pobreza fueseis enriquecidos*. Ninguna otra religión enfoca estas verdades: Dios sacrificó algo de valor por amor para que los seres humanos tuviesen una riqueza espiritual. Pablo considera que cada creyente es rico porque tiene una herencia celestial que no se puede valorar con moneda.

2 Querer y hacer, 2 Corintios 8:10-12.

V. 10. *Y en esto doy mi consejo*; ahora Pablo comienza apelando a los que han recibido tanto para que sean generosos en dar a otros. La palabra *consejo* tiene sentido de opinión; Pablo no está dando un mandamiento; reconoce que los corintios escucharán su consejo u opinión. *Os conviene...*; es ventajoso, recomendable. *Tomasteis la iniciativa*; desde hace un año; los corintios habían oído de las necesidades de los pobres en Jerusalén, y habían comenzado a recoger ayuda para ellos. *No sólo para hacerlo, sino ...querer hacerlo.* El orden es de significado; por regla general uno escucha acerca de las necesidades y después es inspirado para dar o ayudar. Los corintios manifestaron la voluntad de dar antes de conocer la necesidad. El cristiano maduro hace planes para hacer actos de caridad aun antes de ser informado de una necesidad específica.

V. 11. *Llevad el hecho a su culminación...* Pablo les está dando un empujoncito para inspirarles a culminar ese acto bondadoso hacia los pobres. *Prontos a querer, ...así lo seáis para cumplir.* Hay iglesias modernas que tienen fama de ser las más generosas para las misiones o para aliviar las necesidades sociales que existen en el mundo. Pablo reconoce que la iglesia de Corinto había manifestado estas cualidades desde hacía un año. *Conforme a lo que tenéis;* este es el principio que Cristo anunció; los que han recibido mucho, a ellos les es exigido mucho.

V. 12. *Si primero se tiene dispuesta la voluntad*; el orden correcto es sentir el deseo de corazón para crear la voluntad. La mayordomía sana crea un deseo de servir al Señor por amor y consagración y no por deber u obligación. *Se acepta según lo que tenga, no lo que no tenga.* Pablo dice que hay que dar proporcionalmente. Uno puede anhelar dar grandes cantidades, pero la realidad es que puede dar sólo de lo que posee. La norma en 1 Corintios 16:2 es: "atesorando en proporción a cómo esté prosperando." Dios bendice a quienes son generosos en compartir lo que tienen.

3 El principio de la igualdad, 2 Corintios 8:13-15.

V. 13. *No digo esto para que haya para otros alivio,* Pablo no está eximiendo a ciertas personas de su responsabilidad de dar. Tal vez algunos en Corinto criticaban a Pablo, diciendo que él esperaba que ellos llevasen una desproporción de la carga. El anticipa tal crítica, diciendo que está pidiendo de otros en igual manera. *Y para vosotros estrechez,* no quería echar una carga demasiado pesada sobre los cristianos en Corinto.

V. 14. *Para que haya igualdad,* no está hablando de igualdad en el sentido de dar la misma cantidad. Si todos dan igual cantidad, no es igualdad. Es cuando todos dan proporcionalmente o con un espíritu de sacrificio que se llega a la igualdad. *Vuestra abundancia supla lo que a ellos les falta,* esto implica que los corintios se consideraban más prósperos que los demás de Macedonia, y especialmente que de los de Jerusalén. Pablo animó a los corintios a dar, enseñándoles así la interdependencia entre los cristianos: hoy tengo y doy, cuando no tenga otros me darán. Esta acción voluntaria y sincera beneficia al que da y al que recibe.

V. 15. *El que recogió mucho no tuvo más, y el que recogió poco no tuvo menos.* Es una cita de Exodo 16:18, relatando el caso de los israelitas que recogían los codornices y el maná en el desierto. La distribución fue hecha según las necesidades de las personas y no según sus capacidades para recoger. Hay algo cristiano en este principio. Una norma que escuchamos en la actualidad es que todo ser humano tiene derecho a comida, techo y salud. Hay miles de víctimas del hambre y la guerra que padecen por no tener con que satisfacer sus necesidades básicas. Las organizaciones que hacen esfuerzos para distribuir comida y medicina no llevan contabilidad de las cuentas pendientes de los que reciben, simplemente dan para aliviar el sufrimiento. Esta es una actitud cristiana.

Aplicaciones del estudio

1. Las necesidades inspiran a las personas para dar. Cuando hay desastres en el mundo, las personas están dispuestas para ayudar de acuerdo con la información que reciben sobre las necesidades. Pero también podemos buscar las oportunidades. Basta con levantar nuestra mirada en derredor para encontrar con asombrosa facilidad a niños que viven en las calles, familias que tienen como techo y paredes solamente cartones y así, sucesivamente.

2. Pablo apela a los cristianos a dar presentando el ejemplo supremo de Cristo, quien dio su propia vida y sangre por amor a la humanidad. En ningún momento debemos ignorar el ejemplo que nos dio.

3. Nuestros actos de caridad deben ser proporcionales, según nuestras capacidades. El que mucho ha recibido, debe dar más. Una norma para guiarnos es, ¿con cuánto nos quedamos después de haber dado? Hay muchos testimonios de personas que dan más de lo que comúnmente se acostumbra a dar y, sin embargo, pareciera que sus bienes se multiplican. Ese es un principio espiritual.

4. No nos quedamos pobres por compartir lo que tenemos. Una de las excusas más comunes cuando se trata de compartir, es que se afecta la economía particular. La realidad de las cosas es que si lo hacemos con amor, desinteresadamente, Dios proveerá y hará abundar lo que nos quede después de compartir.

Prueba

1. Describa con una frase breve lo que significa el ejemplo de Jesús en darse por amor a nosotros. ____
____
____

2. Mencione una acción personal en la que usted demuestra que está imitando el ejemplo de Jesús. ____
____
____

Lecturas bíblicas para el siguiente estudio

Lunes: 2 Corintios 9:1-5
Martes: 2 Corintios 9:6
Miércoles: 2 Corintios 9:7
Jueves: 2 Corintios 9:8-11
Viernes: 2 Corintios 9:12, 13
Sábado: 2 Corintios 9:14, 15

Estudio **35**

Unidad 11

La generosidad cristiana

Contexto: 2 Corintios 9:1-15
Texto básico: 2 Corintios 9:6-15
Versículo clave: 2 Corintios 9:13
Verdad central: La práctica de la generosidad cristiana al ofrendar hace que el dador alegre sea bendecido y de bendición para los necesitados si la motivación es dar la gloria a Dios.
Metas de enseñanza-aprendizaje: Que el alumno demuestre su: (1) conocimiento de la importancia y consecuencias de la generosidad al ofrendar, (2) actitud de participar generosamente en los proyectos de su iglesia para satisfacer las necesidades de los menos afortunados.

Estudio panorámico del contexto

Dios ha establecido el principio de dar a los necesitados no solamente para suplir una necesidad genuina, sino también para prevenir el egoísmo de parte de las personas que tienen bienes materiales. Pablo en este pasaje da énfasis a dar como oportunidad para expresar una gracia cristiana tanto como para suplir una necesidad aguda. Pablo ha mandado algunos ministros para Corinto antes de ir él mismo, para que ellos animen a los hermanos para recoger la ofrenda. Esta era buena táctica de parte de Pablo, porque no quería tener que levantar la ofrenda en forma precipitada.

Pablo prepara a los hermanos de la iglesia en Corinto para dar liberalmente con un elogio a ellos y su confianza en que responderán a las necesidades de otros, y esto prepara a los cristianos para responder a las expectativas del apóstol Pablo. Utiliza el principio de proporción al referirse a sembrar y cosechar; uno que siembra poca semilla sabe que no va a cosechar tanto como si sembrara mucha semilla. Enfoca, además, el hecho de que Dios ama al que da con alegría.

Estudio del texto básico

Lea su Biblia y responda

1. Complete las siguientes oraciones y escriba en qué versículo aparece el pensamiento.

   (a) El que siembra generosamente, cosechará ______________, v. ____

   (b) Cada uno ____, no tristemente/con tristeza ni por obligación/necesidad, porque Dios ________

_______ al dador __________________, v. _____

(c) Dios da abundancia para que el que la tiene abunde para toda _______ _________, v. _____

2. Ponga en orden las siguientes palabras y escriba de qué versículo se trata: inefable por Gracias don a Dios su. _________________________ _____________________________ v. ______

Lea su Biblia y piense

1 El principio de la proporción en la siembra y la cosecha, 2 Corintios 9:6, 7.

V. 6. *Y digo esto;* son palabras de transición pero también ponen énfasis en llamar la atención a lo que va a decir. El que siembra escasamente cosechará escasamente; el agricultor conoce el suelo donde está sembrando, y sabe la cantidad de semilla que es necesario sembrar para garantizar una cosecha abundante. Está haciendo una declaración que sería entendida fácilmente por los oyentes. *El que siembra ... con generosidad cosechará.* Es una apelación a los cristianos para vivir el principio de generosidad en todo sentido. El que es espléndido con sus amistades, íntimo en sus relaciones y generoso con sus bienes va a disfrutar de más oportunidades para las relaciones interpersonales que la persona parca.

V. 7. *Cada uno dé como propuso en su corazón.* Ahora Pablo hace la transición de la figura de la agricultura a la aplicación espiritual. Específicamente quiere enfocar el aspecto económico. Pablo llama a *cada uno* en Corinto a aceptar el desafío de dar. Esto tiene pertinencia para todo cristiano hoy en día, niños, jóvenes y adultos. Cada uno debe dar. Cada uno dará según su actitud de corazón, lo cual indica que el dar es una actitud espiritual y no debe ser un cálculo matemático frío solamente. *No con tristeza*; Pablo no quiere que uno dé y después sienta resentimiento por haberlo hecho. Deuteronomio 15:10 declara: "Sin falta le darás, y no tenga dolor tu corazón por hacerlo, porque por ello te bendecirá Jehovah tu Dios en todo lo que emprenda tu mano." *Dios ama al dador alegre*; el griego da énfasis a la alegría; el que da con *gozo* será objeto del amor de Dios. Esto nos desafía mucho en nuestro programa de dar con felicidad para ver el avance del evangelio.

2 Bendecidos para bendecir, 2 Corintios 9:8-11.

V. 8. *Y poderoso es Dios para hacer que abunde en vosotros toda gracia;* Dios es dueño de todo y por eso tiene poder para hacer abundar a favor de los que dan con un corazón alegre. El amor de Dios se manifiesta por medio de los creyentes cuando responden a las necesidades de otros con benevolencia. Dios recompensará a los generosos dándoles *...todo lo necesario;* nadie va a padecer necesidad por haber sido generoso en sus dádivas a los necesitados. Personas que comienzan a diezmar testifican que el 90% de lo que tiene les alcanza para más que el 100% que anteriormente gastaban en cosas para ellos mismos.

V. 9. "*Esparció; dio a los pobres. Su justicia permanece para siempre*" es una cita del Salmo 112:9, y se refiere a la persona que esparce lo que tiene en forma generosa y responde a las necesidades de los pobres. La recompensa que Jehovah tiene para esta persona es que sus actos de rectitud permanecerán.

V. 10. *El que da semilla al que siembra y pan para comer*; esto es, Dios. Pablo considera que Dios es la fuente de todo lo que respira en la naturaleza, y que las acciones humanas reflejan la soberanía de Dios quien obra a favor nuestro. Es cierto que el ser humano tiene que esforzarse para ganar su pan para comer, pero obramos dentro de la esfera de la providencia de Dios. *Aumentará los frutos de vuestra justicia*, es una repetición de la bendición que se menciona en el versículo 8.

V. 11. *Para que seáis enriquecidos en todo para la liberalidad,* muestra que experimentamos bendiciones en todas las facetas de nuestra vida y no solamente en el aspecto económico. Muchas veces las bendiciones más grandes no se relacionan con el dinero. Gente rica vive con tristezas y sufriendo por mala salud y añora la felicidad de uno pobre pero con buena salud y seres queridos que le rodean.

3 Los beneficiados glorifican a Dios, 2 Corintios 9:12, 13.

V. 12. *El ministrar este servicio sagrado ...suple lo que falta a los santos, ...redunda ...en acciones de gracias a Dios.* El dar de parte de los corintios cumple dos propósitos: provee para los que padecen necesidad y a la vez crea alegría en el corazón de los que dan. Hay acciones de gracias a Dios de parte de los recipientes de las bendiciones y los que dan también glorifican a Dios por ese privilegio. Esto es una situación en que todos ganan: los necesitados y los que dan y todo resulta para la gloria de Dios.

V. 13. *Al experimentar esta ayuda, ellos glorificarán a Dios...* Los necesitados consideran que el autor de toda dádiva es Dios. Administradores de orfanatos han testificado que cuando han comenzado un día sin comida para los niños, oran a Dios, y en el curso del día llega comida de fuentes completamente desconocidas de parte de los administradores. Esto comprueba que Dios obra en todos lados para suplir las necesidades. *Por vuestra liberalidad en la contribución para con ellos y con todos*. Los cristianos pobres en Jerusalén se darán cuenta que Dios ha provisto para sus necesidades por medio de la liberalidad de los cristianos de Corinto. Esto se muestra también hoy en día en la obra misionera.

Los inconversos en países lejanos llegan a recibir el evangelio porque cristianos que aman a Dios están dispuestos a dar para el sostenimiento de los misioneros que van para compartir las buenas nuevas. Ellos glorifican a Dios y a la vez dan gracias por los cristianos que comparten sus bienes para la expansión del evangelio.

4 Intercesión como muestra de amor, 2 Corintios 9:14, 15.

V. 14. *Por su oración a vuestro favor;* ahora Pablo se refiere a la manera en que los recipientes de la ayuda pueden ministrar a los corintios: por sus oraciones intercesoras. Esto es una extensión de lo que Pablo dice aquí. *Demuestran que os quieren a causa de la ...gracia de Dios en vosotros;* es un círculo completo de algo maravilloso. Cristianos, por amor, comparten cosas materiales con otros que tienen necesidad; éstos glorifican a Dios por sus bendiciones a favor de ellos; y oran por aquellos que mostraron liberalidad. ¡Qué cuadro completo y perfecto! Es obra de Dios.

V. 15. *Gracias a Dios ... su don inefable*; ¿Cuál es ese don inefable? Cristo habló de sí mismo como el don de Dios (Juan 4:10). Pedro se refirió al Espíritu Santo como el don (Hech. 2:38) y el escritor de la Epístola a los Hebreos habla de "los que gustaron el don celestial" (Heb. 2:38).

Aplicaciones del estudio

1. La gracia de dar es un acto espiritual. Al dar nuestras ofrendas, estamos haciendo un acto de adoración que es de naturaleza espiritual. Por eso es importante la actitud con que se da.

2. Debemos mirar más allá del acto de dar para ver las consecuencias de nuestra generosidad. Otros reciben grandes bendiciones por medio de nuestra mayordomía.

3. Los que hemos recibido ayuda material de otros, debemos tener acción de gracias por los que han sentido el deseo de glorificar a Dios por medio de sus actos. Todos hemos sido beneficiados por los que han sido fieles en dar su ayuda. Jóvenes reciben becas para estudiar para el ministerio y para otras profesiones. Demos gracias a Dios por los fieles que han hecho posible nuestro servicio en el Señor.

Prueba

1. Si usted fuera un miembro de la iglesia en Corinto, ¿por cuál de las enseñanzas de los vv. 6-15 le agradecería a Pablo? ____________________

   ____

   ____________________ ¿Por qué? ____________________

   ____

2. Mencione un proyecto misionero en el que usted va a participar. ______

   ____

Lecturas bíblicas para el siguiente estudio

Lunes: 2 Corintios 10:1-3
Martes: 2 Corintios 10:4-6
Miércoles: 2 Corintios 4:7-9
Jueves: 2 Corintios 10:10-12
Viernes: 2 Corintios 10:13-16
Sábado: 2 Corintios 10:17, 18

Unidad 12

En defensa del ministerio

Contexto: 2 Corintios 10:1-18
Texto básico: 2 Corintios 10:7-18
Versículos clave: 2 Corintios 10:17, 18
Verdad central: La defensa que Pablo hace de su ministerio nos exhorta a valorar debidamente la función ministerial.
Metas de enseñanza-aprendizaje: Que el alumno demuestre su: (1) conocimiento de la defensa que Pablo hace de su ministerio, (2) actitud de valorizar la función de la persona que le ministra.

Estudio panorámico del contexto

En 2 Corintios 10 Pablo vuelve a hablar de su propio ministerio en relación con los cristianos en Corinto. Algunos llaman este capítulo la defensa de Pablo de su ministerio. Es más bien una apelación a los corintios para ser fieles en el evangelio que habían aceptado. Si continúan en el evangelio, los problemas internos en la iglesia serán resueltos. Los tres capítulos siguientes de la epístola tratan estos problemas. Es cierto que había varios problemas, que se pueden captar por medio de las declaraciones de Pablo. (1) Sus enemigos lo acusaban de escribir cartas severas, pero de ser cobarde cuando estaba en su presencia (10:1, 9, 10). (2) Acusaban a Pablo de ser mundano en su comportamiento (10:2b; 11:11; 12:16). (3) Lo acusaban de jactancia (10:8). (4) Lo acusaban de sentirse inferior a otros a quienes el Apóstol llama “eminentes” (11:5; 12:11; 13:3). (5) Lo atacaban por su apariencia física (10:10; 11:6). (6) Lo atacaban por no querer recibir ayuda de la iglesia, acusándole de no proceder como los demás apóstoles en cuanto a la remuneración por su trabajo (12:13, 14, 16). Un estudio detenido de estos tres capítulos nos dará una idea más clara de la perspectiva de Pablo.

Estudio del texto básico

Lea su Biblia y responda

1. Escriba V o F según sean verdaderas o falsas las siguientes afirmaciones.
   ___ Pablo acusó a sus lectores de mirar las cosas según las apariencias.
   ___ Pablo quería atemorizar a sus lectores.
   ___ Los corintios criticaban la apariencia física de Pablo.
   ___ Pablo no quería anunciar el evangelio más allá de Corinto.
   ___ Es aprobado aquel a quien Dios recomienda.

2. Lea los versículos clave, 2 Corintios 10:17, 18 y escríbalos en sus palabras y en primera persona. ____

____

____

____

Lea su Biblia y piense

1 Las apariencias engañan, 2 Corintios 10:7-11.

V. 7. *¡Miráis las cosas según las apariencias!* Ahora Pablo trata la actitud de los corintios de hacer juicios a la ligera, según lo que ven externamente. No analizan las cosas a fondo para poder dar una opinión válida. Había personas que cayeron en la trampa del orgullo espiritual al decir: "Yo si soy de Cristo, otros no". Pablo exhorta a esa clase de personas a considerar que así como ellos están convencidos que llegaron a ser *de Cristo,* también hay otros que tienen la misma oportunidad, y de hecho también son de Cristo. *Las apariencias* engañan, una persona puede decir con sus palabras que es cristiana, pero solamente si ha recibido por la fe al Señor Jesucristo puede serlo en realidad.

V. 8. *Porque si me glorío un poco más de nuestra autoridad*; Pablo aquí admite que tal vez se jactó demasiado de su autoridad; tal vez esta era la base de la crítica de los oponentes. *La cual el Señor nos ha dado*; Pablo reconoce que la autoridad final es de Cristo, quien transmite su autoridad a los cristianos. Los pastores o ministros reciben su autoridad espiritual de esta fuente. *Para edificación y no para vuestra destrucción* ; toda autoridad tiene como fin el edificar a los creyentes. *No seré avergonzado*; esta frase se conecta con la primera parte del versículo. Pablo no será avergonzado porque no se gloría de su autoridad. Alguna vez dijo: "Tengo, pues, de qué gloriarme en Cristo Jesús, en las cosas que se refieren a Dios" (Rom. 15:17). Tiene necesidad de ejercer cierta autoridad porque su ministerio así lo requiere.

V. 9. *No parezca que quiero atemorizaros por cartas*; alguien en la iglesia había atacado a Pablo, diciendo que mandaba cartas de crítica porque tenía temor de encararse con ellos. Pablo les había hablado fuertemente por carta (1 Cor. 5:5), pero para corregir una situación, no para atemorizar a nadie. En verdad no hay lugar para esta actitud entre cristianos. Los ataques internos en la iglesia son más dañinos que cualquier otra cosa.

V. 10. Dicen: *"Aunque sus cartas son duras y fuertes, su presencia física es débil, y su palabra despreciable."* Hay personas que escriben cosas ofensivas en cartas, pero cuando están frente a otro, son más dóciles. Parece que los oponentes de Pablo criticaron su apariencia y su modo de hablar, diciendo que no era muy persuasivo. Algunos opinan que Pablo había hecho una segunda visita a Corinto para tratar de corregir los efectos de su carta, y esta expresión en cuanto a su presencia física es comentario sobre el efecto de esa visita. La bondad de una persona no es sinónimo de debilidad y si su palabra está basada en la sabiduría de Dios, no tiene por qué ser *despreciable.*

V. 11. *Esto tenga en cuenta ...lo que somos en palabra por carta ...lo mismo seremos en hechos cuando estemos presentes*; Pablo está dando una advertencia para expresar su sinceridad y su fuerza moral y espiritual. Las frases *lo que somos ...lo seremos* son referencias al carácter y no al comportamiento específico. Pablo está afirmando su fuerza de carácter moral y espiritual. Aunque era de estatura débil, esa desventaja es compensada por su firmeza moral y espiritual.

2 Falta de juicio en el autoconcepto, 2 Corintios 10:12, 13.

V. 12. *No osamos clasificarnos o compararnos.* Las palabras clasificarnos y compararnos llevan la idea de juzgar. Pablo dice que no se bajará al nivel de otros que se clasifican por sus propias normas, recomendándose a sí mismos. Cuando uno hace esto, siempre resulta con ventaja, pero no es actitud correcta. *Pero ellos, ...no son juiciosos;* porque la norma verdadera para medir es Cristo. Uno puede engañarse si se compara con personas de su misma talla; tiene que medirse con Cristo.

V. 13. *Nosotros no nos gloriaremos desmedidamente*; Pablo afirma que tiene bases para reconocer su eficacia como ministro, pero no quiere jactarse más allá de lo prudente. *Sino conforme a la medida de la regla que Dios asignó*; Dios tiene sus normas para medir a cada siervo. Lo importante es que seamos fieles según los dones que Dios nos ha dado, y que seamos aceptos delante de Dios. *Para llegar también hasta vosotros*; el propósito de Dios es llegar hasta la última persona en la tierra con el mensaje de esperanza. Dios obra por medio de sus siervos para lograr esta meta. Pablo se entregó completamente a la tarea de llevar el evangelio a toda persona posible; nosotros debemos seguir su ejemplo.

3 La norma de no trabajar en campo ajeno, 2 Corintios 10:14-16.

V. 14. *Porque no nos salimos de nuestros límites;* la idea es que Pablo y sus compañeros se extendieron para presentarles el evangelio en Corinto, pero eso no era demasiado; otros harían eso y aun más para darles un mensaje falso. Pues si no hubiéramos llegado a vosotros; en Romanos 1:16 Pablo declaró: "No me avergüenzo del evangelio, pues es poder de Dios para la salvación a todo aquel que cree." Pablo siempre estaba ansioso de anunciar las buenas nuevas a todos.

V. 15. *No gloriándonos desmedidamente en trabajos ajenos*; Pablo no quería tomar crédito por predicar o testificar a personas que otros habían ganado. El sólo tomó crédito por las personas que habían aceptado el evangelio por medio de su ministerio; y estaba satisfecho con esto. *Tenemos la esperanza de que, ...el progreso de vuestra fe*; cada predicador anhela ver el desarrollo de las personas que ha ganado para Cristo. No hay gozo mayor, pero también es doloroso escuchar que personas que han aceptado el mensaje se alejan del redil. Por eso, hay que vigilar constantemente para que las personas no sean desviadas del evangelio. *Se incrementará nuestro campo...* Pablo anhela llegar a Roma con el evangelio, pero quiere ver resueltos los problemas entre los hermanos de Corinto antes de emprender esa misión. Esa era la *norma*; ¡siempre adelante a otras tierras con el mensaje!

V. 16. *Para que anunciemos el evangelio... más allá*; la historia de la iglesia primitiva es conmovedora por los sufrimientos de los cristianos en el proceso de hacer llegar el evangelio a las tierras lejanas. *Sin entrar en territorio ...para gloriarnos de la obra ...por otros*; Pablo no quería ir a donde otros ya habían iniciado una iglesia. Esta es característica especial de Pablo. No todos sienten lo mismo. Algunos prefieren cultivar el terreno que ya ha dado los primeros frutos del evangelio. Cada persona tiene su don especial, y debe sentirse en libertad para ejercer ese don.

4 La mejor recomendación, 2 Corintios 10:17, 18.

V. 17. *Gloríese en el Señor*. Es una cita de Jeremías 9:24. Es mejor gloriarnos en el Señor; de esta manera la persona más indicada recibe la gloria.

V. 18. *No es aprobado ...se recomienda a sí mismo*; en la obra del Señor uno no se recomienda a sí mismo; pide que otros lo hagan, si es que sienten la dirección del Espíritu Santo para hacerlo. En esta manera las personas que son recomendadas pueden ser consideradas con mayor objetividad. *Aquel a quien Dios recomienda* recibirá las oportunidades para predicar el evangelio. Dios se encarga de abrir puertas para tales personas que él aprueba.

Aplicaciones del estudio

1. No debemos juzgar a una persona por su apariencia. Las apariencias pueden engañar. Pablo quizás tenía ciertas características negativas con relación a su apariencia física, pero era poderoso en el evangelio.

2. Debemos tener humildad para ejercer nuestro ministerio con fidelidad, de acuerdo con los talentos que tenemos. No debemos proyectar una imagen más positiva que la que es realista.

3. Debemos respetar los derechos de otros de predicar el evangelio y no invadir sus campos.

Prueba

1. ¿Qué argumentos usó Pablo para defender su ministerio? ______________
____

2. Describa dos acciones que hará para demostrar que aprecia la función de la persona que le ministra. a. ______________________________
b. ____

Lecturas bíblicas para el siguiente estudio

Lunes: 2 Corintios 11:1-6
Martes: 2 Corintios 11:7-11
Miércoles: 2 Corintios 11:12-15
Jueves: 2 Corintios 11:16-23
Viernes: 2 Corintios 11:24-27
Sábado: 2 Corintios 11:28-33

Falsos profetas = falsas doctrinas

Contexto: 2 Corintios 11:1-33
Texto básico: 2 Corintios 11:1-15
Versículos clave: 2 Corintios 11:13, 14
Verdad central: La advertencia y exhortación de Pablo a los corintios respecto a los falsos apóstoles nos alertan contra las doctrinas erróneas que sutilmente pueden infiltrarse en la iglesia.
Metas de enseñanza-aprendizaje: Que el alumno demuestre su: (1) conocimiento de la advertencia de Pablo acerca de los falsos apóstoles, (2) actitud de celo por preservar y predicar la sana doctrina.

Estudio panorámico del contexto

En tiempos del Antiguo Testamento los profetas advirtieron al pueblo de Dios del peligro de los falsos profetas. Dijeron que predicaban el mensaje que el pueblo quería escuchar. Predicaban paz cuando había amenaza de guerra; se prestaban para recibir cohecho de los líderes y predecían lo que estos líderes querían que el pueblo escuchara, aun cuando ese mensaje era falso. Cristo se refirió a los engañadores comparándolos con lobos que querían meterse entre las ovejas para devorarlas (Mat. 7:15). De modo que no nos sorprende que en los tiempos de Pablo también había engañadores. Este estudio trata de los falsos apóstoles.

Para ser considerado apóstol una persona tenía que haber tenido contacto con el Señor Jesús. Pablo consideró que él había cumplido este requisito por su visión del Señor cuando se encontró con él en el camino a Damasco. Pero había personas que profesaban ser apóstoles cuando en verdad su propósito era engañar. Por eso, Pablo tiene palabras severas para los que se habían infiltrado en la iglesia en Corinto con este fin. Pablo apela a los cristianos en Corinto a ser fieles a Cristo, al que habían conocido por medio de su predicación. Para ello Pablo utiliza la ilustración de Adán y Eva, quienes fueron engañados por Satanás.

Vuelve a compararse con los apóstoles falsos, que cuestionaban su elocuencia y su apariencia física. Pablo afirma que él había sido ministro ejemplar, porque se dedicó en forma absoluta a la tarea de anunciar las buenas nuevas. Acusa a los falsos apóstoles de disfrazarse para engañar sutilmente a los que estuvieran dispuestos a escucharlos. El disfraz, por supuesto, era atractivo "lobos vestidos como ovejas".

Lea su Biblia y responda

Subraye las respuestas correctas.

1. Según el v. 3, Pablo teme:
   (a) Que se hayan olvidado de él.
   (b) Que se hayan olvidado de la ofrenda para los hermanos de Jerusalén.
   (c) Que se hayan extraviado de la sencillez y pureza que debían a Cristo.

2. Según el v. 7, ¿cuánto cobró Pablo por su trabajo entre los corintios?
   (a) Lo mismo que cobraban los otros apóstoles.
   (b) Nada.
   (c) El salario mínimo.

3. Según el v. 13, los falsos apóstoles se disfrazan como:
   (a) Angeles de luz, (b) apóstoles de Cristo, (c) sabios.

4. Según el v. 14, Satanás se disfraza como:
   (a) Angel de luz, (b) apóstol de Cristo, (c) un visionario.

Lea su Biblia y piense

1 El celo por la pureza, 2 Corintios 11:1-6.

V. 1. *¡Ojalá me toleraseis un poco de locura!* Pablo comienza este capítulo apelando a la paciencia de los corintios para escuchar su jactancia con relación a su papel de apóstol. La palabra *toleradme* apela a ellos para que le den la oportunidad de expresar su punto de vista en cuanto a su propio ministerio y el de los falsos apóstoles.

V. 2. *Os celo con celo de Dios*; Pablo ahora comienza a utilizar la ilustración de la prometida en el matrimonio; el esposo tiene celos si la prometida comienza a prestar demasiada atención a otros hombres. *Para presentaros como una virgen pura a Cristo;* Pablo quería que los corintios fuesen puros en su doctrina, como una virgen se entrega a su esposo por primera vez después de las nupcias.

V. 3. *Me temo que, así como la serpiente con su astucia engañó a Eva...* Pablo está atacando a los falsos apóstoles que entraron y en forma sutil comenzaron a minar el ministerio de Pablo. *Astucia* es palabra que significa que ellos estaban dispuestos a utilizar cualquier medio para engañar a la gente de la iglesia en Corinto. *Se hayan extraviado de la sencillez y la pureza que debéis a Cristo;* Pablo teme que los corintios ya estén desviados de su objetivo principal; el de glorificar a Cristo por medio de sus vidas. Ojalá podamos tener esta sencillez de propósito en nuestro servicio para el Señor. Debemos mantenernos separados de las atracciones mundanas que nos pueden dividir la atención y la lealtad; debemos querer ser únicos en nuestra devoción a Cristo.

V. 4. *Si alguien viene predicando a otro Jesús... ¡qué bien lo toleráis!* Pablo usa el sarcasmo aquí con el fin de avergonzarlos por estar tan dispuestos a recibir a cualquier persona, sin examinar sus doctrinas. Parece que el falso apóstol estaba bien establecido dentro de la iglesia y predicaba con frecuencia; lo cual le daba más oportunidad para infiltrar sus doctrinas falsas. *Otro Jesús...* en el primer caso es otro de la misma clase. *Otro espíritu* y *otro evangelio* significan otro de una clase distinta. Los judaizantes llegaron para predicar que el ser cristiano implicaba permanecer fiel al judaísmo, lo cual incluía la circuncisión. Pablo estaba predicando que el ser seguidor de Cristo representaba tomar otro camino distinto al judaísmo. Esta controversia duró varias décadas, pero la iglesia cristiana al fin se separó del judaísmo para ser un movimiento aparte sin las prácticas ceremoniales, tales como la circuncisión. *¡Qué bien lo toleráis!* Pablo les critica por ser tan tolerantes.

V. 5. *Estimo que en nada soy inferior a aquellos apóstoles eminentes,* ¿quiénes son los apóstoles eminentes? Algunos han pensado que se refiere a Pedro, Santiago y Juan, los que aparecen con frecuencia en las primeras páginas de Los Hechos, pero hay que ver que Pablo resolvió las diferencias con Pedro temprano en su ministerio y que trabajaron como equipo de allí en adelante. Más bien, está refiriéndose a los falsos apóstoles, los judaizantes, quienes se consideraban como prominentes en su movimiento de arrastrar a los convertidos a una obediencia al judaísmo.

V. 6. *Aunque yo sea pobre en elocuencia, no lo soy en conocimiento*; es positivo reconocer que cada uno tiene tanto cualidades negativas como positivas. Pablo no se sentía inferior porque no era tan elocuente como otros; pero sabía que sus capacidades intelectuales eran superiores.

En todo os lo he demostrado; quizás la predicación de Pablo había revelado su falta de pericia en el arte de ser orador; pero a la vez demostraba su capacidad intelectual.

2 Un misionero ejemplar, 2 Corintios 11:7-11.

V. 7. *¿Cometí pecado humillándome... para que seáis enaltecidos?* Ahora Pablo comienza a hablar específicamente de las críticas. Lo habían criticado por no querer aceptar sostenimiento y por haberse dedicado a trabajar haciendo tiendas. Insiste en que su motivo era enaltecer a los recipientes del mensaje. No consideraba que el trabajar con sus manos fuera un acto denigrante; más bien era motivo de orgullo poder sostenerse para no ser carga económica para los corintios.

V. 8. *He despojado a otras iglesias, recibiendo ... para ministraros a vosotros.* La palabra *despojar* se utilizaba del soldado caído, es despojado de sus armas. Pablo considera que el haber recibido de otras iglesias para predicar a los corintios era una virtud.

V. 9. *Cuando estaba entre vosotros y tuve necesidad, a ninguno fui carga;* todo predicador tiene necesidades en el curso de su ministerio. Si se dedica a la predicación del evangelio y no a buscar su propio sostenimiento, tendrá un ministerio eficaz. Pero si tiene que andar buscando sostenimiento o pidiendo para sus necesidades, esto le distrae de su tarea.

Me guardé de seros gravoso... Pablo no quería ser una carga. Sabía que el pedir sostenimiento podría ser un tropiezo para algunas personas que estaban escuchando por primera vez el evangelio.

Vv. 10, 11. *Este motivo de orgullo no me será negado en ...Acaya*; Pablo está declarando que no va a pedir ayuda de los corintios, porque confía en los hermanos de la región de Acaya. Los oponentes de Pablo lo habían acusado de no recibir sostenimiento mostrando así que no los quería. El está negando tal crítica, y pone a Dios como testigo de sus motivos.

3 Un disfraz conocido, 2 Corintios 11:12-15.

Vv. 12, 13. Pablo insiste en que no va a recibir dinero. Los oponentes *son falsos apóstoles, obreros fraudulentos, disfrazados...* Pablo utiliza tres palabras fuertes al referirse a ellos. Habían existido falsos representantes religiosos entre los genuinos desde tiempos antiguos. *Disfrazados* lleva la idea de usar una máscara para cubrir lo verdadero que está adentro.

V. 14. *Satanás... se disfraza como ángel de luz,* Eva experimentó este disfraz en el Edén y Jesús en el monte de la tentación.

V. 15. *No es gran cosa... sus ministros se disfracen*, no debe ser gran sorpresa ver a ministros que tienen el disfraz para aparentar ser genuinos cuando no lo son.

Aplicaciones del estudio

1. Es importante examinar las recomendaciones de los ministros que se consideran para puestos de responsabilidad en una iglesia.

2. Debemos aceptar la responsabilidad de sostener a los ministros económicamente en forma adecuada.

3. Los frutos del ministerio de una persona dan evidencia de su sinceridad. Podemos apreciar el ministerio de muchos pastores porque han ganado a muchos para Cristo, y éstos ahora están apoyando la obra del Señor.

Prueba

1. ¿En qué consistió la advertencia de Pablo acerca de los falsos apóstoles?
____
____

2. ¿Qué hará usted para preservar y proclamar la sana doctrina? __________
____
____

Lecturas bíblicas para el siguiente estudio

Lunes: 2 Corintios 12:1-10
Martes: 2 Corintios 12:11-15
Miércoles: 2 Corintios 12:16-21
Jueves: 2 Corintios 13:1-4
Viernes: 2 Corintios 13:5-10
Sábado: 2 Corintios 13:11-14

Estudio **38**

Unidad 12

Pureza moral y espiritual

Contexto: 2 Corintios 12:1 a 13:14
Texto básico: 2 Corintios 12:11-21
Versículo clave: 2 Corintios 12:14
Verdad central: La persistencia de Pablo en visitar la iglesia de Corinto a pesar de la oposición de algunos nos enseña que debemos ser firmes en el objetivo de preservar la pureza moral y espiritual de la iglesia del Señor.
Metas de enseñanza-aprendizaje: Que el alumno demuestre su: (1) conocimiento de las circunstancias que motivaban al apóstol Pablo a visitar por tercera ocasión a los corintios, (2) actitud de persistencia en preservar la pureza moral y espiritual de su iglesia.

Estudio panorámico del contexto

En 2 Corintios 11 Pablo relata los detalles de sus sufrimientos por Cristo, para comprobar delante de sus oponentes que era ministro genuino y que no abandonaba su llamamiento simplemente por las dificultades que encontraba en el camino. Seguramente los cristianos en Corinto quedarían impresionados con su autobiografía cristiana. Pocos apóstoles habrían tenido esta variedad de contratiempos, formas de oposición y genealogía tan impresionante. Está llegando al final de la epístola, y ahora quiere hacer hincapié una vez más en la importancia de preservar la pureza moral, doctrinal y espiritual de parte de los corintios.

Ahora en 2 Corintios 12 Pablo comienza hablando de las experiencias místicas que ha tenido. Menciona la visión del hombre arrebatado al tercer cielo. En la cosmología judía el primer cielo era la esfera de los pájaros; el segundo cielo era la esfera de las estrellas, y el tercer cielo era la morada de Dios. Menciona su impulso de gloriarse en sí mismo, pero les recuerda que debemos gloriarnos solamente en el Señor. Menciona el aguijón que le había azotado en su ministerio. Rogó al Señor que se lo quitara; pero el Señor le dio gracia para soportarlo. Menciona que está listo para visitarlos por tercera vez, para convencerles de su sinceridad y veracidad. Les llama a hacer un autoexamen para ver si en verdad están siendo fieles en la fe. Pablo ha luchado en esta epístola para defender su ministerio y orientar a los hermanos sobre la forma más apropiada de resolver los problemas que había en la iglesia de Corinto.

Lea su Biblia y responda

1. 2 Corintios 12:14 es el versículo clave de este estudio. Contiene tres ideas, escríbalas aquí.
   a. ____________________
   b. ____________________
   c. ____________________

2. Trace una línea desde la frase al número del versículo que le corresponde.

	2 Corintios 12
a. Pablo temía que quizá cuando llegara a Corinto no los hallaría como quería.	V. 11
b. Pablo no ha sido menos en nada que los "apóstoles eminentes".	V. 15
c. Pablo teme que Dios lo humille entre los corintios.	V. 20
d. Pablo gastaría de buena gana lo suyo.	V. 19
e. Delante de Dios y en Cristo, Pablo habla para edificación de sus lectores.	V. 21

Lea su Biblia y piense

1 La "necedad" del amor, 2 Corintios 12:11-15.

V. 11. *¡Me he hecho necio!* Pablo ahora se da cuenta de que al gloriarse (12:1) denotaba cierta necedad de su parte. *¡Vosotros me obligasteis!* Fue la actitud de los corintios lo que le llevó a pasar al punto de detallar sus sufrimientos como ministro. El propio ejemplo de la vida de Pablo entre los corintios debió haber sido suficiente para probar que era sincero como ministro. Los corintios debieron defenderle y expulsado de entre ellos a los falsos ministros. *Los apóstoles eminentes* es referencia a los falsos maestros o apóstoles que se considerabanmy importantes. La humildad de Pablo se refleja en la declaración: *nada soy.* Por supuesto, su tono es irónico.

V. 12. *Las señales de apóstol han sido realizadas entre vosotros* y Pablo ha reflejado estas señales. *Señales, prodigios y hechos poderosos* son tres palabras que significan que Pablo hacía lo milagroso entre ellos. Podemos leer el libro de Los Hechos para captar los detalles de estos milagros. Todo daba evidencia del poder de Dios y Pablo se consideró instrumento de Dios cuando estaba haciendo los milagros.

V. 13. *¿En qué habéis sido menos que las otras iglesias?* Pablo dice que la única diferencia es que él no fue carga para la iglesia. *¡Perdonadme este agravio!* Pablo utiliza la ironía en esta declaración. El hecho de no necesitar sostenimiento económico de los corintios no era agravio desde la perspectiva de Pablo, pero aparentemente lo era desde la perspectiva de algunos en la iglesia. Tal vez pensaban: "Si no cobra es porque no es buen maestro."

V. 14. *Estoy listo para ir a vosotros por tercera vez, y no os seré carga.* Aquí vemos el grado de amor que Pablo tuvo por los corintios. Irá por tercera vez. Cuando existen problemas entre personas e iglesias, la presencia de personas como Pablo es una ayuda para solucionar aceptablemente los conflictos. Pablo espera lograr esto por medio de su visita. *No busco vuestras cosas, sino a vosotros*; Pablo aclara que su motivación no es recibir ayuda económica de los corintios; más bien quiere sentir el amor mutuo que debe existir entre hermanos en la fe. *Los hijos no tienen obligación de atesorar, ...sino los padres.* Pablo se consideró el padre de los corintios, de modo que la metáfora indica que como padre él no pensaba ser sostenido por la iglesia. Su insistencia en este punto indica que el asunto había llegado a ser una "espina" entre los miembros de la iglesia.

V. 15. *De muy buena gana gastaré yo de lo mío*; Pablo está demostrando su cariño por los hermanos en la iglesia. *Y me desgastaré a mí mismo*; esto es loable para todo ministro. Debemos estar dispuestos a gastarnos en nuestro servicio para el Señor. *¿Si os amo más, seré amado menos?* Muchas veces los hijos que presentan más problemas de salud o de comportamiento, llegan a ser los que amamos más. Pablo siente un amor especial por esta iglesia. Bromea al preguntar si será amado menos. Esto demuestra sus emociones tiernas por los hermanos en Corinto.

2 En el amor no hay engaño, 2 Corintios 12:16-19.

V. 16. *¡Pero siendo astuto, os prendí por engaño!* Parece que algunos en Corinto estaban diciendo que, aunque Pablo no pedía nada para su sostenimiento, sí pensaba utilizar algo de la ofrenda para los santos en Jerusalén para sus propios gastos. Pablo declara que esto es absurdo. En el día de hoy hay organizaciones que piden ayuda para niños con hambre en varias partes del mundo. Si uno estudia las cifras, descubre que gran parte de los fondos que llegan se utilizan en la administración, y un porcentaje muy reducido llega a los necesitados. Pablo no quiso ser parte de un engaño semejante.

V. 17. *¿O acaso os he engañado por medio de algunos que he enviado a vosotros?* Las preguntas exigen una respuesta negativa. Pablo insiste en que los que mandó para ministrar entre ellos no llegaron para pedir ayuda para Pablo. Eran personas maduras en el evangelio.

V. 18. *¿Acaso os engañó Tito?* Otra vez, Pablo espera una contestación negativa. Los obreros con quienes trabajaba Pablo eran personas de las más altas cualidades morales y espirituales. *¿No hemos procedido con el mismo espíritu ...pisadas?* Una vez más, Pablo espera una respuesta que afirme su honradez en el ministerio.

V. 19. *¿Os parece ...estamos defendiendo ante vosotros?* Pablo con toda sinceridad y amor quería ministrar entre los hermanos en Corinto; no tenía otro motivo. Está listo para jurar delante de Dios y Cristo que su motivación era sana. Su misión era la edificación de los hermanos. A veces somos malentendidos en nuestros actos y palabras. Hay personas que tuercen lo que decimos y nos acusan de hipocresía o de tener motivos indignos. Pablo ha invertido varios capítulos en esta epístola para defender su ministerio.

3 El temor frente a una triste realidad, 2 Corintios 12:20, 21.

V. 20. *Me temo ...no os halle como quiero;* Pablo sintió temor al contemplar su inminente visita. *Yo sea hallado por vosotros ...tal como no queréis;* el sentimiento mutuo. Cuando ha habido críticas y después llegan a reunirse para dialogar sobre las soluciones a las dificultades, siempre hay cierta ansiedad al contemplar esa reunión. *Temo que haya entre vosotros contiendas, celos, iras, enojos,...* Pablo presenta una lista de posibles emociones, todas negativas, entre los hermanos de Corinto. Una reunión para resolver conflictos por necesidad tiene que hacer salir a flote la naturaleza de las dificultades. Al ventilar estas emociones, se pueden buscar soluciones cristianas. Pero con razón Pablo se siente temeroso de las explosiones potenciales.

V. 21. *Temo que, cuando vuelva ... tenga que llorar por muchos que han pecado*; Pablo teme que va a encontrar pecados no confesados entre los hermanos en Corinto. Su primera epístola trató estos problemas en forma severa. A Pablo no le agrada el pensamiento que le tocará juzgar a algunos por los mismos problemas. Esto demuestra que muchas veces la tarea del ministro no es nada agradable; pero tiene que cumplir su responsabilidad. El testimonio de la comunidad cristiana es más importante que una o más personas.

Aplicaciones del estudio

1. El amor nos lleva a hacer cosas no lógicas. Los padres hacen cosas por sus hijos cuando tal vez sería mejor no proveer tanta protección. El amor nos hace más generosos en todo sentido.

2. Es importante ser transparentes en nuestras relaciones y los tratos con otros. En esta forma daremos testimonio de lo que es ser cristiano.

3. Es mejor encarar las situaciones difíciles, animando a todas las personas a hablar con franqueza, en busca de la armonía

Prueba

1. Según el estudio, ¿cuáles fueron dos de las circunstancias que motivaron a Pablo a visitar por tercera vez a los corintios?
   a. ______________________________
   b.______________________________

2. Escriba dos acciones que usted puede realizar para preservar la pureza moral y espiritual de su iglesia.
   a. ______________________________
   b. ______________________________

Lecturas bíblicas para el siguiente estudio

Lunes: Filemón 1-3
Martes: Filemón 4-7
Miércoles: Filemón 8-11
Jueves: Filemón 12-16
Viernes: Filemón 17-20
Sábado: Filemón 21-25

Estudio **39**

Unidad 12

Una carta de recomendación

Contexto: Filemón
Texto básico: Filemón 8-20
Versículo clave: Filemón 10, 11
Verdad central: La intercesión de Pablo ante Filemón a favor de Onésimo nos enseña que en la familia cristiana hay lugar para la restauración.
Metas de enseñanza-aprendizaje: Que el alumno demuestre su: (1) conocimiento de la intercesión de Pablo a favor de Onésimo, (2) actitud de perdonar a cualquier persona que de alguna manera le haya agraviado.

Estudio panorámico del contexto

Onésimo era un esclavo en Colosas en la casa de Filemón. El tener esclavos era práctica común en aquel entonces. Había esclavos de toda raza y de distintos fondos culturales. Algunos tenían cierto nivel de educación, pero posiblemente cayeron en la esclavitud por la conquista de su nación por el Imperio Romano. Onésimo se escapó de la casa de Filemón y eventualmente fue a Roma. Pablo predicó el evangelio en Colosas, y Filemón se convirtió. No sabemos si Onésimo se escapó antes o después de convertirse Filemón. Con el tiempo los cristianos se reunían en la casa de Filemón (v. 2), práctica común porque no tenían edificios de adoración todavía.

La palabra Onésimo quiere decir "útil", y Pablo usa un juego en palabras en el versículo 11, donde dice que anteriormente Onésimo era inútil, pero ahora es útil. Está dando doble significado a la palabra, subrayando lo que Onésimo puede llegar a ser.

Pablo se identifica como prisionero de Cristo en esta epístola. Es de significado especial este término, ya que el personaje céntrico tiene que ver con un esclavo. A la vez Pablo fue prisionero de Roma además de ser de Jesucristo. Pablo expresa su gratitud a Dios por la fidelidad de los hermanos en la iglesia de Colosas, en casa de Filemón. Explica que Onésimo, esclavo en fuga, está regresando a su amo, porque reconoce que esto es lo correcto. Pablo intercede por Onésimo, recordándole a Filemón que él le debe mucho también.

Pablo no menciona la palabra "liberación", pero aborda al concepto. Las enseñanzas de Pablo al fin contribuyeron a la emancipación de los esclavos en varias partes del mundo. Esta epístola nos enseña mucho acerca del perdón, la restitución y la ayuda mutua en las relaciones interpersonales.

Lea su Biblia y responda

1. Identifique los nombres con las descripciones correspondientes:

Filemón	Llevó a Onésimo al Señor
Onésimo	Era el dueño legítimo de Onésimo
Pablo	Era un esclavo que había faltado a su amo

2. Lea las siguientes afirmaciones y escriba a la derecha de cada una el número del versículo donde aparecen.
   (a) Pablo es ya un anciano y está prisionero. V. ____
   (b) Pablo intercede por Onésimo a quien ganó para el Señor. V. ____
   (c) Pablo pide a Filemón que reciba a Onésimo como si fuera Pablo mismo. V. ____

Lea su Biblia y piense

1 Intercesión en amor, Filemón 8-10.

V. 8. *Aunque tengo mucha confianza ...para ordenarte;* Pablo llama a Filemón para recordarle la relación espiritual y moral que existe entre ellos. Se refiere a Filemón como hermano en el v. 7 y como colaborador en el v. 1. Pero Pablo decide no apelar basándose en su autoridad sino en su amor. *Lo que conviene* se refiere a la apreciación de Pablo de que Onésimo debiera de ser recibido como hermano en la casa de Filemón, y no tratado como un esclavo desertor. De acuerdo con la ley Filemón tenía derecho de tratar a Onésimo severamente, hasta matarlo.

V. 9. *Intercedo en amor*; se puede lograr mucho más por medio del amor que por medio de la ley. Pablo había vivido muchos años y había experimentado muchos conflictos, con inconversos y cristianos, y ahora reconoce que el amor es más poderoso que la ley. *Anciano y prisionero* es una descripción gráfica de uno que ha dedicado su vida a predicar el mensaje de la libertad en Cristo, quien hace que todas las cosas sean nuevas. Pablo ha visto muchos milagros en el curso de su ministerio, y ahora espera que el milagro del perdón opere en Filemón.

V. 10. *Intercedo por ...Onésimo, a quien he engendrado en mis prisiones*; no hay muchos detalles de la conversión de Onésimo. Es posible que escuchó el evangelio en casa de Filemón por boca de Pablo. Al escaparse, posiblemente viajó por varios lugares hasta llegar a Roma. Pero no encontró la libertad de conciencia, y decidió buscar a Pablo. Allí escuchó de la liberación verdadera, y se entregó al Señor. Al revelar a Pablo que era esclavo en fuga, Pablo decide animarle a regresar a su amo para arreglar su situación allí. *He engendrado en mis prisiones* implica que Onésimo se convirtió en la cárcel. En la providencia de Dios el mismo que fue instrumento en la conversión de su amo es ahora el instrumento en el caso del esclavo.

2 El inútil se vuelve "Onésimo", Filemón 11, 12.

V. 11. *En otro tiempo él te fue inútil;* tal vez es una apreciación de los males de la esclavitud de aquel entonces. También hay un juego de palabras en el nombre, porque Onésimo quiere decir "útil". *Ahora es útil tanto para ti como para mí.* La conversión al evangelio hace transformaciones. Individuos que anteriormente eran ladrones llegan a ser honestos en los negocios. Personas perezosas ahora manifiestan iniciativa para cumplir con sus tareas e ir más allá de lo mínimo. Pablo se refiere a los ministerios de Onésimo para Pablo allí en Roma, porque parece que había sido ayudante muy eficaz. Menciona que puede ser útil, como su nombre lo indica, para Filemón.

V. 12. *Te lo vuelvo a enviar, a él que es mi propio corazón.* Pablo sabía que el ministerio de Onésimo sería afectado negativamente hasta no arreglar el problema de su huida de la casa de Filemón. Cada persona recién convertida tiene que dar estos pasos en casos cuando su pasado incluye actos antisociales. *Es mi propio corazón*; Pablo había desarrollado un amor tan profundo por Onésimo que dice que es como parte de su propia carne.

3 De esclavo a hermano, Filemón 13-16.

V. 13. *Deseaba retenerlo conmigo;* porque fue tan beneficiosa la presencia de Onésimo con Pablo y sus compañeros en Roma. *En tu lugar me sirviera en mis prisiones;* Pablo tiene la autoridad moral para decirle a Filemón que si estuviera en Roma, sería siervo fiel de Pablo y de Cristo en la predicación del evangelio. Es hermoso pensar que un esclavo había desarrollado en su efectividad en el ministerio a tal grado que Pablo consideraba que su servicio sería igual que el de Filemón.

V. 14. *Sin tu consentimiento no quise hacer nada*; Pablo reconoce que no sería correcto retener a Onésimo como ayudante en Roma cuando tenía cuentas pendientes con su amo en Colosas. *Para que tu bondad ...fuera de buena voluntad;* Pablo no pudo tomar la decisión por Filemón. No quería que Filemón tuviera que aceptar lo que él había decidido sin consultarlo. Deja a Filemón en libertad para tomar la decisión.

V. 15. *...Se apartó por un tiempo ...lo recibas para siempre*; la ausencia temporal de Onésimo dio lugar para su conversión; ahora al regresar a casa de Filemón, será para estar más contento y ser más útil que antes.

V. 16. *Ya no como a un esclavo ...como hermano*; para nosotros es difícil concebir del cambio que Pablo está sugiriendo. El tomar a un esclavo y tratarlo como hermano sería un paso gigantesco. ¿Qué pensarían los demás esclavos en la casa? ¿Cuál sería su reacción al ver premiado al esclavo que se escapó? ¿No traería una rebelión de parte de los demás? No sabemos cuál fue el resultado de esta sugerencia. Una tradición dice que Onésimo llegó a ser obispo en la iglesia de Efeso a fines del primer siglo. Parece que Filemón aceptó el consejo de Pablo y le dio la libertad a Onésimo para predicar y ejercer un ministerio cristiano. Definitivamente las interrelaciones de una persona cambian cuando cambia su relación con Dios.

¡Busca primero el reino de Dios!

4 De deudas a deudas, Filemón 17-20.

V. 17. *Si me tienes por compañero, recíbele como a mí mismo.* Pablo aprieta un poco, insistiendo que ahora la relación entre Filemón y Onésimo debe ser como la de Pablo y Filemón. Pablo es atrevido en su desafío.

V. 18. *Si en algo ...te debe, ponlo a mi cuenta;* Pablo se extiende para decir que está listo para cubrir todos los daños y las deudas de Onésimo. Es impresionante el grado de confianza que Onésimo había despertado en Pablo. La conversión de Onésimo fue una transformación verdadera.

V. 19. *Yo lo pagaré ...tú mismo te me debes a mí.* Pablo no tiene riquezas; está en la cárcel; probablemente se acerca la muerte; pero todavía está listo para endeudarse con un hermano en otra parte del mundo por su confianza en alguien que se ha convertido al evangelio. *Tú ...me debes* pone en perspectiva esta oferta. Filemón se convirtió bajo el ministerio de Pablo, igual que Onésimo. Cada convertido tiene su padre espiritual. Por regla general hay gran sentido de amor y gratitud hacia las personas que nos introdujeron a Cristo. ¡Esa sí que es una gran deuda!

V. 20. *Quisiera tener este beneficio de ti en el Señor*; es una apelación suave. Pablo dice que si Filemón acepta a Onésimo como hermano sería hacerle un gran favor a Pablo, quien ahora es anciano y prisionero en Roma. ¿Cómo podía Filemón negarse a la petición de Pablo? Para Pablo sería una bendición recibir noticias de la reconciliación entre Onésimo y Filemón.

Aplicaciones del estudio

1. Al convertirse al evangelio, las personas tienen que resolver errores del pasado. Cada cual debe pensar en las formas de restitución.

2. Debemos vivir con tal honestidad y consagración que otros estarán dispuestos a confiar en nosotros.

3. El cristianismo tiene la solución a los conflictos, sean personales, nacionales o internacionales. Cuando Cristo transforma la vida, todo cambia.

Prueba

1. Relate brevemente en sus palabras en qué consistió la intercesión de Pablo a favor de Onésimo. ______________________________

   ____

2. Si hay alguna persona que de alguna manera le haya agraviado, búsquela y arregle cuentas con ella. ¿Qué hará? ______________________

   ____

Lecturas bíblicas para el siguiente estudio

Lunes: 2 Reyes 1:1-8
Martes: 2 Reyes 1:9-18
Miércoles: 2 Reyes 2:1-12
Jueves: 2 Reyes 2:13-18
Viernes: 2 Reyes 2:19-25
Sábado: 2 Reyes 3:1-27

PLAN DE ESTUDIOS
2 REYES (2 CRON. 21—36), MIQUEAS

Escriba antes del número de cada estudio, la fecha en que lo usará.

Fecha **Unidad 13: El profeta Eliseo**

_______ 40. Dios provee líderes espirituales
_______ 41. Satisfacer necesidades concretas
_______ 42. La liberación de Samaria
_______ 43. Obedecer la voluntad de Dios

Unidad 14: Los reinos de Israel y Judá

_______ 44. Compromiso de fidelidad
_______ 45. Vivir en paz
_______ 46. Castigo severo por pecar

Unidad 15: El reino de Judá

_______ 47. Dios responde las oraciones
_______ 48. Renovación espiritual
_______ 49. El pecado destruye

Unidad 16: El profeta Miqueas

_______ 50. Los juicios de Dios
_______ 51. Consuelo y esperanza
_______ 52. Lo que Dios demanda de su pueblo

2 REYES, MIQUEAS
Una introducción

Segundo libro de los Reyes

Este libro es una continuación de 1 Reyes. En realidad, 1 y 2 de Reyes formaban un solo libro en hebreo. Entre ambos libros tenemos una narración continuada de la monarquía hebrea desde el tiempo cuando David logró establecer un reino rico y extenso, hasta la declinación del mismo. Cuatrocientos años de historia en menos de cincuenta mil palabras significa una drástica reducción de los detalles que rodearon a los acontecimientos.

Escritor y fuentes. La tradición asigna la paternidad literaria de los libros de los Reyes a Jeremías. Algunas alusiones sugieren que los libros asumieron su forma final al principio del exilio, pero no hay verdadera certeza acerca del escritor, lugar y tiempo de su origen.

Respecto a las fuentes, se incluyen: "el libro de los hechos de Salomón" (1 Rey. 11:41), "el libro de las crónicas de los reyes de Israel" (1 Rey. 14:19; 2 Rey. 15:31), "el libro de las crónicas de los reyes de Judá" (1 Rey. 14:29).

Contenido y mensaje. El interés del escritor, quienquiera que haya sido, no es solamente escribir la historia, sino transmitir un mensaje que resulta de esa historia. Dios espera que la nación cumpla las leyes mosaicas a fin de obtener bendiciones. De lo contrario habrá severos castigos por quebrantarlas. Dado que el rey representa la nación, el libro usa el método de narrar las historias de los reyes. Dichas historias se apegan a un modelo que con relativa facilidad ubicamos: (1) Identificación del rey, (2) mención de su edad, (3) el nombre de la madre, (4) duración de su reinado, (5) un análisis de su reinado, con su respectivo juicio positivo o negativo.

De todos los reyes mencionados en este libro, sólo Ezequías y Josías son aprobados sin reservas. En medio de la corrupción y la rebeldía, surge el tema del remanente de Dios, un pequeño grupo de fieles, por medio de los cuales el Señor llevará adelante su plan de salvación a los perdidos.

Miqueas

El profeta. Miqueas, cuyo nombre significa: "¿Quién es como Jehovah?", fue un hombre de campo abrumado por los pecados de las grandes ciudades. Simpatizó con los desposeídos a riesgo su seguridad física. Su hogar estaba en Moreset, una aldea a unos 30 kms. de Jerusalén. Miqueas profetizó durante los reinados de Jotam, Acaz y Ezequías, aproximadamente una década antes de la caída de Samaria. Oseas, Isaías y Amós fueron profetas contemporáneos de Miqueas.

El libro y su mensaje. Su material es moral y religioso, más que político o sociológico. Condena los pecados de los judíos de ambos reinos, el del norte y el del sur. Tuvo un vislumbre del futuro que trajo esperanza para el pueblo de Dios, a través de su concepción del Mesías (5:2).

La tierra del pueblo de Dios en el tiempo de los reyes

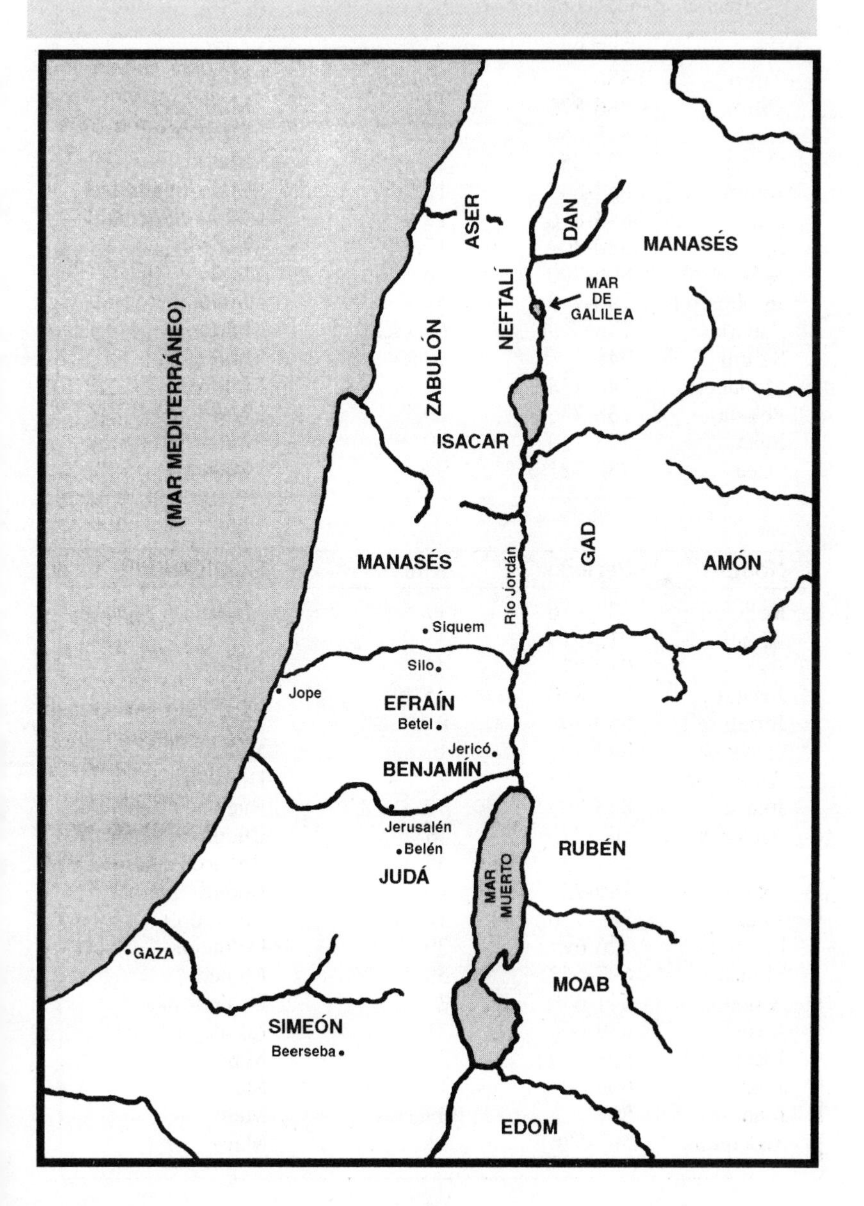

Cronología del reino dividido

Reyes de Israel

Nombre	Periodo	Años que reinó	Calificación
Jeroboam	933-911	22	Malo
Nadab	911-910	2	Malo
Baasa	910-887	24	Malo
Ela	887-886	2	Malo
Zimri	886	7 días	Malo
Omri	886-875	12	Malísimo
Acab	875-854	22	Lo peor
Ocozías	855-854	2	Malo
Joram	854-843	12	Malo en general
Jehú	843-816	28	Malo en general
Joacaz	820-804	17	Malo
Joás	806-790	16	Malo
Jeroboam II	790-749	41	Malo
Zacarías	748	6 meses	Malo
Salum	748	1 mes	Malo
Manahem	748-738	10	Malo
Pekaía	738-736	20	Malo
Peka	748-730	20	Malo
Oseas	730-721	9	Malo

Nombre	Periodo	Años que reinó	Calificación
Roboam	933-916	17	Malo en general
Abías	915-913	3	Malo en general
Asa	912-872	41	Bueno
Josafat	874-850	25	Bueno
Joram	850-843	8	Malo
Ocozías	843	1	Malo
Atalía	843-863	7	Diabólica
Joás	843-803	40	Bueno en general
Amasías	803-775	29	Bueno en general
Uzías	784-735	52	Bueno
Jotam	749-734	16	Bueno
Acaz	741-726	16	Malvado
Ezequías	726-697	29	Lo mejor
Manasés	697-642	55	Lo peor
Amón	641-640	2	Lo peor
Josías	639-608	31	Lo mejor
Joacaz	608	3 meses	Malo
Joacim	608-597	11	Malvado
Joaquín	597	3 meses	Malo
Sedequías	597-586	11	Malo

Unidad 13

Dios provee líderes espirituales

Contexto: 2 Reyes 1:1 a 3:27
Texto básico: 2 Reyes 1:15-17; 2:9-18; 3:4-12, 17-19
Versículo clave: 2 Reyes 3:11
Verdad central: Las circunstancias en las cuales Eliseo llegó a ser el profeta del Señor nos enseñan que Dios es quien provee a los dirigentes espirituales para su pueblo.
Metas de enseñanza-aprendizaje: Que el alumno demuestre su: (1) conocimiento de las circunstancias en las cuales Eliseo llegó a ser profeta, (2) actitud de aprecio por los dirigentes espirituales que Dios le ha dado.

Estudio panorámico del contexto

El rey lucha contra Dios. Un conflicto se inició cuando el rey Ocozías envió mensajeros a consultar a *Baal-zebub,* dios de los filisteos, acerca de su futuro, en vez de ir a Jehovah. Elías fue enviado por Dios a anunciar la muerte de Ocozías. Este conflicto continuó hasta que el rey envió tropas para capturar al profeta. Los enviados del rey demandan que descienda "el hombre de Dios" (*ish elohim*), sin embargo, lo que desciende es "fuego de Dios" (*esh elohim*). El conflicto termina con la muerte de Ocozías.

Eliseo comienza su ministerio. Dios provee los dirigentes espirituales para su pueblo. Eliseo recibió "el espíritu de Elías" para seguir la misma línea de trabajo de su maestro (2:15). El ministerio de Eliseo trae bendición a Israel. Sana las aguas de una ciudad con sal para restaurar la fecundidad del área (2:19-22). El segundo relato (2:23-25) enseña que insultar al mensajero de Dios es insultar a Dios mismo.

Conflictos entre el profeta Eliseo y el rey de Israel. A la muerte de Acab, rey de Israel, Mesa rey de Moab quiso aprovechar el momentáneo vacío de poder para librarse del yugo de Israel. Al conocer los planes de Mesa, Joram, el nuevo rey de Israel hizo alianza con Josafat, rey de Judá y el rey de Edom para pelear contra los moabitas. Josafat, rey de Judá, buscó la voluntad de Dios en los problemas por falta de agua y afirmó que el profeta Eliseo podía decirles lo que Jehovah tenía deparado para Israel (3:11, 12). A pesar de los malos hechos de Joram, por aprecio a Josafat, Eliseo anunció la victoria para Israel.

Jehovah manda agua al desierto. Los moabitas creían que era la sangre de sus enemigos (3:22, 23). Con esa idea en mente fueron para recoger el botín, cayendo en una trampa. Su derrota parecía completa (3:24-26). Víctima de la desesperación el rey de Moab sacrificó a su *hijo primogénito* (3:27). Evidentemente "hubo gran ira contra los israelitas quienes se retiraron" y la victoria sobre Moab quedó incompleta.

Lea su Biblia y responda

1. Marque con **F** las declaraciones falsas y con **V** las verdaderas.
   ____ a. Ocozías mandó consultar a Elías y a Baal-zebub para saber si se iba a recuperar de su accidente.
   ____ b. El rey conocía a Elías por su apariencia.
   ____ c. Elías cambió su mensaje cuando estuvo en presencia del rey.
   ____ d. Joram, el hijo de Ocozías, llegó a ser rey de Israel.

2. En un mapa marque la ruta que siguieron Elías y Eliseo desde Gilgal hasta el río Jordán (2:1-6).

3. Lea 2 Reyes 3:4-27 y complete las frases.
   ________________, rey de Moab, se rebeló contra Israel cuando murió __________. Joram salió de ______________ para combatirlo. Fue ayudado por _______________, el rey de Judá, y por el rey de ___________. Israel venció a Moab porque Dios mandó _________ en el desierto y los moabitas creían que era ___________________________.

Lea su Biblia y piense

1 Elías anuncia y confirma el final de Ocozías, 2 Reyes 1:15-17.

V. 15. Este versículo narra la conclusión de un conflicto entre el profeta Elías y el rey de Israel, Ocozías. Por haber sufrido un accidente Ocozías quedó malherido. Preocupado, envió mensajeros para consultar acerca de su futuro a "Baal-zebub", dios filisteo en vez de consultar a Jehovah. Elías envió un mensaje de Jehovah al rey diciendo: *Ciertamente morirás* (v. 6). El rey entonces envió mensajeros a buscar a Elías para tomarlo cautivo, *"¡Desciende!",* dijeron, pero Elías no obedeció a los mensajeros del rey. En ese momento apareció el ángel (*ml'k,* mensajero) de Jehovah y dijo: *Desciende,* y el profeta obedeció. Porque él seguía la palabra de Dios no tenía temor y se enfrentó con el rey Ocozías.

V. 16. Elías una vez más anunció la palabra de Dios al rey. Demostró por su ejemplo que lo que "el rey ha dicho" (vv. 9, 11) nunca es más importante que lo que *ha dicho Jehovah.* Al consultar a *Baal-zebub,* Ocozías demostró su falta de confianza en el verdadero Dios. Por su infidelidad el rey recibió sentencia de muerte. En este versículo se repite por tercera vez la frase que enseña el énfasis del pasaje: *¿acaso no hay Dios en Israel para consultar su palabra?* Compare los vv. 3, 6. Por supuesto que hay Dios en Israel, Jehovah es el Dios de Israel y Elías es su profeta.

V. 17. *Ocozías murió, conforme a la palabra de Jehovah.* Esta parte del versículo no necesita comentario. Es importante notar el papel del profeta. Dios ha escogido utilizar personas para llevar su mensaje, por eso decimos que Dios provee a los dirigentes espirituales que su pueblo necesita.

2 Eliseo sucede a Elías como profeta de Dios, 2 Reyes 2:9-18.

Vv. 9, 10. Eliseo demostró su fidelidad a Elías al negarse sistemáticamente a apartarse de él. —"¡Vive Jehovah, y vive tu alma, que no te dejaré!" Esa fidelidad le dio la oportunidad de recibir una oferta inusual: *—Pide lo que quieras que haga por ti.* Era una buena oportunidad para aprovechar. Es muy grato saber lo que Eliseo pidió: *Una doble porción* del *espíritu* de Elías.

No era una petición sencilla, pero Elías prometió que bajo determinadas circunstancias esa solicitud sería concedida.

Vv. 11, 12. Eliseo lanzó un grito: *–¡Padre mío, padre mío!* Es una expresión de reverencia y dependencia. La segunda expresión, *¡Carro de Israel y sus jinetes!* significa que el poder de la palabra de Dios, dicha a través de los profetas, es más importante para Israel que todo su poderío militar.

Vv. 13, 14. Eliseo recogió *el manto de Elías* que se le cayó cuando fue arrebatado por el Señor. En esos momentos estaba al otro lado del Jordán. Para cruzar el río Eliseo *golpeó las aguas* con el manto tal como había hecho Elías (2:8) y dijo *—¿Dónde está Jehovah, el Dios de Elías?* Era una pregunta retórica cuya respuesta lógica es: "Está aquí."

V. 15. Otros discípulos de Elías, *los hijos de los profetas que estaban en Jericó,* vieron a Eliseo cuando cruzaba el Jordán. Reconocieron el cambio en él, era como Elías, *se postraron ante él* para mostrar que desde ese momento lo consideraban su nuevo dirigente espiritual.

Vv. 16-18. *Los hijos de los profetas* buscaron inútilmente a Elías. Al principio Eliseo les advirtió que la búsqueda no era necesaria, pero dada su insistencia les permitió que fueran. Al final del pasaje, les recordó lo que había dicho acerca de la búsqueda de Elías. En ese momento tomó el papel del líder profético. Dios arrebató a Elías, pero por medio de Eliseo proveyó el liderazgo espiritual que el pueblo necesitaba.

3 Eliseo predice la victoria de Israel sobre Moab, 2 Reyes 3:4-12, 17-19.

Vv. 4, 5. *Moab,* vasallo de Israel, pagaba un enorme *tributo* anual. *Cuando murió Acab,* el rey de Israel, *Mesa,* rey de *Moab* se propuso retener el tributo a Joram pensando que el cambio de administración causaría confusión y debilidad. Esta estrategia de rebelión era muy común en el Antiguo Oriente.

Vv. 6-8. Por supuesto *el rey Joram* reaccionó a la rebelión de Mesa. No quería perder los ingresos de su tributo y temía que esa acción animara a otros Estados (como Edom) a rebelarse. El rey de Israel alistó su ejército e invitó a *Judá,* nación hermana, a participar con él en la campaña contra los rebeldes. También pidieron al rey de Edom su ayuda en esta lucha.

Vv. 9, 10. Desde Edom, los ejércitos marcharon al norte por el desierto hacia Moab. Después de una semana *les faltó agua.* Al sufrir esas privaciones, Joram, rey de Israel, atribuyó a Jehovah un propósito maligno, según él, Dios iba a *entregarlos* en manos de Mesa (se repite la acusación en el v. 13).

Vv. 11, 12. Por el contrario, Josafat, rey de Judá no dudaba como Joram de la bondad divina y quería conocer la voluntad de Dios en esa situación particular. Uno de los servidores del rey conocía a Eliseo y así lo hizo saber. Los tres reyes fueron a buscar a Eliseo para buscar dirección.

Vv. 17, 18. Aunque Joram dudaba de la bondad de Jehovah, Eliseo atendió a los reyes por respeto a Josafat. Pronunció la palabra de Dios haciéndoles saber que en un determinado momento Dios supliría el agua que necesitaban. El Señor tenía un plan al haber hecho escasear el vital líquido, pero los reyes ni siquiera se imaginaban cuál era ese plan. El agua no vendría en una tempestad con *viento* y *lluvia*, sería exclusivamente un milagro de Dios. Esta agua sería el instrumento de Dios para darle la victoria a Israel y a sus aliados sobre Moab.

V. 19. Eliseo profetizó la subyugación total de Moab. No obstante, 3:27 nos informa que algo sucedió para que no se cumpliera esta profecía en cada detalle. La derrota de Moab fue completa en la batalla, pero la victoria de Israel quedó incompleta. Joram no era fiel a Jehovah (3:2), razón por la cual Eliseo no estimó al rey (3:14).

Aplicaciones del estudio

1. La tarea de los líderes espirituales es muy importante. El desarrollo integral de una cultura depende en gran medida de una adecuada dirección espiritual.

2. Dios tiene su propia manera de hacer las cosas. Cuando provocó la falta de agua para los ejércitos aliados, lo hizo con el propósito de hacer que el agua que supliría pareciera sangre a los ojos de los enemigos. Esa fue la forma como Dios le dio la victoria a Israel.

3. El que comunica la verdad de Dios a los hombres expone su vida. No es tarea fácil condenar el pecado y llamar a los hombres a someterse a la voluntad de Dios.

Prueba

1. Describa en sus palabras las circunstancias que rodearon a Eliseo para llegar a ser profeta.____

   ____

2. Aliste el nombre de tres líderes espirituales que usted conoce y que aprecia por su liderazgo.

   a)____

   b)____

   c) ____

Lecturas bíblicas para el siguiente estudio

Lunes: 2 Reyes 4:1-7
Martes: 2 Reyes 4:8-17
Miércoles: 2 Reyes 4:18-37
Jueves: 2 Reyes 4:38-44
Viernes: 2 Reyes 5:1-19
Sábado: 2 Reyes 5:20 a 6:7

Unidad 13

Satisfacer necesidades concretas

Contexto: 2 Reyes 4:1 a 6:7
Texto básico: 2 Reyes 4:1-7, 14, 17-20, 32-36; 5:1-3, 9-15, 18, 19; 6:4-7
Versículo clave: 2 Reyes 4:7
Verdad central: La manera como Eliseo satisfizo las necesidades concretas de algunas personas nos enseña que nosotros podemos y debemos ayudar a satisfacer las necesidades de nuestro prójimo.
Metas de enseñanza-aprendizaje: Que el alumno demuestre su: (1) conocimiento de la manera cómo Eliseo satisfizo las necesidades concretas de algunas personas, (2) actitud por encontrar maneras de ayudar a alguien que tenga una necesidad material.

Estudio panorámico del contexto

En el desarrollo de su ministerio, el profeta Eliseo encontró a la viuda de "uno de los hijos de los profetas" en una situación difícil. Su esposo le dejó una deuda que la tenía sumamente preocupada. El acreedor estaba a punto de tomar a sus dos hijos como esclavos para cancelar la deuda. Esta práctica era legal en Israel (véase Exo. 21:7). Eliseo no podía hacer nada para evitar el plan del acreedor (v. 2), pero ayudó a la mujer a encontrar los recursos para pagar la deuda.

La compasión de Eliseo fue más allá de la comunidad de profetas. En repetidas ocasiones una sunamita había apoyado el ministerio de Eliseo. Esta mujer no tenía hijos y el profeta le vaticinó que al paso de un año le nacería uno. Así sucedió, pero algunos años más tarde el niño murió. La mujer fue inmediatamente a buscar a Eliseo y no descansó hasta que resucitó a su hijo. Solamente este santo hombre de Dios era capaz de solucionar su necesidad.

Eliseo también ayudó a los varones humildes de Israel. En medio de una gran hambre en el país, un grupo de discípulos estaba con Eliseo, uno de ellos puso en un guiso algunas plantas desconocidas. Alguien gritó: "¡Hay muerte en la olla!" Para no perder la comida Eliseo le puso harina con lo cual la hizo comestible.

Eliseo ministró a un sirio importante. Al sanar al leproso Naamán con las aguas del Jordán, Eliseo reveló que Jehovah es un Dios de paz cuyo gran amor es universal. Siria era enemigo de Israel, pero Dios sanó al jefe del ejército sirio.

Finalmente, Eliseo ayudó a un obrero a recuperar un hacha prestada. El pobre hombre había perdido en el río el fierro de un hacha que le habían prestado. El hombre de Dios hace que el fierro flote y demuestra así que el amor potente de Dios es ilimitado.

Estudio del texto básico

Lea su Biblia y responda

1. Conteste **V** (verdadero) o **F** (falso) según corresponda.
 ____ a. La sunamita era viuda con un solo hijo cuando conoció a Eliseo.
 ____ b. Ella encontró a Eliseo en el monte Carmelo cuando lo buscó para pedirle ayuda (4:25).
 ____ c. Guejazi resucitó al hijo de la sunamita con el bastón de Eliseo (4:31).
 ____ d. La sunamita tuvo que regresar una segunda vez para que Eliseo atendiera a su hijo.

2. ¿Cuáles son los ríos en que prefería lavarse Naamán cuando Eliseo lo envió al río Jordán? ________________ y ________________ (5:12).

3. Use su imaginación y describa la reacción del obrero cuando se le cayó el hacha en el río. ____
____.

Lea su Biblia y piense

1 Eliseo se interesa por la necesidad de una viuda, 2 Reyes 4:1-7.

V. 1. El profeta recibió la petición de una viuda que se encontraba en una situación legal crítica. Su difunto esposo le dejó una deuda que no podía pagar. Su acreedor tenía el derecho legal de tomar a sus hijos en calidad de esclavos para cubrir el monto de la deuda.

Vv. 2-4. Eliseo no podía impedir el proceso legal, pero ayudó de manera milagrosa a la mujer a pagar su deuda. Inició el milagro con la única cosa que tenía la mujer en casa, *un frasco de aceite.* Un detalle interesante es que Eliseo demandó que la mujer mostrara su fe de una manera activa, pidiéndole que aparte de los de ella consiguiera receptáculos de sus *vecinas*, le advirtió de la importancia del milagro que se iba a llevar a cabo: — *No pidas pocas;* la fe inicial de la mujer fue puesta a prueba.

Vv. 5, 6. El milagro no fue un espectáculo público, sino la obra de Dios en un hogar particular. La mujer obedeció al profeta y el aceite no se acabó hasta que ella y sus hijos habían llenado todas las *vasijas* que tenían.

V. 7. La viuda informó al *hombre de Dios* lo que había ocurrido. Eliseo le mandó a pagar lo que legalmente debía. También sobraría dinero para que viviera en paz con sus hijos.

2 Eliseo se interesa por las necesidades de una mujer, 2 Reyes 4:14, 17-20, 32-36.

V. 14. Eliseo estaba agradecido con la sunamita que apoyaba su ministerio profético, en repetidas ocasiones le había dado hospedaje. Al investigar acerca de cómo podía compensar en algo su valiosa ayuda, se dio cuenta de que la necesidad concreta de aquella mujer era tener descendencia.

V. 17. En respuesta a su necesidad Eliseo anunció a la mujer que tendría un hijo en un año. Ella no creía la noticia, no quería ser engañada por el profeta. Mas la palabra del profeta de Dios no es engaño, la sunamita *dio a luz a un hijo al año siguiente* conforme a lo *que Eliseo había dicho.*

Vv. 18-20. Pasaron algunos años y de repente el niño sufrió un ataque fulminante en la cabeza cuando estaba con su padre en el campo. El padre desconcertado lo llevó *a su madre* para que lo atendiera. A pesar de todo lo que sabían hacer, el niño murió.

Vv. 32-36. El profeta había hecho un milagro en predecir su nacimiento, pero ver a su hijo muerto era como si en realidad hubiera sido engañada. Ella puso a su hijo en la cama del profeta, y sin explicarle al marido se fue rápidamente al monte Carmelo. Cuando Eliseo envió a Guejazi a solucionar el problema, ella se negaba a apartarse de Eliseo. Por su firme determinación lo obligó a acompañarla a la casa. Eliseo obró el milagro y la sunamita una vez más recibió a su hijo vivo.

3 Eliseo se interesa por ayudar a un jefe del ejército sirio, 2 Reyes 5:1-3, 9-15, 18, 19.

V. 1. Es importante notar que Jehovah es el Dios de todo el mundo, no sólo de Israel: *Jehovah había librado a Siria* por medio de Naamán. En ese sentido Naamán era enemigo de Israel. El jefe del ejército de Siria era un hombre *importante y valiente, pero* desafortunadamente era *leproso*. Sufrir de esta enfermedad le obligaba a tener cierto aislamiento social.

Vv. 2, 3. La liberación de Naamán de su lepra comenzó con la participación de una *muchacha* de Israel quien *servía a la esposa de Naamán.* No sabemos su nombre, sin embargo, esta pequeña fue la fuente de esperanza del *importante* Naamán porque le avisó del *profeta que* estaba *en Samaria* quien, según ella podía sanarlo *de su lepra.*

Vv. 9, 10. La influencia y las riquezas de los "grandes" no siempre pueden ayudar. Eliseo no se preocupó de ir él mismo a recibir al importante personaje. No le preocupaba mucho observar el protocolo que correspondía, y simplemente envió a su siervo para que instruyese a Naamán acerca del "método de Dios" para su sanidad.

Vv. 11-13. *Naamán se enfureció* por esa notoria falta de respeto y *se fue* sin obedecer y consecuentemente sin ser sanado. *Pero sus siervos* hablaron con él y lo convencieron de que debía seguir las instrucciones.

V. 14. La Biblia no da muchos detalles al describir el milagro. El profeta mismo no está presente, hay una sencilla declaración de que sanó y nada más. El milagro no es la parte más importante del pasaje, sino lo que sigue.

V. 15. Naamán buscó a Eliseo, esta vez para declarar clara y abiertamente su fe en Jehovah, allí está la parte importante del pasaje. Reconoció que no podía comprar su salud, pero quería ofrecer *un presente* de gratitud al profeta. Sin embargo, Eliseo se niega a recibir cualquier regalo.

Vv. 18, 19. Naamán inmediatamente se dio cuenta de que su nueva fe le iba a acarrear algunos conflictos. Muy pronto tendría que asistir al templo del dios sirio Rimón, para acompañar al rey de Siria. Declaró que él no adoraría a Rimón, sino que simplemente cumpliría con una exigencia de su trabajo. Eliseo no condenó la petición y simplemente *le dijo: —Vé en paz.*

Confiaba en que el militar pondría su mejor esfuerzo para madurar en su nueva fe.

4 Eliseo se interesa por recuperar un hacha, 2 Reyes 6:4-7.

Vv. 4, 5. *Los hijos de los profetas* cortaban árboles cerca el río Jordán para levantar un nuevo edificio de reunión. De repente a uno de ellos *se le cayó el hierro del hacha al agua.* El accidente preocupó mucho al pobre hombre porque era muy difícil recuperar el hacha que para colmo de su desgracia era prestada. ¿Qué podía hacer, cómo podría pagarla? Es allí donde Eliseo interviene para realizar un nuevo milagro.

Vv. 6, 7. La rápida acción milagrosa de Eliseo permitió al obrero recuperar el hacha. De esa manera mostró que Dios se preocupa tanto por los pobres como por los "grandes", tanto por eventos comunes como por eventos grandes.

Aplicaciones del estudio

1. Todos necesitamos de Dios. Nadie en el mundo puede prescindir de la ayuda y protección de Dios. Los ricos, los pobres, los sabios, los ignorantes, todos, de una u otra manera requerimos del cuidado amoroso del Señor.

2. Dios es el mismo ayer y hoy. El sigue obrando milagros hoy como ayer. Sigue interesado en satisfacer las necesidades concretas de sus hijos. Lo hace por diversos medios que a veces no valoramos.

3. La fe sigue siendo elemento clave en la relación del hombre con Dios. Tanto la sunamita, como Naamán y la viuda de Sarepta debieron creer que Dios, por medio de Eliseo podía satisfacer su necesidad. Hoy en día es así también, Dios quiere obrar, pero la falta de fe estorba su disposición.

Prueba

1. Describa brevemente cómo Eliseo satisfizo las necesidades de estas personas.

   La viuda (4:1-7). ______________________________

   La sunamita (4:18-37). ______________________________

   Naamán (5:9-14). ______________________________

2. Reflexione sobre cómo Dios ha usado a otras personas para traer bendición a su vida. ¿Cómo cree que puede Dios utilizarle para ayudar a otros?

   ____

   ____

Lecturas bíblicas para el siguiente estudio

Lunes: 2 Reyes 6:8-23
Martes: 2 Reyes 6:24 a 7:2
Miércoles: 2 Reyes 7:3-20
Jueves: 2 Reyes 8:1-6
Viernes: 2 Reyes 8:7-15
Sábado: 2 Reyes 8:16-29

La liberación de Samaria

Contexto: 2 Reyes 6:8 a 8:29
Texto básico: 2 Reyes 6:14-23, 32, 33; 7:1-7, 14-16, 19, 20
Versículo clave: 2 Reyes 6:16
Verdad central: La participación de Eliseo y el obrar poderoso de Dios para cuidar y liberar a Samaria nos enseñan que Dios está a favor del bienestar social de su pueblo.
Metas de enseñanza-aprendizaje: Que el alumno demuestre su: (1) conocimiento de cómo Dios obró y usó a Eliseo frente al sitio de los sirios contra Samaria, (2) actitud de interés por participar en el bienestar social de su comunidad.

Estudio panorámico del contexto

Israel y Siria fueron pueblos rivales durante gran parte de su historia. Los avances del imperio asirio en el noveno y octavo siglos a. de J.C. los obligaron a ser aliados en algunas ocasiones. Sin embargo, cuando la amenaza asiria disminuía, la alianza se rompía. Durante las ocasiones de conflicto del noveno siglo, con la ayuda de Dios Eliseo advirtió al rey de Israel acerca de los planes hostiles del rey sirio. Cuando el rey de Siria supo de la actividad de Eliseo, mandó un ejército para capturar al profeta (6:14). Sin embargo, fue Eliseo quien con la intervención divina capturó al ejército sirio (6:18, 19). Al tratar bien a los prisioneros de guerra y brindarles hospitalidad en vez de hostilidad (6:21-23), Eliseo se convirtió en el precursor de una época de paz entre los dos reinos (6:23b).

Al paso de algunos años el rey de Siria sitió a Samaria (v. 24). El efecto del sitio obligó a algunos a practicar el canibalismo. Al saberlo el rey de Israel juró que iba a matar al profeta Eliseo (6:31). El profeta se dio cuenta de que su vida corría peligro y, sin embargo, no huyó. Condenó la actitud del rey y su mensajero por atribuir a Dios la maldad, profetizó el alivio que Dios pudo proveer, y negó al mensajero del rey una participación en esa salvación.

La liberación de Samaria es un milagro de Dios que se describe en 7:6, 7, interesantemente no hace ninguna referencia a Eliseo. Fueron "cuatro hombres leprosos" los que descubrieron la situación en el campamento de los sirios. El rey casi no les cree a los leprosos, pero al investigar la situación encontró la realidad del milagro de Dios. Resultó exactamente como Eliseo había profetizado.

En otra ocasión Eliseo ayudó a una sunamita para que pudiera ocupar su casa. En el mismo momento de su petición al rey por su causa, Guejazi estaba relatando al rey los grandes hechos de Eliseo al mismo tiempo que intercedía por la situación de la mujer. Cuando ella confirmó los eventos, el rey quedó muy impresionado por los actos de Eliseo y mandó que se devolviera todo lo que pertenecía a la mujer. Las acciones de Eliseo beneficiaban a otros.

La obra de Eliseo además, tenía un efecto que trascendía las fronteras de Israel (8:7-15). Eliseo anunció en Damasco que Jehovah eligió a Hazael para reinar sobre Siria y que utilizaría al rey sirio para corregir a su pueblo Israel.

Este capítulo termina con las evaluaciones de los reinados de Joram y Ocozías, reyes de Judá. La esposa de Joram era Atalía, la hija de Acab. Ella tuvo una mala influencia sobre su esposo (8:18) y sobre su hijo, Ocozías. Por eso, estos dos reyes de Judá son condenados por andar *en el camino de los reyes de Israel y en el camino de la casa de Acab.*

Estudio del texto básico

Lea su Biblia y responda

1. ¿Por qué el rey de Siria quería capturar a Eliseo, el profeta de Israel? ______________________________ (6:12).

2. ¿Qué pidió Eliseo en sus oraciones?
   a. (6:17) ______________________________
   b. (6:18) ______________________________

3. Asocie la persona en la columna de la izquierda con la identificación en la columna derecha.

____ 1. Ocozías de Judá (8:26)	a. hija de Acab
____ 2. Joram de Israel (8:16)	b. esposo de Atalía
____ 3. Atalía (8:18)	c. hijo de Acab
____ 4. Joram de Judá (8:18)	d. hijo de Atalía

Lea su Biblia y piense

1 Eliseo acaba con las incursiones sirias, 2 Reyes 6:14-23.

Vv. 14-18. Para silenciar a Eliseo el rey de Siria mandó *un gran ejército* con las armas más temibles de la época contra un solo hombre. El *criado* de Eliseo los vio y tuvo miedo. El profeta, sin embargo, reaccionó con una gran calma y confianza en el poder de Dios. Entregó su situación a Dios en oración. Su plegaria tenía dos peticiones: (1) Quería que su criado se diera cuenta de las grandes posibilidades del poder divino. Dios *abrió los ojos del criado* para que pudiera ver el ejército celestial. (2) Eliseo quería que el ejército de Siria quedara incapacitado. Dios cerró los ojos de los soldados.

Vv. 19, 20. Cuando los soldados quedaron ciegos, Eliseo se ofreció para servirles de guía y llevarlos hasta encontrar al *hombre* que buscaban. Eliseo guió al ejército hasta Samaria, la capital de Israel. De nuevo oró y *Jehovah abrió* los *ojos* del ejército. Los soldados *se hallaban en medio de Samaria* y se dieron cuenta de que estaban perdidos.

Vv. 21, 22. El rey de Israel también reconoció su ventaja y preguntaba: —*¿Los mato, padre mío? ¿Los mato?* Eliseo respondió con un sabio consejo. El ejército no debía morir, si el rey de Israel les había capturado, no debía matarlos porque eran prisioneros de guerra. Dado que habían sido capturados sin oponer resistencia y bajo condiciones muy ventajosas, ¿cuánto más debían recibir pan, agua y libertad?

V. 23. El ejército sirio recibió *un gran banquete* y su libertad. Regresaron a Siria para relatar cómo recibieron de Israel compasión en vez de muerte cuando estaban impotentes. Israel mostró el amor hacia su enemigo, y el resultado feliz fue el inicio de una época de paz.

2 Dios salvará a Samaria, 2 Reyes 6:32, 33; 7:1, 2.

V. 32. En otra ocasión, Samaria estaba sitiada por los sirios. La situación en la ciudad era desesperante. No había comida, y la gente llegó al extremo de practicar el canibalismo. El rey se sentía impotente ante esa situación y en su frustración juró que asesinaría al hombre de Dios (v. 31).

Eliseo sabía de antemano lo que tramaba el rey, pero no huyó. Mostró a los ancianos que estaba listo a morir en el servicio de Dios. Aunque sabía que su vida corría peligro, Eliseo estuvo dispuesto a profetizar los cambios que se iban a suscitar en Samaria.

V. 33. Con una visión clara de lo que el rey tramaba, Eliseo siguió en espera de los acontecimientos confiando en Jehovah. El mensajero del rey, haciendo eco del pensamiento general, atribuyó a Jehovah todos los males que se estaban suscitando. En contraste con la confianza que Eliseo tenía en Dios, el mensajero declaró: *¿Qué puedo aún esperar de Jehovah?* Aunque estas palabras son dichas por el mensajero, expresan las ideas del rey.

7:1. Eliseo proclama que el rey y todo Israel verán tanto la bondad de Jehovah como su poder. Profetiza en el nombre de Jehovah de un cambio dramático y rápido en la situación de la ciudad. En veinticuatro horas los precios bajarán y los productos de primera necesidad se comprarán con relativa facilidad.

V. 2. El *comandante* del ejército israelita se reveló como una persona incrédula. Habló de las *ventanas en los cielos* refiriéndose a la capacidad de Dios para proveer maná suficiente para su pueblo (Sal. 78:23, 24). Aun con esta capacidad, *¿sería esto posible* para Dios? Eliseo responde a la incredulidad y dice que el comandante verá la verdad de esta promesa divina cumplida, pero no disfrutará de la liberación que Dios obrará.

3 Jehovah y la liberación de Samaria, 2 Reyes 7:3-7, 14-16, 19, 20.

Vv. 3, 4. De repente Eliseo desaparece de la narración. Aparecen, en cambio *cuatro hombres leprosos* cerca de la ciudad de Samaria que no tienen esperanza de sobrevivir. No había comida para los ricos; ¡cuánto menos para estos hombres enfermos y desestimados aun cuando pudieran entrar a la ciudad! Si se quedaban donde estaban, morirían entre las fuerzas hostiles cuando comenzara la batalla. Su única opción era entregarse al enemigo (v. 4b).

Vv. 5-7. Los *leprosos* fueron *al campamento de los sirios* y lo encontraron abandonado. El milagro de liberación ocurrió sin la intervención de Eliseo. Dios había provocado pánico entre los sirios con el sonido de carros, caballos y la marcha de tropas. Ahora Dios utilizó a cuatro personas marginadas de la sociedad para llevar la buena noticia a Samaria (v. 8).

Vv. 14, 16. El rey no cree la buena noticia. Dios la ha anunciado por su profeta y ahora cuatro personas la confirman, pero el rey sigue dudando. Envía sus propios *mensajeros* les ordena: *Id y ved.* Estos *mensajeros* ven la evidencia de la apurada retirada de los sirios y confirman la liberación de Samaria... *conforme a la palabra de Jehovah.*

Vv. 19, 20. El rey puso a cargo de la puerta de la ciudad a aquel "comandante en cuyo brazo se apoyaba" para controlar a la multitud. Sin embargo, este comandante no pudo hacerlo y *el pueblo lo atropelló junto a la puerta, y murió* (vv. 17, 20). El relato hace hincapié en que el hombre que dudaba de la palabra del profeta murió conforme a lo que *había dicho* el profeta.

Aplicaciones del estudio

1. Dios busca el bienestar de los pueblos y los individuos. El Señor está listo a bendecir a todos aquellos que se sometan a su soberana voluntad. Así como estuvo atento para liberar a Samaria de la invasión de los sirios, y restaurar una época de paz social, está listo para hacerlo hoy en día.

2. Dios protege a sus siervos. Seguramente que la decisión de Eliseo de mantenerse firme a pesar de la oposición del rey, fue el factor determinante para que el Señor lo protegiera. Dios está siempre listo para cuidar de sus hijos que exponiendo su vida proclaman la verdad de Dios a los hombres.

3. Los planes de Dios a veces son incomprensibles. Dios hizo a un lado a Eliseo momentáneamente, y usó a cuatro leprosos, marginados de la sociedad, para traer salvación y provisión a su pueblo. Nadie debe sentirse tan insignificante que no pueda ser usado por Dios para traer bendición a otros. Tampoco nadie es tan "grande" que quede fuera de la acción divina.

Prueba

1. Describa cómo Dios usó a Eliseo en la liberación de Samaria. ________

____

____

2. Describa dos acciones que usted puede desarrollar para lograr en alguna medida que haya bienestar social en su comunidad.

a. ____

b. ____

Lecturas bíblicas para el siguiente estudio

Lunes: 2 Reyes 9:1-14a
Martes: 2 Reyes 9:14b-26
Miércoles: 2 Reyes 9:27-37
Jueves: 2 Reyes 10:1-17
Viernes: 2 Reyes 10:18-28
Sábado: 2 Reyes 10:29-36

Estudio 43

Unidad 13

Obedecer la voluntad de Dios

Contexto: 2 Reyes 9:1 a 10:36 (2 Crónicas 22:7-9)
Texto básico: 2 Reyes 9:1-3, 13, 24-26; 10:15-19, 24-30
Versículo clave: 2 Reyes 10:30
Verdad central: La actuación de Jehú como rey de Israel nos enseña que Dios demanda absoluta obediencia a su voluntad.
Metas de enseñanza-aprendizaje: Que el alumno demuestre su: (1) conocimiento de la actuación de Jehú como rey de Israel, (2) actitud de buscar y obedecer la voluntad de Dios para su vida.

Estudio panorámico del contexto

La historia de Jehú es la historia de un golpe de Estado. La casa de Omri había dejado de ser fiel a Jehovah. Acab, Ocozías y Joram, bajo la influencia de Jezabel, promovían la adoración de Baal en Israel. Dios decidió reemplazar al rey de Israel por otro que le fuera fiel. Por eso Eliseo puso en acción un plan para que Jehú, el jefe del ejército de Israel, llegara a ser el nuevo rey.

Eliseo era tan conocido que no pudo reunirse con Jehú sin provocar sospechas. Por lo cual envió a uno de los hijos de los profetas para que fuera en busca de Jehú en Ramot de Galaad para entregarle el mensaje a solas. Tenía instrucciones de pronunciar la palabra de Dios y una vez hecho esto escapar.

Jehú y sus oficiales del ejército fueron receptivos al plan de Dios expresado a través de su siervo Eliseo y se inició una cadena de eventos sangrientos que resultaron en la muerte de Jezabel, Joram y toda la casa de Acab conforme al mensaje del profeta (9:7-10). Sin embargo, la violencia creció a gran escala y tuvo un efecto devastador tanto en Israel como en Judá.

Asegurándose de guardar el secreto (9:15) Jehú mismo cabalgó y fue a Jezreel para enfrentar a Joram a quien mató con una flecha por la espalda. Ocozías, rey de Judá, por casualidad estaba en Jezreel. Jehú decidió que también él debía morir. Herido mortalmente, Ocozías huyó a Meguido donde murió y en la ciudad de Jezreel, Jezabel fue asesinada. La primera etapa del golpe había terminado.

La segunda etapa era más difícil. Jehú tenía que eliminar a los hijos de Acab quienes estaban en posición de suceder legalmente a Joram. Ellos estaban en Samaria y la noticia de los sucesos en Jezreel les llegaría pronto. Jehú decidió utilizar la intimidación en vez de atacar abiertamente a toda la ciudad. Escribió una carta desafiando a los líderes de Israel a prepararse para defender al príncipe que escogieran. Por temor, esos líderes se rindieron. Jehú les pidió que probaran su lealtad matando a los hijos de Acab, y así lo hicieron. La profecía de 9:7-10 se cumplió. Sin embargo, la ola de violencia seguía (10:11).

Jehú encontró algunos príncipes de la casa de Ocozías, rey de Judá y los mató, luego hizo un pacto con Jonadab de los recabitas, un grupo celoso de su devoción a Jehovah y las tradiciones nomádicas de Israel. Con la ayuda de Jonadab, Jehú fue a Samaria y mató a "todos los de Acab". Esta expresión incluye no sólo la familia real sino a todos los que eran leales a la familia real. La violencia continuó cuando Jehú fingió adorar a Baal para identificar a todos los seguidores del dios falso y eliminarlos (10:18-28).

No obstante, el juicio sobre Jehú no es totalmente positivo. "No se apartó de los pecados de Jeroboam hijo de Nabat." Por eso Dios castigó a Israel por medio de Hazael de Siria quien se apoderó de algunos territorios de Israel. La violencia excesiva de Jehú debilitó a la nación.

Estudio del texto básico

Lea su Biblia y responda

1. El centinela de la torre de Jezreel pudo identificar a Jehú por su manera de ______________, porque ______________________________ (9:20).

2. ¿Cuál fue el gesto de amistad entre Jehú y Jonadab? (10:15) __________
____

3. Según 10:31 ¿cuál fue un error de Jehú? ______________________
____

Lea su Biblia y piense

1 Jehú es ungido y proclamado rey de Israel, 2 Reyes 9:1-3, 13.

V. 1. La historia de Jehú comienza con una acción del *profeta Eliseo.* Esto muestra de manera clara la mano de Dios. La participación del profeta es decisiva en la restauración de una paz relativa en el pueblo de Dios. Eliseo prepara a un anónimo *hijo de los profetas* para ungir a un nuevo rey. No lo envía a la casa real en Samaria o a Jezreel, sino que lo envía a *Ramot de Galaad* donde se recupera el ejército de Israel después de una batalla indecisa contra Siria. Un golpe de Estado era necesario por la decadencia espiritual que los reinos de Acab y sus hijos habían causado.

Vv. 2, 3. Era necesario un cambio de poderes. Eliseo instruyó a uno de sus criados para que fuera a ungir a Jehú en secreto. Una vez hecha la unción, debía salir sin esperar respuesta alguna. El profeta no sabía cuál sería la reacción de Jehú, o si alguno de los oficiales del ejército acusaría al profeta de traición. No obstante, las palabras claras y directas del mensaje, declaran la fuente del plan: *Así ha dicho Jehovah;* Dios escogió a Jehú como sucesor de Joram en el trono de Israel, no fue Eliseo quien lo hizo.

V. 13. Los *compañeros* de Jehú le preguntaron acerca de la visita del extraño mensajero. Su manera de preguntar indica un cierto desprecio por este criado del profeta: "¿Para qué vino a ti ese loco?" Evidentemente era conocido por ellos (v. 11), y no creían que podía tener un mensaje tan importante que merecía un encuentro secreto. Pero cuando Jehú les informó el contenido del mensaje, la reacción de ellos fue inmediata. Pusieron sus mantos debajo de los pies de Jehú para simbolizar que estaban al servicio del nuevo rey. Lo afirmaron con el grito: —*¡Jehú reina!* Con esto, nadie podía volverse atrás; el golpe de Estado había dado inicio y tenía que seguir hasta sus últimas consecuencias.

2 Jehú elimina la mala influencia de Acab, 2 Reyes 9:24-26; 10:15-17.

V. 24. En este versículo se relata el asesinato de Joram. Jehú se dirigió a Jezreel en un carro de guerra a toda velocidad. Los mensajeros del rey preguntaron si había *paz* en el reino, pero Jehú los persuadió de que se unieran con él en los planes que le había revelado el siervo de Dios. Cuando el rey Joram salió a preguntarle sobre la *paz* (*shalom*), Jehú reveló su propósito al declarar que no podía haber *paz* (bienestar, *shalom*) en Israel bajo la casa de Acab. Al verse en peligro, Joram intentó huir pero Jehú lo alcanzó con una flecha que atravesó su corazón dándole muerte.

Vv. 25, 26. Jehú dio órdenes a Bidcar de arrojar el cadáver de Joram en *la parcela del campo de Nabot* para cumplir una profecía que Bidcar y Jehú escucharon en los días que servían a Acab juntos. El verbo *dar retribución, shalem,* es de la misma raíz de donde proviene la palabra *paz, shalom.* La *paz* que buscaba Jehú sólo podía hallarse en la retribución de Jehovah. Fue necesaria una intervención de Dios a través de Jehú para quitar la maléfica influencia del baalismo en el pueblo de Dios.

10:15, 16. En el camino entre Jezreel y Samaria Jehú *encontró a Jonadab hijo de Recab.* Los recabitas formaban un clan que prefería el campo a la ciudad y que celosamente preservaba las tradiciones de las experiencias de Israel en el desierto. Jehú quería saber si los recabitas apoyaban el golpe de Estado que él estaba encabezando. Jonadab le aseguró que sí, y para mostrar su solidaridad, subió al carro de Jehú y lo acompañó hasta Samaria.

V. 17. Al llegar a Samaria Jehú continuó el exterminio de todos los que habían servido a Joram. Igual que como había hecho en Jezreel (v. 11), *mató a todos los de Acab que habían quedado allí, hasta exterminarlos.*

3 Jehú elimina a los profetas de Baal, 2 Reyes 10:18, 19, 24-28.

Vv. 18, 19. El aspecto político del golpe había terminado, pero faltaba una profunda reforma religiosa. Para cumplir este aspecto, Jehú organizó una reunión masiva donde aparentemente se iba a adorar a Baal. Convocó a todos los *profetas de Baal, siervos* suyos, y *sus sacerdotes* para hacer un culto con *un gran sacrificio* (*zebaj gadol*). Jehú hizo un juego de palabras porque la palabra *zebaj* no sólo significa sacrificio, sino que también es la palabra "matanza". Es con gran ironía que Jehú declaró: "Cualquiera que falte no vivirá." Irónicamente, los que asistieron tampoco iban a sobrevivir.

Vv. 24-28. Mientras en el interior del templo todos participaban en el culto de Baal, Jehú dio sus órdenes finales a 80 hombres alrededor del templo que habían sido instruidos para aniquilar a los adoradores de Baal, todos debían morir. Jehú no sólo destruyó a los baalistas, sino también cada símbolo del baalismo. El *árbol ritual* y *la piedra ritual* que se usaban en ritos de fertilidad fueron destruidos y el templo mismo demolido. Decir que el lugar se convirtió en *letrina* es una burla mordaz hacia el baalismo. La nota de v. 28: *Jehu erradicó a Baal de Israel,* es un resumen de todos los eventos de este relato.

4 Jehú obedece parcialmente a Jehovah, 2 Reyes 10:29, 30.

V. 29. Aunque Dios había escogido a Jehú y un profeta lo había ungido, su reinado no fue un éxito completo. Jehú erradicó la adoración abierta de Baal, pero seguía permitiendo el uso de las imágenes de becerros en Betel y en Dan. Eran *los pecados de Jeroboam hijo de Nabat.* Por eso se dice que la obediencia a Dios fue solamente parcial.

V. 30. A pesar de sus fallas Jehú recibió una promesa de Dios. La dinastía de Jehú duraría *hasta la cuarta generación* de sus hijos porque Jehú había erradicado el baalismo de la casa de Acab. Esta promesa se cumplió. Cuando murió Jehú, le sucedieron en el trono Joacaz, Joás, Jeroboam II, y Zacarías. Es necesario notar que Jehú también recibió la paga de sus pecados: *En aquellos días Jehovah comenzó a reducir a Israel.*

Aplicaciones del estudio

1. Dios está atento al devenir histórico de su pueblo (9:1-3). Dios revela su interés por los acontecimientos y decide actuar, demostrando que tiene la historia en sus manos.

2. Al final de cuentas, el pecado cobra su salario (9:24-26). Joram fue arrojado en el campo de Nabot para regarlo con su sangre. Nada queda sin ser aclarado en relación con las injusticias.

3. Con Dios no se juega (10:24, 25). El asunto de la fidelidad a Dios no es cosa ligera, él demanda obediencia absoluta.

Prueba

1. Escriba brevemente su reacción a los hechos de Jehú. En su respuesta trate de incluir los aspectos positivos y negativos ____________________

____

____

2. Responda a la pregunta: ¿busco y obedezco la voluntad de Dios para mi vida? _____ Explique su respuesta. ____________________

____

____

Lecturas bíblicas para el siguiente estudio

Lunes: 2 Reyes 11:1-3	**Jueves:** 2 Reyes 12:2, 3
Martes: 2 Reyes 11:4-16	**Viernes:** 2 Reyes 12:4-16
Miércoles: 2 Reyes 11:17 a 12:1	**Sábado:** 2 Reyes 12:17-21

Compromiso de fidelidad

Contexto: 2 Reyes 11:1 a 12:21
Texto básico: 2 Reyes 11:1-3, 17 a 12:2-7, 15
Versículo clave: 2 Reyes 12:15
Verdad central: La restauración de la casa de Jehovah que hizo Joás nos enseña que es necesario renovar constantemente nuestro compromiso de fidelidad con Dios.
Metas de enseñanza-aprendizaje: Que el alumno demuestre su: (1) conocimiento de lo que hizo Joás para restaurar la casa de Jehovah, (2) actitud de renovada fidelidad a Dios.

Estudio panorámico del contexto

Atalía usurpa el trono. Cuando Jehú mató a Ocozías, rey de Judá (2 Rey. 9:27), ocurrió una situación única en la historia de Judá: una mujer extranjera ascendió al trono. La reina madre, Atalía hija de Acab, era oriunda de Israel y por lo mismo ajena a las tradiciones davídicas. No pensaba en la promesa divina de que la casa de David ocuparía el trono para siempre. Quería tomar el trono para ella y fundar su propia dinastía. Trató de exterminar a todos los de la casa de David, pero su propia hija, Josabet, rescató "a Joás hijo de Ocozías y lo escondió" para frustrar su plan.

Durante seis años Josabet y su esposo Joyada escondieron a Joás en su departamento en el templo. "Al séptimo año, Joyada", el sumo sacerdote de la casa de Jehovah puso en acción un plan para poner a Joás, el descendiente de David, en el trono. Con la ayuda de la guardia real y de "todo el pueblo de la tierra", Joyada coronó al niño rey. Este complot tomó a Atalía y a todos los habitantes de Jerusalén por sorpresa. En contraste con la rebelión de Jehú y la matanza de la casa davídica por Atalía, la restauración de la casa de David al trono de Judá resultó solamente en la muerte de Atalía y de "Matán, sacerdote de Baal".

Con una nueva división de labores, la reparación del templo se cumplió sin mayores problemas.

No obstante, el reino de Joás no estaba exento de problemas. Hazael rey de Siria se levantó contra Judá igual como lo había hecho contra Israel. Mientras Hazael derrotó a Jehú en todo el territorio de Israel, y redujo sus fronteras, Judá mantuvo su independencia, pero Joás fue obligado a pagar tributo a Hazael, éste aun incluyó los tesoros del templo (12:18), y perdió la ciudad de Gat (12:17). Joás fue asesinado por dos siervos suyos, probablemente por causa de descontento político. Sin embargo, este golpe no reemplazó la dinastía davídica; el hijo de Joás, Amasías, reinó en su lugar. Después de la experiencia con Atalía, la gente de Judá no quería ningún rey que no fuera de la casa de David.

Lea su Biblia y responda

Lea todos los pasajes del *Texto básico* y complete los siguientes ejercicios:

1. Asocie la identificación en la columna que está a la izquierda con el nombre en la columna que está a la derecha.

___ 1) Madre de Ocozías	a. Ocozías
___ 2) Persona que rescató al infante Joás	b. Matán
___ 3) Sumo sacerdote de la casa de Jehovah	c. Atalía
___ 4) Rey de Judá asesinado por Jehú	d. Joyada
___ 5) Hijo de Ocozías que llegó a ser rey a los 7 años	e. Josabet
___ 6) Sacerdote de Baal	f. Joás

2. Marque con **F** las declaraciones falsas y con **V** las verdaderas.

___ a. Joás inició un plan de reparar el templo cuando tenía 23 años.
___ b. El primer plan de Joás para restaurar el templo fracasó.
___ c. Los obreros fueron tan honestos que no les pedían cuentas.
___ d. Los sacerdotes no recibieron el dinero del sacrificio por el pecado porque este dinero era para reparar el templo.

Lea su Biblia y piense

1 Joás escondido en la casa de Jehovah, 2 Reyes 11:1-3.

V. 1. La muerte de Ocozías rey de Judá a manos de Jehú trajo graves consecuencias para el reino del sur. La madre del rey, *Atalía* hija de Acab, vio una oportunidad para usurpar el poder y fundar una dinastía distintivamente suya. La matanza de los de la casa de David fue una acción completamente contraria a la promesa de Jehovah de que el trono de Judá pertenecería a la casa de David para siempre.

V. 2. El plan de Atalía se frustró por la acción de una sola persona, *Josabet.* Josabet era hija de Atalía, *hija del rey Joram y hermana de Ocozías.* Se evita el uso del nombre de la madre para mostrar ¡cuán distintas eran madre e hija! Josabet era la esposa de Joyada, el sumo sacerdote en el templo de Jehovah (2 Crón. 22:11). Josabet rescató a Joás, su sobrino, y a la *nodriza* y los escondió en el templo (2 Crón. 22:12).

V. 3. La situación en Judá era precaria. *Atalía,* una mujer extranjera, *reinaba* mientras el futuro de la casa de David (¡y la promesa de Dios!) dependía de la vida de un infante: Joás. Por *seis años* la situación siguió igual. Josabet y Joyada no desmayaban en su determinación de restaurar en el trono de Judá al legítimo rey del linaje de David.

2 Joás reina asesorado por Joyada, 2 Reyes 11:17 a 12:1.

V. 17. En el séptimo año del reino de Atalía, Joyada el sumo sacerdote puso en acción su plan de restaurar a Joás en el trono. El golpe planeado por Joyada estuvo tan bien organizado que tomó a Jerusalén por sorpresa y se evitó la muerte de mucha gente. Cuando el éxito de su plan fue asegurado, el sumo sacerdote guió al pueblo y al nuevo rey en la realización de dos pactos.

El primero era un pacto religioso en el que tanto el rey como el pueblo renovaron sus votos de vivir según la voluntad de Jehovah. Luego hizo el segundo pacto en el que el pueblo acordó vivir bajo la soberanía de Joás. Al restaurar la casa de David, entendían la realidad del Salmo 127:1: "Si Jehovah no edifica la casa, en vano trabajan los que la edifican."

V. 18. Una consecuencia de los dos pactos fue el rechazo de la adoración de Baal en Judá. *Todo el pueblo de la tierra* destruyó *el templo de Baal.* Hay algunas ruinas en Ramat Rahel, 3 kilometros al sur de Jerusalén, que pueden ser las del templo de Atalía. Allí murió otra víctima del golpe, *Matán, el sacerdote de Baal.* El hecho que había solamente un sacerdote de Baal muestra que la gente común de Judá no aceptaba al baalismo. Con la muerte de Atalía, el pueblo quería erradicar este culto al dios de la fertilidad de su tierra. Joyada fijó la atención del pueblo en la adoración a Jehovah y *designó oficiales para la casa de Jehovah.*

V. 19. La segunda consecuencia de los dos pactos fue entronar al nuevo rey oficialmente. Joyada organizó la ceremonia de la coronación tradicional.

V. 20. Este versículo describe la situación en Judá después del golpe. Se notan dos reacciones distintas: *Todo el pueblo de la tierra se regocijó,* porque nunca ahían apoyado el gobierno de Atalía. Sin embargo, la Biblia solamente dice de Jerusalén que *estaba en calma.* Ante el poder del *pueblo de la tierra* y la alianza entre Joyada y la guardia real, la población de Jerusalén estaba contenta de aceptar el cambio sin violencia.

11:21 y 12:1. El establecimiento del reino de *Joás* se describe en estos dos versículos. Hay una conección entre los reinos de *Joás* y Jehú que no es casual. El golpe de Jehú no sólo debilitó a Israel por su exceso de violencia, sino que puso la vida del infante Joás en peligro e hizo reinar a Atalía en Judá. Después de seis años por fin la dinastía davídica fue restaurada.

3 Joás restaura la casa de Jehovah, 2 Reyes 12:2-7, 15.

Vv. 2, 3. Estos versículos presentan una evaluación del reino de *Joás.* Se nota que el culto no se centró exclusivamente en el templo en Jerusalén. Todavía había cultos en *los lugares altos.* Sin embargo, son las palabras del v. 2 las que nos perturban. Implican que la rectitud de *Joás* dependía en gran manera de la instrucción y presencia de *Joyada* (véase 2 Crón. 24:15-22).

Vv. 4, 5. La Biblia presenta la restauración del *templo* como la obra mayor en el reino de Joás. Reparar el *templo* representa la fidelidad del rey hacia Jehovah. Esa historia de restauración toma lugar en dos etapas. En el primer esfuerzo el rey hace un acuerdo con los sacerdotes. El rey destinó varios tipos de ingresos a los sacerdotes de los cuales ellos deberían haber utilizado una parte para la reparación del templo.

Vv. 6, 7. Sin embargo, por *el año 23 del rey Joás* la obra no se había concluido. En este tiempo el rey consideró este esfuerzo como un fracaso. *Llamó al sacerdote Joyada y a los demás sacerdotes* para hablar de la situación. Quizá el rey pidió ayuda de su asesor para encontrar un mejor plan para reparar el templo. Era necesario un nuevo plan, la distribución de ingresos en el templo fue modificada. Los sacerdotes recibieron sus ingresos legítimamente (v. 16), pero la mayoría de esos ingresos se destinarían a la reparación del templo (v. 7).

V. 15. El nuevo acuerdo fue aceptable para todos (v. 8). El dinero para la restauración de la casa de Jehovah se colectó de una manera pública. La responsabilidad para contar el dinero correspondió tanto a *un escriba del rey* como al "*sumo sacerdote*". Después de contar el dinero juntos, lo entregaban directamente a los obreros para pagar los salarios y para la compra de material (vv. 11-14). Los resultados fueron tan obvios que no *se pedían cuentas* de ellos. Se vio que todo se hizo con plena confianza y *honestidad.*

Aplicaciones del estudio

1. Aun las relaciones familiares son afectadas por la fe de uno de sus miembros. Ese fue el caso de Josabet hija de Atalía, quien junto con su esposo decidieron colaborar con Dios en preservar la promesa de la permanencia de la descendencia de David en el trono de Judá. Por esa razón escondieron a Joás por seis años, contraviniendo la voluntad de la reina. Siempre es mejor obedecer a Dios antes que a los hombres.

2. Una administración honesta de los recursos habla bien del pueblo de Dios. Joás organizó debidamente la administración de los bienes para la reconstrucción del templo. El testimonio de su buen trabajo hizo que el escritor dijera que no se pedía cuentas porque todo era hecho con honestidad. Allí tenemos un buen ejemplo para la sabia conducción de las finanzas de la iglesia.

3. Debemos mantener en buenas condiciones el lugar de adoración. Es triste ver templos casi derrumbados que reflejan el nulo interés de los adoradores por el lugar dedicado a la adoración a Dios. Si tenemos interés en manetener nuestras casas en óptimas condiciones, cuánto más debemos hacer con la casa del Señor.

Prueba

1. Explique dos acciones que hizo Joás para la reparación del templo:
   1) ______________________________
   2) ______________________________

2. Como resultado de este estudio, yo quiero mostrar fidelidad a Dios en estas acciones (marque sus respuestas con una ✓):
   ___ Asistir a los cultos de mi iglesia regularmente.
   ___ Orar por los líderes espirituales de la iglesia.
   ___ Participar en la visitación evangelística.
   ___ Hacer mi parte en el cuidado del templo.
   ___ Ser mejor mayordomo de mi vida.

Lecturas bíblicas para el siguiente estudio

Lunes: 2 Reyes 13:1-13
Martes: 2 Reyes 13:14-21
Miércoles: 2 Reyes 13:22-25
Jueves: 2 Reyes 14:1-7
Viernes: 2 Reyes 14:8-14
Sábado: 2 Reyes 14:15-22

Vivir en paz

Contexto: 2 Reyes 13:1 a 14:22 (2 Crónicas 25:1 a 26:2)
Texto básico: 2 Reyes 13:1-7, 14-19, 22-25; 14:8-14
Versículo clave: 2 Reyes 13:5
Verdad central: Los ataques de Israel contra Siria y Judá nos enseñan que Dios espera que sus hijos vivamos en paz con él y con nuestros semejantes.
Metas de enseñanza-aprendizaje: Que el alumno demuestre su: (1) conocimiento de lo improductivo de los ataques de Israel contra Siria y Judá, (2) actitud de compromiso de buscar la paz con Dios y con sus semejantes.

Estudio panorámico del contexto

Cuando murió Jehú su hijo Joacaz tomó su lugar como rey de Israel. La Biblia relata su reinado de 17 años en sólo nueve versículos. Igual que Jehú, Joacaz seguía usando las imágenes de becerros en Dan y Betel (v. 2). Por eso también sufrió los ataques de los sirios Hazael y su hijo Ben-hadad por mucho tiempo. En medio de la historia del reino de Joacaz está el relato de la oración del rey y la declaración que "Jehovah dio un libertador a Israel". El informe oficial del reino de Joás de Israel es aún más breve. Se compone de una introducción y una conclusión, pero no relata nada de los hechos del rey, 13:10-13.

Joás estimó a Eliseo y lo obedeció, pero no tuvo ni la visión espiritual ni la fe de él. En realidad, la influencia de Eliseo en Israel continuó después de su muerte (13:20, 21). Esta sección sobre Israel termina con la nota de que las profecías de Eliseo se cumplieron.

En el sur Amasías sucedió a su padre Joás de Judá. Su reinado comenzó con violencia. Algunos miembros de la corte real asesinaron a Joás. Sin embargo, el golpe no resultó en un cambio de dinastía porque el pueblo apoyaba firmemente a los de la casa de David. Amasías entonces mató a los conspiradores y el reino se consolidó en su mano. El castigo de los conspiradores se efectuó conforme a lo que está escrito en el libro de la Ley (*torah*). Amasías tuvo éxito en defender el territorio de Judá (14:7), pero la evaluación que se hace del rey no es totalmente positiva (14:4).

Después de sus éxitos militares en el sur, Amasías desafió a Joás, el rey de Israel. Quería resolver en combate un conflicto entre los dos reinos. La guerra fue desastrosa, aunque pudo haberse evitado. Fue el resultado del error y la soberbia. Esta historia nos enseña las consecuencias de no vivir en paz con nuestros semejantes.

Joás, el rey de Israel, triunfó en las batallas con Judá. No obstante, Joás murió quince años antes que su rival, Amasías. El reino de Amasías terminó con violencia, tal como comenzó. Hubo una conspiración contra él en Jerusalén. El rey se escapó a Laquis, pero lo mataron allí. Sin embargo, el golpe no puso fin a la dinastía de David: el hijo de Amasías, llamado Azarías, comenzó a reinar en su lugar 2 Reyes 14:21.

Estudio del texto básico

Lea su Biblia y responda

1. Los reyes de Siria que oprimían a Israel fueron _______________ y _______________ (13:3).

2. Eliseo utilizó un ________ y ________ para profetizar a Joás (13:15).

3. Joás respondió al reto de Amasías con la fábula del ___________ y el ___________ (14:9).

4. Israel y Judá se enfrentaron para combatir en ______________ (14:13).

5. Amasías vivió _______ años después de la muerte de Joás (14:17), pero por fin fue asesinado en la ciudad de ___________ (14:19).

Lea su Biblia y piense

1 Dios usa a Siria para castigar a Joacaz, 2 Reyes 13:1-7.

V. 1. Hacia el fin del siglo IX a. de J.C. Joacaz sucedió a su padre Jehú como rey de Israel. Durante los 17 años de su reino Joacaz se ocupó en recuperar el poder militar y político de Israel. Sin embargo, no pudo hacerlo.

Vv. 2, 3. Joacaz no pudo liberar a Israel del poder de Siria cuando reinaba Hazael y solamente tuvo éxitos limitados contra Ben-hadad (vv. 22-25). Sus intentos provocaron nuevos ataques de Siria y más pérdidas para Israel. La explicación teológica de la incapacidad de Joacaz de proveer bienestar en Israel es que *él hizo lo malo ante los ojos de Jehovah.* Promovió el sincretismo entre la adoración a Jehovah y a Baal (vea también el v. 6). Por estos pecados su reino se caracterizó por constantes derrotas (vv. 3, 7).

Vv. 4, 5. A pesar de sus errores Joacaz todavía creía en Jehovah, y buscaba *el favor* de Dios en la crisis que enfrentó el país. Dios respondió a la oración de Joacaz y *dio un libertador a Israel.* No fue porque Joacaz merecía la ayuda, ni por la bondad de Israel que Dios respondió, sino por su gracia y su misericordia. No sabemos exactamente quién era ese *libertador,* pero si se piensa en un libertador militar hay que identificarlo con el asirio Adad-nirari III. Los asirios presionaron a Siria tanto que no pudo continuar oprimiendo a Israel. Sin embargo, parece mejor identificar al libertador con Eliseo. Sus profecías de liberación en 13:15-19 se cumplieron en 13:25.

Vv. 6, 7. El acto de liberación no causó un cambió en el corazón de Joacaz. El v. 6 hace hincapié en el carácter pecaminoso del rey a pesar de su oración. Un líder que no sigue la voluntad de Dios e insiste en combatir con sus fuerzas al final de cuentas estará más débil, aunque haya algunos triunfos ocasionales. El v. 7 señala esa debilidad en Joacaz. ¿Quién tendría miedo de un rey cuyo ejército tenía sólo *10 carros y 50 jinetes?*

2 Joás derrota tres veces a los sirios, 2 Reyes 13:14-19, 22-25.

V. 14. El relato de los últimos actos proféticos de Eliseo muestra cómo el profeta fue un *libertador* de Israel durante todo su ministerio. El rey Joás viene *llorando* porque reconoce que aun débil y enfermo Eliseo vale más para Israel que sus carros y jinetes (ver v. 7). Lo que sigue en esta sección son dos actos proféticos que manifiestan el cuidado que Jehovah muestra para su pueblo Israel mediante el ministerio de su profeta.

Vv. 15-17. En el primer acto simbólico Eliseo obligó a Joás a tomar un arco y flechas en su mano. Cuando el rey obedeció, el profeta *puso sus manos sobre las manos del rey.* Así Joás abrió la ventana y tiró una flecha. Eliseo representaba a Dios en este acto de imponer su mano sobre la del rey. Simbolizó que el rey estaba obrando bajo el poder de Dios y que haría la voluntad divina en lo que iba a hacer contra Siria. La flecha que tiró Joás era la *flecha de victoria de Jehovah.* Eliseo declaró que la voluntad de Dios era luchar contra Siria *hasta acabar con ella.*

Vv. 18, 19. En el segundo acto simbólico Joás mostró que no tenía la visión espiritual ni la fe de Eliseo. Eliseo había dicho al rey que lucharía contra Siria *hasta acabar con ella.* No obstante, cuando Eliseo ordenó al rey que golpeara la tierra con las flechas, éste lo hizo a medias. Los golpes simbolizaban el dominio sobre Siria; cada golpe representó una victoria. El rey *golpeó la tierra tres veces y se detuvó.* Al hacerlo así se limitaba él mismo a derrotar a Siria *sólo tres veces.*

Vv. 22, 23. Después de relatar la muerte de Eliseo, la Biblia resume la situación de Israel en los reinos de Joacaz y Joás. Por causa de los pecados de estos reyes Israel sufrió debilidad y opresión. Sin embargo, la gracia y compasión de Dios son más fuertes que los pecados del hombre. Por eso Dios no permitió que Siria destruyera a Israel.

Vv. 24, 25. La profecía de Eliseo se cumplió. Israel venció a Siria tres veces y *recuperó* varias *ciudades de Israel* que había perdido. Con el cambio de reyes la vida de Siria cambió. Israel estaba creciendo en poder, pero ¿con qué fin?

3 Israel derrota a Judá, 2 Reyes 14:8-14.

V. 8. Amasías, rey de Judá, desafió a Joás, rey de Israel, con palabras fuertes: "*¡Ven, y veámonos las caras!*" Para entender este reto, tenemos que leer 2 Crónicas 25:5-13 que es un pasaje paralelo a 2 Reyes 14:7. Evidentemente Edom se rebeló contra Judá cuando Amasías ascendió al trono. Para apagar la rebelión Amasías reunió tropas de Judá y había contratado con Israel el servicio de 100,000 mercenarios *por 100 talentos de plata.* Luego, *un hombre de Dios* lo convenció de que despidiera a los israelitas aunque tuviera que perder su plata. Los israelitas *se enojaron muchísimo contra Judá* por este insulto y la pérdida del botín que esperaban. Entonces los mercenarios de Israel saquearon las ciudades de Judá cerca de Bet-jorón y mataron a 3,000 personas. Por eso, Amasías retó a Joás. Tenía una queja justa que demandaba una aclaración, pero las actitudes tanto de Amasías como de Joás llevaron a Judá e Israel a una guerra que pudo haberse evitado.

Vv. 9, 10. Joás, por su parte, respondió con la fábula del cardo y el cedro. Su significado es obvio, Joás no se reuniría con Amasías. Pero esta manera de responder llevaba implícito un insulto. Las palabras del v. 10 sólo intensificaban el rencor que ya existía entre ambos reinos.

V. 11. Joás no quería negociar y Amasías no quería *escuchar* razones. Los dos se enfrentaron en *Bet-semes.* La estrategia de Israel era lógica, Israel llevó la lucha a Judá en el occidente porque era más fácil atacar a Jerusalén desde el oeste.

Vv. 12-14. Para Judá la batalla en Bet-semes fue un desastre. El ejército se desintegró (v. 12), Amasías fue encarcelado (v.13), Joás debilitó a Judá por derribar una porción significativa del *muro de Jerusalén* (v. 13), saqueó el templo, y llevó *rehenes* a Samaria. Israel, por su parte, se encontró con vecinos hostiles en el norte (Siria) y el sur (Judá). El plan de Dios no se llevaba a cabo por la guerra fratricida entre dos reyes soberbios.

Aplicaciones del estudio

1. En la guerra nadie es vencedor. Ni Judá ni Israel fueron ganadores en la guerra donde se enfrentaron hermanos. La iglesia que vive en constantes conflictos pierde mucho en todos los aspectos, nadie resulta ganador.

2. El diálogo y la razón son los mejores caminos. Para solucionar los conflictos vale la pena sentarse a la mesa de las negociaciones, dejar que el Espíritu de Dios obre. Joás y Amasías no lo hicieron y se vio el resultado.

3. La falta de fe limita las victorias. Cuando Eliseo le dijo a Joás que golpeara la tierra con las flechas (v. 18) era la oportunidad para obtener una contundente victoria sobre el enemigo, pero sólo la golpeó tres veces. Así escribió una página triste de su historia, sólo venció en tres ocasiones al enemigo, conforme a la medida de su fe.

Prueba

1. La guerra entre Judá e Israel fue estéril. Escriba dos razones.

   a. ______________________________

   b. ______________________________

2. La paz del hombre con Dios y con sus semejantes es de importancia capital para la felicidad. ¿Cómo puede usted enriquecer esas relaciones en su vida? Con Dios ______________________________

   Con sus semejantes ______________________________

Lecturas bíblicas para el siguiente estudio

Lunes: 2 Reyes 14:23-29
Martes: 2 Reyes 15:1-7
Miércoles: 2 Reyes 15:8-31
Jueves: 2 Reyes 15:32 a 16:20
Viernes: 2 Reyes 17:1-23
Sábado: 2 Reyes 17:24-41

Unidad 14

Castigo severo por pecar

Contexto: 2 Reyes 14:23 a 17:41
Texto básico: 2 Reyes 14:23-27; 17:7-13, 18-23
Versículo clave: 2 Reyes 17:13
Verdad central: La declinación y el final del reino de Israel nos enseñan que Dios castiga severamente a sus hijos cuando insisten en pecar.
Metas de enseñanza-aprendizaje: Que el alumno demuestre su: (1) conocimiento de los eventos que condujeron a la declinación final del reino de Israel, (2) actitud de abandonar cualquier pecado que esté cometiendo y volverse de todo corazón a Dios.

Estudio panorámico del contexto

Israel y Judá tuvieron una época de estabilidad y crecimiento durante los reinados de Jeroboam II (41 años en Israel) y Azarías (52 años en Judá). Sin embargo, se relata de la obra de cada reinado en sólo 7 versículos. La Biblia no se interesa en la prosperidad de Jeroboam II. Lo que quiere es mostrar que bajo este rey Israel siguió en el pecado. El éxito relativo que tuvo Jeroboam II fue por la gracia de Dios para extender el tiempo del reino del Norte. El informe sobre Azarías (se llama Uzías en 2 Crónicas e Isaías) arroja una evaluación más positiva. Sin embargo, se centra en el hecho de que era leproso. 2 Crónicas 26 relata más de las experiencias de Azarías.

La prosperidad de Israel alcanzó su cenit en el reinado de Jeroboam II. Sin embargo, la injusticia también creció a gran escala. El ansia de poder y riqueza provocó una época de inestabilidad en la historia de Israel. Entre una sucesión de 5 reyes, sólo uno heredó el trono a su hijo. Zacarías hijo de Jeroboam reinó por 6 meses y fue asesinado por Menajem. Ese rey consolidó su poder con una campaña de terror (15:16), la ayuda de Asiria (15:19) e impuestos opresivos (15:20). Entregó el trono a su hijo, Pecaías, quien reinó por 2 años. Pécaj lo asesinó y reinó en su lugar por varios años. Los "20 años" de 15:27 probablemente incluyen varios años antes de que fuera rey sobre todo Israel; probablemente controlaba la Transjordania en rivalidad con Menajem y Pecaías. Es Pécaj quien se alió con Rezín, rey de Siria, para oponerse al imperio asirio. Esta rebelión fue la que finalmente provocó su propia muerte.

Mientras había tanta inestabilidad en Israel, Judá se mantuvo estable bajo el reinado de Jotam. No sabemos mucho de su actuación porque el informe de su reinado es formulista, excepto la nota de que él edificó la puerta superior de la casa de Jehovah. La situación de Judá cambió bajo el gobierno de Acaz. Amenazado por Israel y Siria, Acaz rechazó el consejo del profeta Isaías (Isa. 7), y apeló a Tiglat-pileser de Asiria para solicitar ayuda. Así Judá cayó bajo la influencia asiria tanto en la vida política como en la religiosa.

Cuando Asiria venció a Siria, Israel tuvo que actuar rápidamente para evitar un destino semejante. Oseas hijo de Ela (no el profeta Oseas) mató a Pécaj y se sometió al asirio Tiglat-pileser. Siguió una política pro asiria hasta la muerte de Tiglat-pileser. Se rebeló en el año 727 a. de J.C., pero Salmanazar V consolidó su poder en Asiria y obligó a Oseas a pagar tributos de nuevo. Luego Egipto prometió ayudarlo y Oseas se rebeló en 725 a. de J.C. La ayuda desde Egipto nunca llegó y Salmanazar tomó a Oseas prisionero en 724. La derrota de Israel fue completa con la destrucción de Samaria en 722. Los asirios no sólo esparcieron la población de Israel exiliándolos, sino que repoblaron el país con gente de varias de las naciones conquistadas. La nueva gente se casó con israelitas de los que se quedaron allí. Entonces la religión de la provincia asiria de Samaria llegó a mezclarse con la adoración a Jehovah, el uso de los becerros en Dan y Betel y las creencias de la nueva gente. Por eso los de Judá rechazaban sistemáticamente relacionarse con los "samaritanos".

Estudio del texto básico

Lea su Biblia y responda

1. Escriba **V** (verdadero) o **F** (falso) ante las siguientes afirmaciones según corresponda (2 Rey. 12:23-27).
   _______ Jeroboam hizo lo recto ante Dios.
   _______ Se menciona el profeta Jonás.
   _______ Los dos reyes llamados Jeroboam adoraron a los becerros de oro.
   _______ Jeroboam restauró las fronteras de Israel, aumentando así el territorio de Israel.
   _______ Jeroboam rechazó la profecía de Jonás.

2. Haga una lista de los pecados de Israel según 2 Reyes 17:7-13.
   1)________________ 5) ________________
   2)________________ 6) ________________
   3)________________ 7) ________________
   4)________________ 8) ________________

3. Lea 17:23 y conteste las siguientes dos preguntas:
   1) ¿Quiénes anunciaron la caída de Israel si no se arrepentían? ________
   ____
   2) ¿Quién llevó a Israel cautivo? ________________

Lea su Biblia y piense

1 Jeroboam II, rey de Israel, 2 Reyes 14:23-27.

V. 23. El siglo VIII a. de J.C. fue la "edad de oro" para los reinos de Israel y Judá. Jeroboam II inició su reinado cuando Siria estaba debilitado. Había tensiones entre Israel y Judá, pero cuando Azarías ascendió al trono de Judá los dos reinos hicieron la paz. Jeroboam II y Azarías eran líderes capaces y la situación internacional era tal, que bajo estos dos reyes Israel y Judá disfrutaron de prosperidad y extendieron la fronteras de sus reinos casi hasta igualarlas con las del imperio de David.

V. 24. No obstante, la evaluación bíblica del reinado de Jeroboam II no se hizo en relación con la prosperidad de su reino ni con las obras públicas que condujo. Jeroboam II seguía obstinado en practicar y promover los pecados de Jeroboam I (1 Rey. 12:25-33); el culto oficial de Israel se centró en los templos de Dan y Betel con sus imágenes de los becerros. Este tipo de adoración facilitó el sincretismo entre la adoración a Jehovah y a Baal.

Vv. 25-27. La evaluación del reinado de Jeroboam II reconoce el éxito del rey en extender las fronteras de Israel. Sin embargo, este logro significativo no se atribuye a la capacidad de Jeroboam, sino que ocurrió según la voluntad de Jehovah. *Jehovah vio la aflicción de Israel* (v. 26), *Jehovah no había determinado borrar el nombre de Israel* (v. 27), *por eso* Jehovah *los libró* (v. 27). Dios utilizó a Jeroboam para hacer su voluntad a pesar de sus pecados. Dios dio a su pueblo nuevas oportunidades para arrepentirse de sus pecados y para seguirlo.

2 Las causas espirituales de la declinación de Israel, 2 Reyes 17:7-13.

V. 7. En 2 Reyes 15:8 a 17:6 se relatan los eventos en Israel y en Judá que condujeron a Israel a su destrucción. El evento final fue la destrucción de Samaria por Salmanazar V. Todos estos eventos pueden entenderse desde una perspectiva política. Pero la Biblia nos da una explicación teológica. La declinación de Israel no se debió a las condiciones de la política internacional, sino a la infidelidad e idolatría del pueblo a Dios.

Vv. 8-12. Con la ayuda de Jehovah el pueblo de Israel había conquistado Canaán. Sin embargo, los israelitas adoptaron las prácticas religiosas de los cananeos. Sus propios reyes, quienes debían tener más conocimiento, les guiaron a pecar de esta manera. El pueblo no pudo decir que lo había hecho por error. Ellos *hicieron secretamente cosas no rectas.* Sabían que era malo y trataron de esconderlo de Dios. El pueblo de Dios adaptó rituales y símbolos del culto de la fertilidad a su adoración (vv. 10, 11). Israel lo hizo aunque *Jehovah* claramente *les había dicho: "Vosotros no haréis tal cosa."*

V. 13. La reacción de Jehovah ante el pecado de su pueblo fue advertirles en vez de destruirlos. Envió a *los profetas* y *todos los videntes* para que hicieran un llamado al arrepentimiento. Mostró mucha paciencia hacia el pueblo de Israel al enviar profetas a una generación y a la siguiente.

3 Dios declara el final de reino de Israel, 2 Reyes 17:18-23.

V. 18. Los versículos 14-17 relatan la reacción del pueblo a las advertencias de los profetas: "pero ellos no obedecieron" (v. 14).

Para recalcar la culpa del pueblo, se da de nuevo un resumen de sus pecados al grado que llegaron al extremo de hacer *pasar por fuego a sus hijos y a sus hijas.* Como consecuencia del continuo pecado del pueblo, la ira de Dios se manifestó en la destrucción de Israel. Esta ira no era caprichosa; sino el resultado de la decisión humana de ignorar la gracia divina. Sin embargo, lo que Dios hizo con Israel no era simplemente castigar a su pueblo, sino que también servía como advertencia a Judá para que no sufriera el mismo destino.

V. 19. El libro de 2 Reyes recibió su forma final después de la destrucción de Jerusalén en 587 a. de J.C. Este versículo anticipa el final de la historia. Lo que condujo a Israel a la destrucción fue su pecado; lo mismo pasó con Judá. En realidad la Biblia aquí explica las causas de la declinación de cualquier pueblo que abandona a Jehovah e insiste en pecar.

Vv. 20-23. En cuatro versículos se resume la historia de Israel. El reino llegó a su fin por la ira de Dios que se manifestó en los ataques de los enemigos de Israel. Para entender ese fin hay que volver a su principio y al reino de Jeroboam I (v. 21). Los versículos 22, 23 narran que cada generación que seguía anduvo en los mismos pecados *sin apartarse de ellos.* Nadie respondía al llamado paciente de Dios por medio de *los profetas.* Entonces Dios hizo lo que había anunciado. El efecto de estos eventos se ha visto *hasta el día de hoy.*

Aplicaciones del estudio

1. La unidad es un factor determinante para la paz. Las mejores épocas del pueblo de Dios se dieron cuando los dos reinos se unían y buscaban la dirección divina. En la familia y en la iglesia rige el mismo principio.

2. El valor de una persona delante de Dios no depende de sus logros materiales, v. 24. La evaluación del reinado de Jeroboam II no dependió de los éxitos militares o políticos, sino de su mala relación con Dios.

3. Una sociedad puede caer en la desgracia por una mala dirección de sus gobernantes. Aunque sabemos que la salvación es individual, también sabemos que la sociedad toda se ve afectada por el comportamiento y la dirección de sus líderes.

Prueba

1. Describa los eventos que condujeron al reino de Israel a su declinación total. ____
____
____

2. Examine su propia vida para identificar un pecado recurrente. ¿Está usted dispuesto a abandonar ese pecado? Ore para que el Señor le ayude a lograrlo.

Lecturas bíblicas para el siguiente estudio

Lunes: 2 Reyes 18:1-8
Martes: 2 Reyes 18:9-16
Miércoles: 2 Reyes 18:17-37
Jueves: 2 Reyes 19:1-19
Viernes: 2 Reyes 19:20-37
Sábado: 2 Reyes 20:1-21

Dios responde las oraciones

Contexto: 2 Reyes 18:1 a 20:21 (2 Crónicas 29:1 a 31:21)
Texto básico: 2 Reyes 18:1-7; 19:14-20, 27-34; 20:1-6
Versículo clave: 2 Reyes 19:19
Verdad central: Los resultados de la buena conducta de Ezequías nos enseñan que Dios protege y responde las oraciones de quienes confían en él.
Metas de enseñanza-aprendizaje: Que el alumno demuestre su: (1) conocimiento de la buena conducta de Ezequías y sus resultados, (2) actitud por mejorar su vida de oración.

Estudio panorámico del contexto

El reino de Ezequías puede dividirse en dos etapas. (1) Al principio de su reino Ezequías respondió a la caída de Samaria con una reforma religiosa para evitar el mismo destino. (2) Luego vino una reforma política para librarse de Asiria. Tuvo algún éxito (vv. 7, 8), pero fue muy relativo.

Una vez más la Biblia relata brevemente la caída de Samaria. Este resumen tiene dos funciones. (1) Pone énfasis en la importancia de obedecer la voluntad de Jehovah. (2) Relatar la caída de Samaria afirma el poder de Asiria para que se entienda la reacción de Ezequías a la invasión asiria y para que se interprete la liberación de Jerusalén como un acto de Dios.

Cuando Ezequías intentaba librarse del poder asirio, se unió con Egipto en una confederación antiasiria. El asirio Senaquerib triunfó y el rey de Judá se vio obligado a pagar el tributo que quería retener. Pero Senaquerib, en su afán de castigar a Judá por su liderazgo en la rebelión, buscó cómo humillar al rey y desanimar al pueblo para evitar rebeliones futuras. Hablando en hebreo para que todos escucharan la conversación, el mensajero asirio anunció que Jerusalén debía rendirse porque Egipto no iba a ayudarles, que Jehovah estaba enojado con las reformas de Ezequías, y que él mismo había enviado al rey asirio para castigar a Judá. La gente de Judá no le respondió, pero descubrió el orgullo de Asiria cuando cuestionó la capacidad de Jehovah para salvar a su pueblo.

Ante la crisis de la invasión y las amenazas del mensajero asirio, Ezequías sabía que su única esperanza estaba en Jehovah. Mandó su propio mensajero al profeta Isaías pidiéndole que intercediera delante de Dios por la causa de Judá. El profeta respondió que Jehovah conocía la situación e iba a solucionarla. Le dijo al rey: "No temas." Cuando los asirios volvieron a amenazar a Ezequías antes de salir de Palestina, el rey entró al templo y oró personalmente. Su oración era para que Dios salvara a su pueblo y por medio de ese acto de salvación todos los reinos de la tierra conocieran el poder de

Jehovah. Dios contestó la oración y castigó a los asirios. Había utilizado a los asirios como un instrumento para castigar a su pueblo, pero también castigó a los asirios por su propio pecado.

2 Reyes 20:1-21 presenta dos relatos que son comentarios sobre la milagrosa liberación de Jerusalén. El relato de la enfermedad de Ezequías y el hecho de que Dios le sanó enseña que Dios contesta las oraciones de sus hijos. Sin embargo, el encuentro con los representantes de Babilonia muestra que el pueblo de Judá no puede dar por sentado que Dios siempre protegerá a su pueblo a pesar de su infidelidad. Se anticipa el destierrro babilónico.

Estudio del texto básico

Lea su Biblia y responda

1. Lea los capítulos 18 y 19 de 2 Reyes y marque con **F** las declaraciones falsas y con **V** las verdaderas.

____ a. Ezequías era fiel a Jehovah y reformó el culto en Judá.
____ b. Ezequías se rebeló contra Senaquerib, el rey de Asiria.
____ c. Senaquerib no pudo tomar ninguna ciudad de Judá.
____ d. Rabsaces habló en hebreo porque los líderes de Jerusalén no entendían el arameo.
____ e. Ezequías no confió en el profeta Isaías.

2. Ordene cronológicamente de 1 a 5 los eventos descritos en 2 Reyes 20:1-11.

____ a. La oración de Ezequías
____ b. El anuncio que Ezequías vivirá 15 años más.
____ c. Anuncio de la muerte inminente de Ezequías
____ d. Dios da una señal a Ezequías
____ e. Isaías prescribe una pasta de higos para el rey enfermo.

Lea su Biblia y piense

1 Ezequías y el retorno a Jehovah, 2 Reyes 18:1-7.

Vv. 1, 2. Ezequías se presenta como un rey joven con un gran futuro político. Su nombre significa "Jehovah es fuerte" (heb. *jizeqiyah*), y comienza a reinar a la edad de *25 años.*

V. 3. La evaluación bíblica del reino de Ezequías es muy positiva. Para entenderla, hay que comparar este versículo con 21:2, la evaluación de Manasés hijo de Ezequías. Ezequías *hizo lo recto* pero Manasés "hizo lo malo". Ezequías vivió *conforme a todas las cosas que había hecho su padre David.* Manasés vivió "conforme a las prácticas abominables de las naciones".

V. 4. Al principio de su reinado Ezequías inició una reforma religiosa en Jerusalén y en toda Judá. Esta reforma no formaba parte de sus acciones para librarse de Asiria (v. 7), sino que fue su respuesta a la caída de Israel para que Judá evitara el mismo destino. Eliminó todo aspecto cananeo del culto y aun las prácticas que pudieron malentenderse (la serpiente de bronce).

Vv. 5-7. La alta estimación de Ezequías se repite en forma hiperbólica. Al escribir: *Ni antes ni después de él hubo otro como él entre todos los reyes* *de Judá,* se omite a David (antes) y a Josías (después de él). No obstante, Ezequías era un rey piadoso. Obedeció las instrucciones de Dios (v. 6), y como resultado tuvo *éxito en todas las cosas que emprendió.*

2 El mensaje de Isaías y la oración del rey, 2 Reyes 19:14-19.

Vv. 14, 15a. La carta que Ezequías leyó y llevó al templo era de Senaquerib pidiendo que Jerusalén se rindiera. Fue el segundo intento de Senaquerib para ocupar la ciudad. Ezequías ya le había pagado tributo después de rebelarse (18:14-16). Senaquerib había enviado a Rabsaces para desanimar a la gente de Jerusalén (18:17-37). En aquel entonces Ezequías consiguió la intercesión del profeta Isaías. Jehovah había dicho que los asirios escucharían *un rumor* de guerra contra el rey de Asiria, y así se retirarían. Senaquerib escuchó el rumor (19:9), pero antes de retirarse de Judá, hizo un esfuerzo más para intimar al rey a rendirse. Ezequías no se acobardó. Al contrario, entró al templo para ponerse ante Jehovah y mostrar su fe en oración.

V. 15b. La oración de Ezequías no es una oración tímida o egoísta. Se inicia con loor a Dios. Ezequías celebra el poder y majestad del único Dios.

V. 16. Luego Ezequías pide la atención de Dios en una manera humilde. Muestra que su petición no es para sí, sino que la carta de Senaquerib afrenta *al Dios vivo.*

Vv. 17, 18. La crisis que enfrenta Ezequías es una crisis verdadera. El poder de Senaquerib no se puede negar. Los asirios han conquistado naciones y han destruido los ídolos de las naciones.

V. 19. Sin embargo, Ezequías no se desanima porque tiene fe en el poder salvador de Jehovah. También el rey entendió que había un propósito superior en la liberación. Revelaría a *todos los reinos de la tierra* que: *"sólo tú, oh Jehovah, eres Dios".*

3 Juicio divino contra el rey de Asiria, 2 Reyes 19:20, 27-34.

V. 20. Jehovah atendió la oración del rey y envió a su profeta Isaías con una respuesta. Esta respuesta se compone de tres oráculos (vv. 21-28, 29-31, y 32-34). El rey tenía que mostrar confianza aunque el desastre lo amenazó.

Vv. 27, 28. El primer oráculo se dirige a Senaquerib y lo acusa de *arrogancia.* Declara que en realidad Senaquerib había hecho sólo lo que Dios había planeado (v. 25). Jehovah se encarga de toda la historia, incluso los detalles de la vida de Senaquerib (v. 27). Por no someterse a Jehovah el rey de asiria, igual como Judá, experimentaría la ira de Dios. La consecuencia de la *arrogancia* del rey será un *gancho* en la *nariz.* Dios imitará lo que Senaquerib en realidad practicó con sus cautivos.

Vv. 29-31. El segundo oráculo se dirige a Ezequías para fortificar su fe. Dios promete que que a pesar de las privaciones que los asirios han causado, Jerusalén iba a mantener su independencia, y su población iba a sobrevivir. Dios siempre preserva *un remanente.*

Vv. 32-34. El tercer oráculo se dirige al pueblo de Jerusalén. Es una promesa directa de salvación. Dios declara que el sitio de Jerusalén que Senaquerib había planeado no se realizaría en ninguna forma. Al contrario, Senaquerib regresaría a Asiria sin tomar la ciudad. Los vv. 35-37 relatan cómo Dios cumplió su promesa.

4 Jehovah sana a Ezequías, 2 Reyes 20:1-6.

V. 1. La Biblia relata la enfermedad de Ezequías, pero no da una fecha específica. No es necesario que los relatos estén en orden cronológico. Probablemente este evento ocurrió antes de la invasión de Senaquerib porque la promesa de 15 años más de vida en 20:6 incluye una promesa de defender Jerusalén usando las mismas palabras de 19:34. La acción de 19:34 sería el cumplimiento de la promesa en 20:6. El rey *cayó enfermo de muerte* y el profeta confirma ese diagnóstico.

Vv. 2, 3. Ezequías era una persona justa y fiel. Al escuchar la noticia *volvió su cara hacia la pared y oró*. Lo que el rey hizo no era una ceremonia ni una actuación. Era la sincera expresión de su deseo de vivir según la voluntad de Dios.

Vv. 4-6. Dios escuchó la oración sincera de Ezequías y decidió sanarlo. Dijo a Isaías que debía regresar y dar la buena noticia al rey. Este milagro y la promesa de añadir 15 años a la vida de Ezequías no se hicieron para beneficio del rey solamente. Dios lo hizo para el bienestar de su pueblo. El utilizaría este líder de integridad y fe para mostrar a los paganos su poder y su bondad.

Aplicaciones del estudio

1. La oración sincera es aceptada por Dios. Ezequías estaba condenado a morir por la gravedad de su enfermedad. Con una actitud sincera, el rey pidió a Dios que le permitiera vivir más. Dios accedió y usó la vida del rey para bendición de él y del pueblo de Dios.

2. Podemos conocer la voluntad de Dios a través de la oración. La oración en tiempo de crisis nos ayuda descubrir el plan de Dios para nuestra vida y así podremos participar mejor en su obra.

3. Para experimentar las bendiciones de Dios debemos permanecer fieles. Hay un pacto entre el cristiano y Dios. Ese pacto exige de parte del hombre fidelidad e integridad. Cuando el hombre cumple, Dios está listo para responder en cumplimiento de la parte del pacto que le corresponde.

Prueba

1. ¿En qué consistió la buena conducta de Ezequías y qué consecuencias trajo a su vida? ______________________________

____

2. ¿Cuál sería, según usted, un área de su vida de oración que necesita mejorar? Escríbala y exprese cuáles serían los pasos inmediatos para lograrlo.

____

____

Lecturas bíblicas para el siguiente estudio

Lunes: 2 Reyes 21:1-26
Martes: 2 Reyes 22:1-7
Miércoles: 2 Reyes 22:8-20
Jueves: 2 Reyes 23:1-20
Viernes: 2 Reyes 23:21-23
Sábado: 2 Reyes 23:24-30

Renovación espiritual

Contexto: 2 Reyes 21:1 a 23:30 (2 Crónicas 33:1 a 36:1)
Texto básico: 2 Reyes 21:9-16, 19-23; 22:3-7, 18, 19; 23:1-3, 21-23
Versículo clave: 2 Reyes 23:3
Verdad central: Las reformas de Josías y la respuesta del pueblo produjeron una renovación espiritual lo cual nos enseña que Dios se agrada de quienes le buscan de todo corazón.
Metas de enseñanza-aprendizaje: Que el alumno demuestre su: (1) conocimiento de las reformas de Josías y la respuesta del pueblo tanto como la reacción de Jehovah, (2) actitud de renovada lealtad y fidelidad a Dios.

Estudio panorámico del contexto

Manasés fue el peor rey de Judá. Volvió a practicar todo lo que Ezequías había erradicado del culto a Jehovah en Judá. Para reinar cincuenta y cinco años en Jerusalén tuvo que ser una persona muy astuta políticamente. Sin embargo, la Biblia no relata ningún acto político de él. El informe de su reino se centra en su apostasía. Aunque la historia del pueblo de Dios es una historia de pecado, Manasés abundó en hacer lo malo (21:6). Su reino marcó el fin de la paciencia de Dios (21:11-15). El reinado de Amón fue igual al de Manasés (21:20), pero más breve, sólo duró dos años. Debe notarse que aunque Amón fue asesinado, "el pueblo de la tierra" no permitió que los conspiradores establecieran una nueva dinastía. Proclamó rey a Josías, hijo de Amón y nieto de Manasés. El trono se mantuvo entre los de la casa de David.

Josías tenía 8 años cuando comenzó a reinar, pero su reinado de 31 años marcó un drástico cambio comparado con los reinados de su padre y de su abuelo. Según 2 Crónicas 34:3, Josías "comenzó a buscar al Dios de su padre David" en el octavo año de su reinado. Cuatro años después inició una reforma semejante a la de Ezequías. Seis años más tarde comenzó a reparar el templo como parte de esa reforma. Mientras que reparaban el templo, descubrieron el libro de la Ley. Josías lo leyó, lo creyó y lo utilizó para centralizar el culto en Jerusalén y para continuar su reforma.

Que el rollo pudo leerse en sólo una reunión (23:2) y la descripción de su contenido han causado que muchos eruditos identifiquen el libro con Deuteronomio. Josías hizo la promesa solemne de gobernar según las demandas de Jehovah. El pueblo también entró en un pacto con el rey y con Dios para vivir según la palabra de Dios. Fue un nuevo comienzo del pueblo de Dios en Judá, afectando inclusive el territorio del antiguo Israel (23:15-20).

Josías instituyó la celebración de la Pascua en Judá. Esta fiesta que recuerda la liberación de la esclavitud en Egipto se celebró por primera vez en Jerusalén a nivel nacional en el año 622 a. de J.C. Josías fue un rey ejemplar (23:25), pero ni aun así pudo deshacer todo lo malo había hecho Manasés (23:26). Cuando tenía sólo 39 años, Josías murió en una batalla con Necao, faraón de Egipto en el año 609 a. de J.C.

Estudio del texto básico

Lea su Biblia y responda

1. Marque con una ✓ los pecados que no se atribuyen a Manasés en 2 Reyes 21:2-6.

___ Erigir altares a Baal	___ Matar al rey de Siria
___ Practicar la magia	___ Adorar el ejército del cielo
___ Evocar a los muertos	___ Sacrificar cerdos en el templo
___ Quemar copias de la Ley	___ Hacer pasar por fuego al hijo
___ Usar el espiritismo	___ Hacer un árbol ritual de Asera

2. Lea 2 Reyes 22:1-7 y asocie la columna de la izquierda con el nombre correcto en la columna de la derecha.

___ 1) El rey joven que reformó el culto	a) Asaías
___ 2) La profetisa que certificó el rollo	b) Hilquías
___ 3) El sumo sacerdote que halló el rollo	c) Safán
___ 4) El escriba del rey	d) Josías
___ 5) El siervo del rey	e) Hulda

Lea su Biblia y piense

1 Manasés y Amón, malos reyes de Judá, 2 Reyes 21:9-16, 19-23.

V. 9. Al relatar la historia de Judá la Biblia muestra la culpa del pueblo de Dios: *ellos no escucharon... e hicieron lo malo.* Sin embargo, responsabiliza a Manasés de una manera especial por su mala influencia: *hizo que se desviaran.* Si Dios destruyó a las naciones en la tierra ante ellos, ¿qué haría con su pueblo que pecó *más que las naciones que Jehovah había destruido?*

Vv. 10-15. Esta sección describe la predicción de los profetas sobre las actividades de Manasés. No tenemos un informe de la actividad profética durante el reino de Manasés. Por eso las palabras de los vv. 11-15 no deben leerse como las palabras específicas de un solo profeta; sino como un resumen del tipo de predicción de varios profetas como Jeremías, Ezequiel, y otros. Para ellos Manasés llegó a ser el símbolo de la naturaleza pecaminosa de Judá por lo extremo de sus pecados. Por eso el castigo por esos pecados también tendría que ser extremo (v. 12). La naturaleza del castigo se nota en la comparación de Jerusalén con Samaria y de Manasés con Acab (v. 13). Pero el castigo no sólo afectará al rey; tocará a todo Judá, el *remanente* del pueblo de Dios (v. 14). Se reconoce que el pecado de Judá no se inició con el reinado de Manasés, había sido una realidad *desde el día en que sus padres salieron de Egipto.*

V. 16. No obstante, el escritor no deja de condenar a Manasés por sus pecados y su mal liderazgo.

Vv. 19-23. El reino de Amón se presenta brevemente. Amón se caracteriza por andar *en todo el camino* de Manasés y por no andar *en el camino de Jehovah.* Hubo una conspiración contra el rey, pero no sabemos si el motivo era político o religioso. De todos modos, *el pueblo de la tierra* no permitió que la dinastía de David cesara de reinar (v. 24).

2 Josías y el hallazgo del libro de la ley, 2 Reyes 22:3-7, 18, 19.

V. 3. Los eventos del *año 18 del rey Josías* forman parte de una reforma que había comenzado 10 años antes (2 Crón. 34). La reparación del templo era la tercera etapa de la reforma continua que condujo el joven rey.

Vv. 4-7. La devoción del rey se ve en el relato de la reparación del templo. No se describe la obra, sino los preparativos. Las instrucciones para financiar el proyecto son semejantes al plan de Joás (2 Rey. 12:7-15). Josías facilitó la construcción proveyendo recursos suficientes (22:4) y mostrando confianza en los obreros (22:7).

Vv. 18, 19. Al cumplir la orden del rey de reconstruir el templo, se halló *el libro de la Ley en la casa de Jehovah* (v. 8). Josías lo leyó y comprendió el peligro del pueblo por su pecado (v. 13). El rey mandó el rollo a Hulda la profetisa para inquirir sobre las consecuencias de la desobediencia según se encontraban en el rollo (Deut. 28:15-68). Hulda respondió al rey en dos partes. (1) Los vv. 15-17 afirman que Judá sería castigada por la apostasía. (2) Pero Hulda dirigió una palabra personal al rey en los vv. 18, 19. Dios había visto la sincera devoción de Josías y le prometió que el castigo no sería durante su vida (v. 20).

3 Josías y el pueblo pactan con Dios, 2 Reyes 23:1-3.

Vv. 1, 2. El rey no aceptó la respuesta de Hulda simplemente como una señal de favor personal, sino que la utilizó para guiar a su pueblo a buscar a Dios *con todo el corazón y con toda el alma* (v. 3). *Invitó a todos los ancianos de Judá y de Jerusalén* a un culto de dedicación (v. 1). Sin embargo, en el culto *todo el pueblo, desde el menor hasta el mayor,* se presentaron para escuchar y responder a *las palabras del libro del pacto.*

V. 3. Josías tomó la posición de autoridad, *de pie junto a la columna e hizo pacto delante de Jehovah.* Se usan tres verbos para dar énfasis a la sinceridad y la magnitud de esta dedicación del rey. Juró vivir (*andar*) en una manera justa, obedecer (*guardar*) las instrucciones claras que Dios ha revelado y practicar (*cumplir*) lo que está escrito en el rollo. Como consecuencia de su liderazgo el pueblo *se puso de pie* para indicar que también adoptaban este *pacto.*

4 Josías y la celebración de la Pascua, 2 Reyes 23:21-23.

V. 21. El relato de las reformas de Josías culmina con la celebración de la Pascua en Jerusalén. La magnitud de esta celebración se ve en 2 Crónicas 35:1-19. Desde Josué a 2 Reyes esta fiesta se menciona sólo en Jueces 5:10-

12. La tradición se puede haber celebrado entre familias o en un sentido local, pero Josías guió *a todo el pueblo* en la celebración de la Pascua como una fiesta religiosa nacional por primera vez en la historia de la monarquía.

Vv. 22, 23. La importancia de esta celebración no se encuentra en su grandeza, aunque era única en la historia de Judá, sino en que la celebración es un ejemplo de obediencia. Todo se hizo *conforme a lo que está escrito en este libro del pacto.* Al vivir en obediencia según el pacto con Dios, Judá encontró el gozo de servir a su Señor.

Aplicaciones del estudio

1. Dios pone a los líderes espirituales para promover la fidelidad de sus hijos. Cuando éstos fallan en su cometido acarrean consecuencias funestas para sus conciudadanos.

2. Una reforma espiritual debe basarse en la Palabra de Dios. Josías inició sus reformas antes de encontrar el libro de la Ley. Pero cuando lo encontró se dio cuenta de que era la mejor base para continuar con sus esfuerzos.

3. Nuestra responsabilidad en el pacto es obedecer y ser fieles. El concepto de pacto contiene obligaciones que no pueden olvidarse. Entrar en el pacto con Dios nos obliga obedecer su voluntad. Pero también en el pacto Dios nos concede la posibilidad de vida abundante.

4. La fidelidad acarrea bendición a quienes la practican. Esa es la característica fundamental para participar de manera efectiva en el cumplimiento del plan eterno de Dios.

Prueba

1. ¿En qué consistió la reforma de Josías y como respondió el pueblo? ¿Cómo reaccionó el Señor? ______________________________
____
____

2. Describa dos acciones que usted puede realizar durante la semana para demostrar su actitud de lealtad al Señor.

   a. ____
   b. ____

Lecturas bíblicas para el siguiente estudio

Lunes: 2 Reyes 23:31 a 24:7
Martes: 2 Reyes 24:8-17
Miércoles: 2 Reyes 24:18 a 25:7
Jueves: 2 Reyes 25:8-21
Viernes: 2 Reyes 25:22-26
Sábado: 2 Reyes 25:27-30

El pecado destruye

Contexto: 2 Reyes 23:31 a 25:30 (2 Crónicas 26:2-21)
Texto básico: 2 Reyes 23:31-33; 24:1, 2, 10-14, 18-20; 25:1-12
Versículo clave: 2 Reyes 24:3
Verdad central: La caída y captura del reino de Judá nos enseñan que la corrupción de los dirigentes trae graves consecuencias sobre el pueblo.
Metas de enseñanza-aprendizaje: Que el alumno demuestre su: (1) conocimiento de la caída y captura del reino de Judá, (2) actitud de valorar el plan que Dios ofrece para superar los efectos destructivos del pecado.

Estudio panorámico del contexto

Las últimas décadas antes del exilio babilónico vieron la influencia de los eventos internacionales sobre el destino de Judá. Después de la muerte de Josías en el año 609 a. de J.C. la gente de Judá había entronado a Joacaz, el hijo menor del rey. Necao, faraón de Egipto, impuso su control sobre Judá y encarceló a Joacaz y lo llevó a Egipto, donde murió. Necao hizo reinar a Eliaquim hijo de Josías como vasallo suyo. El faraón mostró su control sobre este rey al cambiarle el nombre; lo llamó Joacim. Joacim sirvió a Necao hasta la batalla de Carquemis en el río Eufrates en el año 605 a. de J.C. En aquella batalla Babilonia llegó a ser la potencia suprema del área y al paso de un año Joacim fue obligado a hacerse vasallo de los babilonios. En el año 601 a. de J.C. los babilonios y egipcios combatieron en la frontera de Egipto. Después de esta batalla Necao no volvió a salir de su tierra (24:7). El ejército babilonio había ganado, pero fue obligado regresar a Mesopotamia para recuperarse. En ese momento Joacim creyó que Babilonia no podía controlar Palestina y se rebeló (27:1). Nabucodonosor mandó tropas para hostigar a Judá (24:2) hasta que él mismo pudo volver en diciembre del año 598 a. de J.C.

Cuando Joacim murió (24:6) *su hijo Joaquín reinó en su lugar.* Pero el joven rey no pudo oponerse a Nabucodonosor. Cuando Joaquín se rindió fue llevado a Babilonia junto con otros líderes de Judá y un gran tributo. Sin embargo, Judá mantuvo su integridad nacional. Nabucodonosor escogió al tío de Joaquín, Matanías, para ser rey de Judá. Nabucodonosor cambió el nombre de Matanías por el de Sedequías para indicar que era vasallo suyo.

Por casi 10 años Sedequías se mantuvo fiel a Babilonia. Sin embargo, cuando aumentaron las presiones nacionales y desde Egipto, se rebeló. Nabucodonosor atacó a Judá y sitió a Jerusalén por más de un año. La ciudad cayó en el año 587 a. de J.C. Jerusalén fue destruida, personas con diferentes capacidades entre la población fueron llevadas cautivas, y los líderes fueron ejecutados. Judá llegó a ser una provincia de Babilonia.

Gedalías fue nombrado gobernador del territorio. Procuró traer paz al área, pero Ismael, por su celo nacionalista, lo asesinó. Esta acción sólo provocó reacciones por parte de los babilonios y Judá sufrió un tercer exilio en el año 582 a. de J.C. (Jer. 52:30).

No obstante, el libro de 2 Reyes termina con una nota positiva. Joaquín, después de ser prisionero por 37 años, fue librado en el año 560 a. de J.C. por el nuevo rey babilonio, Evil-merodac. El rey babilonio lo trató bien. Si Dios pudo restaurar a Joaquín en Babilonia, ¿no podrá hacer lo mismo con su pueblo?

Estudio del texto básico

Lea su Biblia y responda

Después de leer de 2 Reyes los capítulos 23, 24 y 25 ordene cronológicamente los eventos del estudio de hoy (es decir, indique el primer evento con el numero "1," etc.)

___ Primera deportación a Babilonia
___ Joacim es vasallo de Babilonia
___ Necao mata a Josías en batalla
___ Tercera deportación a Babilonia
___ Jocim es vasallo de Egipto
___ Sedequías se rebela contra Babilonia
___ Joacaz reina por 3 meses
___ Joaquín es librado
___ Joacim se rebela contra Babilonia
___ Joaquín se rinde a Nabucodonosor
___ Necao pone a Joacim en el trono de Judá
___ Gedalías es gobernador
___ Segunda deportación

Lea su Biblia y piense

1 Joacaz y Joacim, vasallos de Egipto y Babilonia, 2 Reyes 23:31-33; 24:1, 2.

Vv. 31-33. Quizá fue Joacaz quien tuvo las peores experiencias entre todos los reyes de Judá. Llegó al trono cuando murió Josías en una batalla con Necao de egipto quien estaba pasando por Judá para ir a ayudar a Asiria en una batalla contra Babilonia. La acción de Josías lo demoró y lo frustró en su intento de ayudar a Asiria. Por eso Necao estaba enojado cuando regresó por Judá y también quería crear una barrera entre Egipto y el imperio babilónico. Entonces tomó a Joacaz prisionero y le demandó tributo. Joacaz reinó sólo 3 meses y nunca tuvo la oportunidad de actuar como rey. Estuvo encarcelado en Ribla durante gran parte de su reinado, o estaba prisionero en Egipto, *donde murió*.

24:1, 2. Fue Joacim a quien le tocó experimentar las dificultades de estar bajo el dominio de un imperio. Desde el año 609 hasta 605 a. de J.C., Joacim fue vasallo de Egipto (23:35). Cuando Nabucodonosor derrotó a los egipcios en la batalla de Carquemis, Joacim entendió que tenía que cambiar su lealtad y se hizo vasallo de Nabucodonosor. Sirvió a Nabucodonosor desde el año 604 hasta 601 a. de J.C. En ese año el ejército babilónico se vio obligado a regresar a Babilonia para recuperarse de sus pérdidas en combate. Por eso Joacim creyó que había llegado el tiempo de independizarse de Babilonia y de Egipto negándose a pagar tributo a Nabucodonosor.

En realidad Nabucodonosor no estaba en condiciones de montar una nueva campaña en Palestina, pero no dejó a Judá en paz. Contrató mercenarios caldeos y sirios e incitó a los maobitas y a los amonitas a luchar contra Judá. Así Joacim no tuvo paz ni pudo consolidar su fuerza. Luego, cuando su ejército se hubo recuperado, Nabucodonosor regresó a Judá para castigar su rebelión (598/7 a. de J.C.). La Biblia interpreta todos estos eventos teológicamente como el castigo de Dios por los pecados del rey (ver 23:37).

2 Joaquín y la cautividad de Jerusalén, 2 Reyes 24:10-14.

Vv. 10, 11. Joaquín rivalizó con Joacaz como rey, corriendo en desventaja. Igual que Joacaz, reinó sólo tres meses, pero Joaquín tenía sólo 18 años (no 23 años) y se enfrentó contra Nabucodonosor (no Necao). No sabemos si Joacim fue asesinado o si fue por coincidencia que murió cuando Nabucodonosor se estaba acercando a Jerusalén. De todas maneras, el rey no podía escapar; *los servidores* del babilonio tenían sitiada la ciudad.

V. 12. Judá no ignoraba el horror de ser sitiado. Habían sido testigos de los prolongados sitios de Samaria y del canibalismo que provocó (6:24-31; 17:5). Ellos mismos habían sufrido bajo el yugo de Senaquerib (17:13-37). Joaquín se vio obligado a rendirse ante Nabucodonosor y esperar clemencia por el hecho de no ofrecer resistencia.

Vv. 13, 14. La estrategia de Joaquín tuvo éxito. El rey y su familia fueron hechos prisioneros, pero no ejecutados. Los babilonios tomaron tributo, incluyendo oro y otros tesoros del templo, pero el culto en Jerusalén continuó funcionando. Nabucodonosor llevó 10,000 cautivos, pero dejó líderes en Judá para que el país siguiera con un gobierno. Judá conservó su independencia (v.17). Todavía el fin no había llegado para el pueblo de Dios.

3 Sedequías y la caída de Jerusalén, 2 Reyes 24:18-20; 25:1-12.

V. 18. Nabucodonosor hizo los trámites necesarios para la continuación de Judá. Respetó las tradiciones del pueblo y puso a Matanías (recibió el nombre de Sedequías) de la casa de David, tío de Joaquín, como rey en el trono.

V. 19. Sedequías recibe una evaluación negativa sin un informe de sus actos como soberano. En Jeremías 27-39 podemos ver un análisis de su política. Allí el rey se revela indeciso y débil; no escuchaba la palabra profética.

V. 20. Durante unos 9 años el rey Sedequías fue fiel a Babilonia (con algunas variantes), pero por fin rechazó el consejo de Jeremías y se rebeló. Al hacerlo también se rebeló contra Jehovah quien había enviado a los babilonios para ejecutar juicio contra Judá.

25:1-6. Los detalles del sitio de Jerusalén se dan en esta sección. Cuando Sedequías inició una rebelión en su *noveno año,* Nabucodonosor inició la destrucción sistemática de Jerusalén y otras ciudades de Judá que duró por dos años. La situación alcanzaba su fin cuando *no había alimentos* en la ciudad. Los babilonios abrieron *una brecha* en el muro de Jerusalén. En su desesperación el rey trató de escapar para ir al sur y encontrar asilo en Moab o en Amón. Sin embargo, lo capturaron en *las llanuras de Jericó.* Lo llevaron junto con su familia ante Nabucodonosor en Ribla. La sentencia que recibió fue extremamente cruel, pero refleja la gravedad de haber roto el pacto entre Sedequías y Nabucodonosor.

V. 7. La última cosa que vio Sedequías fue la matanza brutal (lit. "sacrificio") de sus hijos. Lo cegaron y lo llevaron a Babilonia encadenado.

Vv. 8-10. Aunque la batalla había terminado, Nabucodonosor quería poner fin a toda posibilidad de oposición. Encargó a *Nabuzaradán, capitán de la guardia,* la administración de la ocupación de Judá. Nabuzaradán destruyó todos los símbolos de la independencia de Judá y también *demolió* la muralla de la ciudad. Era imposible oponer resistencia y todos vieron la vulnerabilidad de Jerusalén.

Vv. 11, 12. Nabuzaradán también tenía la misión militar de que se llevara a cabo el destierro de la población. Los babilonios querían castigar al pueblo, pero a la vez querían que la tierra fuera cultivada. Por eso dejaron un grupo de *viñadores y labradores.* No cabe duda, el pecado acarrea destrucción y muerte.

Aplicaciones del estudio

1. Dios castiga la maldad de los líderes. Dios, por medio de sus profetas mostró su voluntad a los distintos reyes de Judá. Sin embargo, no hicieron caso de su mensaje, acarreando para ellos y para su pueblo el castigo de Dios.

2. Los errores de los padres afectan a los hijos, 2 Reyes 25:7. El pecado de Sedequías recibió una cruel sentencia cuando mataron a sus hijos en su presencia. Nunca pensó que tal cosa podría suceder. Nuestros pecados acarrean consecuencias para nuestros seres queridos.

3. La santidad de Dios le da autoridad para castigar la maldad. Dios tiene en su santidad la base más sólida para castigar el pecado y la desobediencia de su pueblo. Es el mismo principio para la iglesia de hoy.

Prueba

1. ¿Por qué cayó el reino de Judá? Escriba dos razones.
   a. ____________________
   b. ____________________

2. Cuando usted ha cometido un pecado, ¿qué es lo que hace? ____________
____________________ ¿Por qué? ____________
____

Lecturas bíblicas para el siguiente estudio

Lunes: Miqueas 1:1
Martes: Miqueas 1:2-16
Miércoles: Miqueas 2:1-11
Jueves: Miqueas 2:12 a 3:4
Viernes: Miqueas 3:5-8
Sábado: Miqueas 3:9-12

Unidad 16

Los juicios de Dios

Contexto: Miqueas 1:1 a 3:12
Texto básico: Miqueas 1:6-9; 2:1-5, 12, 13; 3:5-8
Versículo clave: Miqueas 3:8
Verdad central: Los juicios de Dios sobre Samaria y Jerusalén y la destrucción que vino sobre sus ciudades nos enseñan que Dios condena las injusticias sociales.
Metas de enseñanza-aprendizaje: Que el alumno demuestre su: (1) conocimiento de las injusticias sociales que Dios condena y castiga según el profeta Miqueas, (2) actitud de compromiso para evitar ser parte de quienes cometen injusticias sociales.

Estudio panorámico del contexto

Miqueas profetizó durante la segunda mitad del siglo VIII a. de J.C. Fue contemporáneo de Amós, Oseas e Isaías. El nombre Miqueas significa: "¿Quién es como Jehovah?" Era de la aldea Moréset y se identificó con la gente común de Judá. Su mensaje reveló la incomparable palabra del Dios que condena los abusos de los poderosos y promete salvación a los fieles.

La mayor parte del libro expone y juzga el pecado del pueblo de Dios. Miqueas 1:2-16 pone atención en el pecado y sus consecuencias tanto en Israel como en Judá; tal situación tenía una importancia mundial. Miqueas convocó a toda la tierra para que prestara atención y aprendiera del ejemplo de Judá e Israel. El litigio de Dios es contra los líderes del pueblo, simbolizados por los nombres Samaria y Jerusalén (v. 5). El castigo de Dios destruirá la ciudad de Samaria (vv. 6, 7), afectará al profeta (v. 8) y alcanzará hasta la ciudad de Jerusalén (v. 9). La lista de ciudades en 1:10-16 muestra que entre todo el pueblo de Dios el golpe que viene tendrá su efecto hasta en los hogares de todos los oyentes del profeta.

En Miqueas 2:1-11 se especifican los cargos contra los líderes de Judá. Los jefes militares y civiles que tenían la responsabilidad de preparar las fortalezas cerca de Jerusalén y abastecer a la capital ante la amenaza de un sitio asirio, abusaron de su autoridad para apoderarse de fincas y casas ajenas. Obligaron a los padres de familia a servir en el ejército o hacer alguna obra pública en Jerusalén (v. 2) para luego echar fuera de sus casas a las mujeres e hijos indefensos (v. 9). Hacían todo bajo el lema de "la defensa nacional", pero en realidad era un acto de avaricia. Los líderes se negaban a escuchar la predicación de Miqueas y trataron de callarle (v. 6). En el v. 11 Miqueas describe el tipo de predicador que esta gente prefería.

Miqueas sigue acusando a los jefes y magistrados de Judá en 3:1-4. Compara sus abusos violentos con el canibalismo. Porque los que deben guardar la justicia no lo hacen, ellos mismos no encontrarán misericordia en su hora de necesidad (v. 4). Miqueas también condena a los líderes religiosos por cometer fraude. Su codicia de ganancias deshonestas determina su mensaje (3:5). Porque predican su palabra en vez de la palabra de Dios, no pueden recibir la revelación divina. El v. 11 muestra que su amor al dinero y su sentido de autoseguridad conducirá a Jerusalén a sufrir el mismo destino de Samaria (compare 3:12 con 1:6).

Entre estas acusaciones a los líderes, Miqueas 2:12, 13 anuncia un sorprendente mensaje de esperanza, Jehovah se compara con un buen pastor que reúne a su rebaño esparcido y con un valiente que abre una brecha para librar una ciudad sitiada. La libertad del pecado y sus consecuencias se encuentra en Dios.

Estudio del texto básico

Lea su Biblia y responda

1. Miqueas profetiza acerca del castigo de Dios que caerá sobre dos ciudades: ____________________ (1:6) y ____________________ (1:9).

2. El profeta se identifica con su pueblo en 1:8. ¿Cómo actuará en el día de juicio? ____________________, ____________________, ____________________, y ____________________.

3. ¿Por qué algunos realizan el mal que planean y traman? Simplemente porque____ (2:1).

4. Trace un círculo alrededor de la respuesta correcta:
   Al profetizar acerca la salvación que Dios ofrece en 2:12, 13, el profeta describe al pueblo de Dios con la figura de:
   Las estrellas; un rebaño; un ejército victorioso.

Lea su Biblia y piense

1 Castigo de Samaria y Jerusalén, Miqueas 1:6-9.

V. 6. La realidad de "la transgresión de Jacob", la rebelión del pueblo de Dios, es evidente (v. 5). Como consecuencia Dios revela el castigo que sufrirá Israel, la destrucción de la ciudad de Samaria. Entre los imperios del antiguo Oriente, los vasallos que se rebelaron fueron destruidos. El castigo que Dios mandará es proporcional al crimen cometido.

V. 7. El pecado de Israel se manifestó en la adoración de Baal, el dios cananeo de la fertilidad. Para su culto se utilizaron diferentes ídolos y prostitutas. Dios declara que en la guerra que viene todos los ídolos serán destruidos. Los soldados asirios robarán el oro y la plata de los ídolos. Luego usarán estos metales preciosos para pagar sus relaciones ilícitas con prostitutas. El pueblo perderá todo lo que constituía su prosperidad.

V. 8. Aunque Miqueas es un profeta de Judá en el sur, le afecta el destino de Israel en el norte. Sabe que tanto Israel como Judá forman el pueblo de

Dios. Un miembro del pueblo se afecta cuando algo malo le sucede a otro miembro. Miqueas expresa el dolor de Israel con lamentos y gemidos y compartirá la humillación del pueblo al andar *descalzo y desnudo.*

V. 9. Miqueas también reconoce que Judá no es inmune al sufrimiento. Todo el pueblo de Dios es culpable y por eso todos serán heridos. La consecuencia del pecado es grave, como un mal *incurable.* Los de Jerusalén, la ciudad más importante de Judá, también experimentarán la ira de Dios bajo el poder del ejército asirio.

2 Pecado y castigo de los gobernantes, Miqueas 2:1-5.

V. 1. Miqueas expresa con su actitud que los líderes van caminando hacia la muerte. Este camino comienza con planear *iniquidad* y tramar *el mal.* Realizan sus planes porque *tienen en su mano el poder.* El poder corrompe, y el poder absoluto corrompe absolutamente.

V. 2. Los líderes ven fincas y haciendas que les gustan. La codicia les conduce a oprimir a los dueños, mandándoles al servicio militar o civil en otras regiones, para luego echar fuera a mujeres y niños indefensos (v. 9), y apoderarse de las tierras (herencias) que han pertenecido a esas familias desde los días de Josué.

V. 3. Entonces Dios describe a los líderes malos como una *familia* de características negativas. Porque ellos traen mal sobre otras familias, también experimentarán un mal del cual no podrán escapar.

V. 4. Los asirios vendrán y tomarán posesión de la tierra de Judá. Dios anticipa las oraciones y los gritos de auxilio que levantarán estos líderes. Clamarán a Jehovah para que los libre porque Dios debe reconocer que esta tierra es *la posesión de mi pueblo.*

V. 5. Sin embargo, Dios declara que su castigo es justo. Los líderes que no respetaron las tierras que Josué había medido con un cordel, ahora no tendrán a nadie para preservar esas tierras. El castigo se aplicará en proporción directa con el crimen cometido.

3 La esperanza de un remanente, Miqueas 2:12, 13.

V. 12. El mensaje de este versículo es como un oasis en medio del desierto. Son anuncios de buenas nuevas que aseguran al pueblo de Dios que el propósito del juicio no es destruirlos, sino que después del castigo habrá un futuro de acuerdo con el plan eterno del Creador.

Jehovah es el buen pastor que recoge las ovejas perdidas. Este versículo no niega el castigo, afirma las luchas que Judá enfrentará porque esta palabra se dirige al *remanente de Israel* solamente. Pero después de sufrir el castigo, el pueblo de Dios experimentará la compasión divina. Los que han sido aislados el uno del otro y que en su soledad han creído que están solos, se encontrarán en medio de muchos. A pesar del castigo, el pueblo de Dios será una gran *multitud.*

V. 13. Miqueas habla en este versículo describiendo también la acción divina en el día de compasión después de que Judá sufra el castigo de Dios. Miqueas imagina al pueblo como prisionero en una ciudad amurallada que está bajo sitio. La gente es impotente y no podrá escapar. Dios se presenta para romper los muros y guiar al pueblo a la libertad, rompiendo también las líneas de tropas alrededor de la ciudad. Jehovah es quien librará al pueblo. Al usar esta figura, Miqueas declara que mientras Judá experimenta el castigo de Jehovah, el mismo Señor estará en medio de su pueblo para librarlo.

4 Pecado y castigo del profeta falso, Miqueas 3:5-8.

V. 5. Los profetas falsos son culpables de hacer errar al pueblo. Debían guiar al pueblo en el camino de la voluntad de Dios. En vez de eso preparaban sus mensajes con base en las ganancias personales que podían percibir. Si alguien *no les da de comer,* pronuncian un mensaje de desastre.

Vv. 6, 7. El castigo que sufren los profetas falsos es de acuerdo con su crimen. Porque se niegan a revelar la verdadera voluntad de Dios, ¡Dios no les revelará nada a ellos! Todo será para ellos tinieblas espirituales, y tendrán que enmudecer.

V. 8. Miqueas se presenta en contraste con ellos. No busca llenarse de comida. Se llena con *poder, juicio* y *valor*. El profeta tiene la autoridad del Espíritu de Jehovah para cumplir su misión. Ha recibido el valor necesario para cumplir su ministerio sin sentir ninguna intimidación. Su deber ante Dios es exponer al pueblo que Judá ha errado del camino de la justicia.

Aplicaciones del estudio

1. Al que sabe hacer lo bueno y no lo hace, le es pecado (Stg. 4:17). El pecado de Samaria y Jerusalén no fue cometido a causa de la ignorancia. El juicio para el que peca deliberadamente es mayor.

2. Los opresores rendirán cuentas al Señor. Dios no está ajeno al dolor de sus hijos cuando son oprimidos. A su tiempo castigará al opresor.

3. El don de profecía es para revelar al hombre la voluntad de Dios. Los falsos profetas predican para agradar el oído de los que escuchan.

Prueba

1. Mencione dos injusticias sociales que Dios condenó en el tiempo de Miqueas.
   a. ______________________________
   b. ______________________________

2. En la comunidad donde vive, ¿hay injusticias que deben ser identificadas? ¿Qué podría usted hacer para mitigar el sufrimiento?
   ____
   ____

Lecturas bíblicas para el siguiente estudio

Lunes: Miqueas 4:1-4
Martes: Miqueas 4:5-8
Miércoles: Miqueas 4:9-13
Jueves: Miqueas 5:1-5a
Viernes: Miqueas 5:5b-9
Sábado: Miqueas 5:10-15

Consuelo y esperanza

Contexto: Miqueas 4:1 a 5:15
Texto básico: Miqueas 4:1-7; 5:1-8
Versículo clave: Miqueas 4:3
Verdad central: El mensaje del profeta Miqueas sobre la venida del Mesías nos enseña que Dios ofrece consuelo y esperanza para quienes se vuelven a él arrepentidos y dispuestos a obedecerle.
Metas de enseñanza-aprendizaje: Que el alumno demuestre su: (1) conocimiento de las profecías de Miqueas sobre la venida del Mesías para inaugurar una era de paz, perdón, consuelo y esperanza, (2) actitud de buscar a Dios con todo su corazón.

Estudio panorámico del contexto

El profeta Miqueas proclama un mensaje de esperanza para animar al pueblo de Dios en 4:1-8. Su mensaje es una visión de la era mesiánica que afectará a todas las naciones del mundo. La importancia de Sion (Jerusalén) en aquellos días no se basa en que es la capital política de Judá, sino en la presencia de la casa de Jehovah (4:1). Dios se revelará por su ley y su palabra (4:2). En su actividad, traerá paz entre todas las naciones (4:3) y bienestar al individuo (4:4). En 4:5 el profeta insiste en que aunque esta visión no sea una realidad entre las naciones, el pueblo de Dios ya debe vivir bajo sus demandas. La era mesiánica será de renovación y sanidad (4:6, 7). Por las figuras de 4:8 Miqueas promete en alguna manera la restauración de la casa de David en la era mesiánica.

El profeta cambia el enfoque de su mensaje del pasado al presente (4:1, 9, 11, y 5:1). El presente es doloroso, pero como una mujer que da a luz, el sufrimiento del pueblo de Dios promete un futuro mejor. Los que combatan contra Judá son sólo instrumentos del juicio de Dios quien librará a Judá de sus enemigos cuando haya cumplido su propósito (4:10b) y entonces usará a Judá como su instrumento (4:13).

El tercer oráculo que comienza con la palabra "ahora" (5:1-5a), es el más importante. Jerusalén sufre el castigo por su pecado por medio de la hostilidad del enemigo (5:1), pero la angustia del pueblo se minimiza con la promesa de salvación que vendrá del mismo lugar donde nació David (5:2-4). El gobernante no sólo traerá la paz: ¡Este será la paz! (5:5a).

En 5:5b-9 se observa una disputa sobre la naturaleza del poder de Israel entre el profeta y otros líderes del pueblo. Los opositores de Miqueas se jactan (5:5b, 6a) declarando que habrá "siete pastores y ocho hombres principales" para derrotar a Asiria ¡aun hasta conquistar la ciudad de Nimrod misma! Los números 7 y 8 significan abundancia y los opositores de Miqueas simplemente quieren transformar a Israel en otra Asiria.

Miqueas habla en 5:6b (note el cambio de número en el verbo): No, sólo el Mesías nos librará, la naturaleza del poder es distinta: “como el rocío”. Es verdad que Israel triunfará (la figura del león), pero el propósito no es conquistar sino bendecir (la figura de rocío). El profeta pide a Dios que haga su voluntad y reconoce que todo juicio pertenece sólo a Dios (5:9).

Miqueas pone fin a la disputa de la naturaleza del poder del pueblo de Dios condenando la falsa esperanza de Judá en otros tipos de poder (Miq. 5:10-15). Ataca los instrumentos de poder político y militar en 5:10, 11. Ataca los medios religiosos (hechicerías e ídolos) en 5:12, 14. Lo hace para que nunca más se incline hacia la obra de sus manos y para que otras naciones escuchen a Dios y eviten su ira y furor.

Estudio del texto básico

Lea su Biblia y responda

1. ¿Cuál es otro nombre para la ciudad de Jerusalén? ______________ (4:2)

2. En sus palabras describba la escena de paz que se encuentra en 4:3, 4: ____
____
____

3. Determine si la siguiente frase es verdadera o falsa: Miqueas 4:7 nos enseña que Dios solamente escoge a los poderosos para hacer su obra. (Verdadera / Falsa)

4. ¿De dónde saldrá el Mesías? ____________(5:2)

5. Miqueas usa cuatro figuras para describir el remanente de Jacob en medio de las naciones (5:7, 8). Son: _______________, _______________, ______________________________, y ______________________________

Lea su Biblia y piense

1 Sion en la era mesiánica, Miqueas 4:1-7.

V. 1. El profeta cambia el enfoque de su predicación con las palabras: *Acontecerá en los últimos días.* Deja de hablar de los pecados de Judá y su castigo para revelar una visión del futuro cuando Dios establecerá a Sion como el centro espiritual de todo el mundo.

V. 2. Las naciones *vendrán* por su propia voluntad a Sion (Jerusalén). Según esta visión del futuro, el sitio ha perdido su significado político y es importante porque allí está *la casa del Dios de Jacob.* Dios estará presente para enseñar *sus caminos. La ley* (*torah,* instrucción) y *la palabra de Jehovah* son los ricos dones que Sion ofrecerá en la era mesiánica.

V. 3. El encontrarse en la presencia de Dios producirá un cambio tremendo en la vida de las naciones las cuales se someterán a la soberanía de Dios.

Jehovah será el juez en las disputas entre ellas con su sabiduría perfecta. En la era mesiánica las naciones reconocerán que no hay necesidad de guerra. Se desarmarán las naciones y las inversiones se harán en lo que produce, no en lo que destruye.

V. 4. La paz de la era mesiánica afectará tanto a los individuos como a las naciones. "Sentarse *debajo de su vid y debajo de su higuera*" significa tener seguridad personal y vivir con gozo. Este bienestar (*shalom, paz*) que el individuo puede experimentar se ofrece como una esperanza segura *porque la boca de Jehovah de los Ejércitos ha hablado.* ¡No hay una autoridad más alta!

V. 5. Después de describir la esperanza de la era mesiánica como consuelo, el profeta desafía al pueblo de Dios a mantenerse fiel en el difícil momento que están viviendo porque tienen confianza en el futuro.

Aunque ahora todos los pueblos anden en caminos de división y destrucción, los creyentes tienen que empezar a vivir bajo la soberanía de Dios desde ahora *y para siempre.*

V. 6. Dios promete que *en aquel día* el pueblo de Dios recibirá de nuevo el amor del buen Pastor. Los que han sufrido el castigo de Dios experimentarán el perdón y la reconciliación divinos.

V. 7. El *remanente* será *una nación poderosa,* pero el significado de "poder" cambiará, no será la capacidad de conquistar a otros sino de vivir obedientemente en el reino de Dios.

2 Profecía sobre la venida del Mesías, Miqueas 5:1-5a.

V. 1. En este versículo el profeta describe el terror y la afrenta que Jerusalén sufría como consecuencia de su pecado. ¡El castigo de Dios es una realidad! El año 701 a. de J.C. fue la ocasión de un sitio de Jerusalén por Senaquerib (2 Rey. 18 a 19). Posteriormente, Jerusalén sufrió en manos de los babilonios un sitio peor.

V. 2. A pesar de la dura realidad del castigo presente, Miqueas vuelve su atención al futuro cuando vendrá el Mesías (el Ungido). Declara que nacerá en *Belén Efrata,* el lugar donde nació David. Este nuevo *gobernante* vendrá de un lugar cuyo nombre significa "casa de pan" y "fecundidad". Sólo Dios puede levantar de un lugar tan pequeño al Mesías para perpetuar la línea de David (2 Sam. 7).

V. 3. El *sin embargo* del profeta indica una vez más la realidad de su día. El pueblo de Dios parecía abandonado por Dios, pero hay una promesa de consuelo: el Mesías reunirá a todo el pueblo de Dios.

V. 4. El Mesías será un rey-pastor. En el Antiguo Oriente se comparaba al rey con un pastor. En Judá la figura del pastor era más apta para referirse al Mesías porque vendría de la casa de David, el pastor que llegó a ser rey.

El reinado del Mesías será en realidad de Jehovah porque reinará *con el poder de Jehovah,* y su majestad se derivará de la autoridad (*nombre*) de Jehovah. El reino del Mesías no se limita a Judá, sino que se extiende *hasta los fines de la tierra.*

V. 5a. Estas breves palabras contienen un tremendo mensaje. Este Mesías no sólo traerá *la paz* (*shalom*), sino que él *será la paz.*

3 Poderío de Israel en el futuro, Miqueas 5:5b-8.

Vv. 5b, 6a. Estas belicosas palabras provienen de los líderes que se oponen a Miqueas. Según ellos, no es necesario esperar *los últimos días* y un Mesías futuro, ya Judá tiene una gran abundancia de libertadores. "¡Que venga Asiria!" claman. "Podemos vencerlos y conquistar sus tierras hasta Nimrod. Dios no está castigándonos. ¡Hoy es la oportunidad para glorificarnos!"

V. 6b. Miqueas refuta sus ideas con el verbo singular, *librará.* El profeta insiste en que la liberación del pueblo de Dios será la obra de Dios mismo, él ha escogido salvar a su pueblo por medio del Mesías de Paz.

V. 7. La función que Dios tiene para su pueblo es que será una bendición para todas las naciones (compare Gén. 12:3). *El remanente de Jacob* se compara con *el rocío* que da vida en una tierra donde no había lluvia desde junio hasta septiembre. El rocío llega casi imperceptible y misteriosamente para suplir agua para las plantas sin hacerles daño. Así el pueblo de Dios estará entre los pueblos como una obra de Dios para ayudar a las naciones a encontrar vida en el conocimiento de Jehovah.

V. 8. El propósito de Dios para el mundo triunfará. Nada ni nadie puede oponerse a ello con éxito. Por eso la presencia del pueblo de Dios será como *el león; no habrá quien escape.*

Aplicaciones del estudio

1. Cristo, el Mesías ya nos dio la libertad. El creyente de hoy forma parte del nuevo pueblo de Dios. Al aceptar a Cristo como su Señor y Salvador es libre de la condenación del pecado. Esa es la verdadera libertad que Dios hace disponible para el hombre a través del sacrificio de su Hijo.

2. Las armas de Dios son distintas de las de los hombres. La libertad que él ofrece es por medio del Príncipe de paz, Jesucristo.

3. Somos llamados a ser bendición a todas las naciones. Así como el pacto que Dios hizo con Abraham, nosotros también formamos parte de un nuevo acuerdo. Por eso Jesucristo dijo: "Id a todas las naciones..."

Prueba

1. ¿Cuáles son las características de la venida del Mesías, según la profecía de Miqueas? ____________________

____

2. ¿Cómo demuestra usted que está buscando a Dios con todo su corazón?

____

____

Lecturas bíblicas para el siguiente estudio

Lunes: Miqueas 6:1-5	**Jueves:** Miqueas 7:1-7
Martes: Miqueas 6:6-8	**Viernes:** Miqueas 7:8-17
Miércoles: Miqueas 6:9-16	**Sábado:** Miqueas 7:18-20

Estudio **52**

Unidad 16

Lo que Dios demanda de su pueblo

Contexto: Miqueas 6:1 a 7:20
Texto básico: Miqueas 6:1-4, 6-8; 7:2, 5-7, 18-20
Versículo clave: Miqueas 6:8
Verdad central: Las condiciones espirituales y éticas del camino de la salvación nos enseñan que Dios perdona y salva a toda persona que le busca en actitud de obediencia a sus demandas.
Metas de enseñanza-aprendizaje: Que el alumno demuestre su: (1) conocimiento de las condiciones espirituales y éticas del camino de la salvación como lo presenta el profeta Miqueas, (2) actitud de obediencia a las demandas de Dios.

Estudio panorámico del contexto

Jehovah convoca un juicio en 6:1, 2. Llama a su pueblo, el acusado, para que presente su caso (6:1) y llama a todos los pobladores de la tierra para que actúen como jurado (6:2). Dios desafía al acusado que le muestre sus errores, pero nadie le responde. Dios no ha hecho ningún mal (6:3). Además, Dios da evidencia concreta de su bondad relatando sus actos salvíficos en la historia de Israel (6:4, 5).

Por fin un individuo levanta su voz en 6:6, 7. Quiere terminar el juicio y pregunta en términos cúlticos: ¿Qué es lo que Dios quiere que yo haga? Su pregunta exagera la situación casi hasta el absurdo. Miqueas responde en 6:8 de manera que fija la atención en la vida completa ante Dios, no solamente en las actividades cúlticas.

El juicio continúa en 6:9-16. En 6:9 el pueblo recibe un citatorio para presentarse ante el juez. Las preguntas y declaración de 6:10-12 presentan los crímenes específicos del pueblo. La sentencia del juez se da en 6:13-15. Este castigo ya ha comenzado y el pecado resultará en la experiencia de la futilidad de la vida sin Dios. Porque Jerusalén ha sido igual que Samaria, sufrirá el mismo destino.

Miqueas responde nuevamente al pecado de Judá en 7:1-7. Con los "¡Ayes!" de los vv. 1 y 4 el profeta lamenta las injusticias que su pueblo practica. La situación no mejorará, sino que las injusticias traen su propio castigo. Con tanto engaño, avaricia, traición, y violencia la vida nacional y familiar se ha desintegrado (7:1-6). Sin embargo, Miqueas no se desespera, se apoya en Dios con una declaración de fe ejemplar (7:7).

Miqueas expresa en un salmo la respuesta final de la comunidad de fe al mensaje del profeta. La voz que habla es el "Yo" colectivo del pueblo para expresar lamento, confesión, confianza, petición y alabanza. El himno exhibe la perspectiva del pueblo que ha sufrido el castigo de Dios en manos de otros pueblos y ahora espera la salvación de Dios (7:8-15). En este día de salvación las otras naciones conocerán a Jehovah y a su pueblo (7:16, 17).

El himno termina celebrando la misericordia de Jehovah; ¡el Dios que perdona! El pueblo reconoce la realidad y la gravedad de su pecado que es el verdadero enemigo del pueblo. Pero también el himno declara que Dios vence el pecado. La promesa que hizo a Abraham y a David es segura porque Dios es leal y misericordioso. El perdonará a su pueblo contrito.

Estudio del texto básico

Lea su Biblia y responda

1. Identifique a cada uno de los participantes en el juicio de 6:1, 2 como (a) miembros del jurado, (b) fiscal, (c) acusado.

_____ Los montes
_____ Los fundamentos de la tierra
_____ Las colinas
_____ El pueblo
_____ Jehovah

2. Marque un círculo alrededor de lo que Dios quiere de sus adoradores (6:6-8).

a. Holocaustos
b. Justicia
c. Miríadas de arroyos de aceite
d. Misericordia
e. Humildad
f. Millares de carneros

3. Escriba las siete maneras como Dios nos trata en cuanto a nuestros pecados si nos arrepentimos (7:18-20).

a. ____________________
b. ____________________
c. ____________________
d. ____________________
e. ____________________
f. ____________________
g. ____________________

Lea su Biblia y piense

1 Pleito de Jehovah con su pueblo, Miqueas 6:1-4.

V. 1. Miqueas presenta la palabra de Dios en la forma de un juicio. Dios es el fiscal y el juez que llama al acusado, Judá, a participar en el litigio para que se determine la verdad. *Los montes* y *las colinas* forman parte del jurado.

V. 2. Juntamente con *los montes* y *las colinas*, el jurado se compone de *los fundamentos de la tierra*. Desde el lugar más alto hasta el más bajo. Dios quiere que su caso sea conocido en toda la tierra. Estos lugares son importantes porque han estado desde los días de la creación y son testigos de toda la larga historia de Dios y su pueblo. Al final del anuncio del litigio se menciona al acusado, *Israel*, el pueblo de Dios. El crimen de que se le acusa es la infidelidad.

V. 3. Dios inicia el proceso dando a Israel la oportunidad de demostrar una falta divina. Dios habla tiernamente con Israel llamándole: *Pueblo mío.* Por supuesto la respuesta a las preguntas de Dios es: "En nada nos has maltratado." Pero responder así es admitir su culpabilidad. Israel guarda silencio para no condenarse, pero Dios insiste: *¡Responde contra mí!*

V. 4. Ante el silencio del pueblo, Dios presenta la evidencia de la historia. El relato de la historia de Israel está marcado por la gracia y la fidelidad de Jehovah. El v. 5 aclara que la liberación de la esclavitud de Egipto fue el primer paso de una larga historia.

2 Lo que Dios demanda de su pueblo, Miqueas 6:6-8.

V. 6. Israel entra en la discusión con Dios como si un solo individuo estuviera hablando. Evidentemente, cree que la contienda entre Dios e Israel se resolverá por medio de una actividad cúltica. Ofrecer holocausto es quemar el animal entero como sacrificio a Dios, un becerro *de un año* sería especialmente caro. ¿Satisfará a Dios este tipo de culto que produce una gran pérdida económica?

V. 7. El individuo piensa en cantidad en vez de calidad. Pregunta sobre *millares de carneros y miríadas de arroyos de aceite.* Ofrecer el *primogénito* ¿es eso lo que Dios desea? Persiste el pensamiento de que Dios no quiere que el hombre sufra ofreciéndole sacrificios materiales para complacerle.

V. 8. Miqueas contesta las preguntas del individuo rechazando todas las opciones que se presentaron. Se dirige a cada persona (*oh hombre*). Declara que lo que Jehovah requiere es también *lo que es bueno* para la persona y la comunidad de fe. Los requisitos de Dios son actitudes y acciones que beneficien la vida humana en su totalidad. *Hacer justicia* es insistir en el bienestar de los débiles y preservar un orden justo en la sociedad. *Amar misericordia* es practicar *jesed,* un amor leal que demuestra buena voluntad y solidaridad con la comunidad de fe. *Caminar humildemente con tu Dios* es vivir atento a lo que Dios hace; es lo que el Nuevo Testamento llama "seguir a Jesús".

3 Violencia, corrupción y esperanza, Miqueas 7:2, 5-7.

V. 2. La severa condenación del profeta sobre la sociedad de su día es que no había nadie que practicara el amor. Según Miqueas, en vez de ser honesta y recta, *cada* persona trata *a su prójimo* como si fuera un animal silvestre.

V. 5. La corrupción que Miqueas describe no se limita a la vida pública, afecta también la vida particular (7:3, 4).

V. 6. La desintegración de la sociedad se completa con la desintegración de la familia. En la casa hay una falta de respeto y autoridad. Por los pecados del pueblo la situación va de mal en peor. Los enemigos no son otras naciones o algunos oficiales corruptos, sino *los de su propia casa.* El castigo del pecado llegará a cada hogar.

V. 7. La corrupción no destruirá al creyente. Al contrario, su confianza en el poder de Dios lo sostendrá. Mejor dicho, es su relación personal con Jehovah lo que sostiene a Miqueas y le asegura que el amor de Dios es más poderoso que la infidelidad y el engaño humano. *Yo miraré a Jehovah; esperaré en el Dios de mi salvación.*

4 Alabanza al Dios de misericordia, Miqueas 7:18-20.

V. 18a. El libro de Miqueas termina con un himno que celebra el carácter misericordioso de Jehovah. Este tema es tradicional (Sal. 71, 77, 86, y 89). Sin embargo, Miqueas es único en su identificación al punto de presentar a Dios como incomparable: Jehovah *perdona*. Las primeras palabras del himno son como la firma del profeta. El nombre Miqueas (*mikayahu*) significa: ¿Quién es como Jehovah? El himno comienza: *¿Qué Dios hay como tú?* Al ofrecer este himno, el pueblo muestra que está de acuerdo con el profeta.

Vv. 18b, 19. Miqueas usa las tres palabras más importantes en el Antiguo Testamento para referirse al pecado: *maldad* (*avén*, acto de transgredir), *pecado* (*pesha*, rebelión), e *iniquidades* (*jatovot*, algo que ofende). Pero también reconoce la realidad de la misericordia (*jesed*) de Dios. Usa siete verbos para describir cómo Jehovah trata con nuestros pecados: *perdona, olvida, no ha guardado, se complace, volverá a compadecerse, pisoteará* y *echará*.

V. 20. La promesa de Dios es *verdad* (confiable), y la motivación de Dios en todo lo que hace es su *lealtad* (*jesed,* misericordia, véase la nota en RVA). Según Miqueas la salvación que traerá el Mesías será el cumplimiento de la promesa que Dios hizo con las patriarcas *desde tiempos antiguos.*

Aplicaciones del estudio

1. El pecado produce consecuencias duraderas. Una de las tragedias del pecado es que trae consigo secuelas. Aun cuando hayamos sido perdonados por Cristo, las consecuencias de haber pecado siguen haciendo estragos en nuestra vida.

2. En sus demandas, Dios quiere bendecir al hombre. Las demandas de Dios son para nuestro beneficio, no el suyo. Cuando seguimos a Cristo los más beneficiados somos nosotros.

3. Al castigar el pecado, Dios busca el arrepentimiento del pecador. Una vez que el pecador se ha arrepentido recibe el perdón de Dios y se restaura la relación que se perdió por el pecado.

Prueba

1. Explique en sus palabras lo que requiere Dios del hombre para restaurarlo según el estudio de Miqueas 6 y 7. ____________________

    ____

2. Describa por lo menos dos de sus acciones que demuestran que usted es obediente a las demandas de Dios.

    a. ____

    b. ____

Lecturas bíblicas para el siguiente estudio

Lunes: Romanos 1:1-7 **Jueves:** Romanos 1:18-23
Martes: Romanos 1:8-15 **Viernes:** Romanos 1:24-28
Miércoles: Romanos 1:16, 17 **Sábado:** Romanos 1:29-32